lato miłości

Helen Cross

lato miłości

Z angielskiego przełożył

Paweł Cichawa

WYDAWNICTWO
SONIA DRAGA

Tytuł oryginału:
MY SUMMER OF LOVE
Copyright © 2001 by Helen Cross
Copyright © 2005 for the Polish edition by Wydawnictwo Sonia Draga
Copyright © 2005 for the Polish translation by Paweł Cichawa

Redakcja: Quendi Language Services, www.quendi.pl
Korekta: Anna Rzędowska
Projekt okładki: Wydawnictwo Sonia Draga
Zdjęcie na okładce: Copyright © THE WORKS Ltd.
ISBN: 83-89779-27-7

Dystrybucja:
Firma Księgarska Jacek Olesiejuk
ul. Kolejowa 15/17, 01-217 Warszawa
tel./fax (22) 631-48-32, 632-91-55
e-mail: hurt@olesiejuk.pl   www.olesiejuk.pl
Wydawnictwo L&L / Dział Handlowy
ul. Kościuszki 38/3, 80-445 Gdańsk
tel. (58) 520-35-57, fax (58) 344-13-38

Sprzedaż wysyłkowa:
www.merlin.pl
ul. Staszica 25, 05-500 Piaseczno
tel. (22) 716-75-02, 716-75-03

WYDAWNICTWO SONIA DRAGA Sp. z o. o.
Pl. Grunwaldzki 8-10, 40-950 Katowice
tel. (32) 782-64-77, fax (32) 253-77-28
e-mail: info@soniadraga.pl
www.soniadraga.pl

Katowice 2005. Wydanie II
Druk: OPOLGRAF S. A., ul. Niedziałkowskiego 8-12, 45-085 Opole

Mojej rodzinie

biszkopt z owocami i bitą śmietaną

Dzisiaj temperatura powietrza wynosi dokładnie tyle samo, ile wynosiła tego dnia, kiedy zmarły dwie osoby. Nigdy wcześniej na elektronicznym wyświetlaczu nie widziałam takich samych cyfr. Chociaż może przez to, co się wtedy stało, jestem teraz obsesyjnie dokładna, gdy idzie o pogodę. Pewnie potrafiłabym wymienić tyle nazwisk prezenterów prognozy pogody, ile nazwisk dżokejów albo nazw gatunków wódki.

Wszystko zaczęło się od ślubu, jeśli uwierzyć, że wszelkiego rodzaju skrajne zachowania często stanowią reakcję na utratę czegoś. Mnie przyszło się przekonać, że większość psychiatrów w to wierzy.

Był 23. maja 1984 roku, dzień ślubu mojej siostry.

– Założę się, że niewielu bukmacherów przyjmuje kasę na to, że twojej siostrze uda się w drugim małżeństwie – oświadczył Baleron, kiedy zaczęli pokazywać gonitwę. Na krótkiej migawce widać było dwa konie smagane w szale na finiszu i tłum pełnych delirycznej nadziei graczy, kurczowo przywierających do poręczy.

– Ona jest także twoją siostrą – odparłam.

– Właśnie że nie jest!

– A właśnie że jest!

Ciągnęło się tak jeszcze przez chwilę, a potem Lindy zaczęła drzeć się na swoje dziecko.

– Uspokój się, kochanie, przecież to ją tylko jeszcze bardziej drażni – doradziła Cleo, krótkimi, wprawnymi ruchami mocując baskinkę do stroju Lindy. Moja siostra była w czwartym miesiącu ciąży, a mimo to zdecydowała się na suknię, w której miała figurę Miss Świata.

To chyba oczywiste, że byłam w najwyższym stopniu zawiedziona tym, jak dobrze wygląda. Wciąż nosiła ten swój makijaż w stylu punk. Na ten specjalny dzień całkiem wyskubała sobie brwi, a w ich miejsce namalowała dwa czarne kliny. Usta pomalowała czarną szminką.

— Ty, mała, czy jak ci tam! Gdzie są moje włosy? — wrzasnęła.

— Razem z welonem.

— Tylko nie pozwól tacie się upić, Clee. Proszę cię. Musimy założyć Siouxie sukienkę. Gdzie jest jej sukienka?

Siouxie, córka Lindy, miała trzy lata. Ubrana była tylko w majtki i próbowała upiąć na sobie olbrzymi kawał plastikowej folii, jednocześnie owijając nią naszego psa, owczarka alzackiego. Lindy rzuciła się w jej kierunku w jednym bucie, najwyraźniej usiłując ją złapać. Wtedy zauważyła Balerona, który, owinięty w brudny szlafrok, tuż obok mnie rozparł się na fotelu w zacienionym końcu pokoju. Siedział na sukience Siouxie.

Mimo hałasu, który przetaczał się przez cały dom, czułam się bardzo otępiała, jakby cała moja rodzina wydzielała jakiś silny środek uspokajający.

— Baleron, ty cholerny prostaku! Rusz dupę z tej pieprzonej sukienki! — wrzasnęła Lindy, rzucając prawie pustą puszką piwa Kestrel w kierunku jego głowy.

— Dzięki, Lindy. Miło z twojej strony — odparł Baleron, łapiąc puszkę i wysączając z niej resztki ciepławego płynu. Szczekanie zagłuszyło dźwięk z telewizora.

Zaczęła się bitwa. Cleo wzięła z półki aparat fotograficzny i oparłszy jedną rękę na biodrze, drugą podniosła go do oka i skierowała na swojego syna.

— Mamo! Nieee! Zostaw mnie! Mam kaca. Już sobie idę. — Ale Cleo i tak zrobiła zdjęcie. Właśnie w chwili, kiedy wstawał z fotela i rozchyliły mu się przy tym poły szlafroka.

— No tak. To najszczęśliwszy dzień w moim życiu. A ty mi tu takie rzeczy, leniwy bydlaku! — wrzeszczała Lindy, próbując przekrzyczeć telewizor i szczekanie.

Ciągnęło się tak jeszcze przez chwilę, a potem Baleron zmienił zdanie, sięgnął po materiały z wyścigów konnych i stwierdził:

– Źrebak zawsze pokona młodą klaczkę.

Pamiętam to doskonale: „Źrebak zawsze pokona młodą klaczkę". Młoda klacz musi być po prostu wyjątkowa, aby pokonać źrebaka. Można oczywiście spotkać klaczkę, która pokona źrebaka, albo nawet dwa, ale przecież tu chodzi o klaczkę na tyle dobrą, by pobić wszystkie źrebaki. Zdarza się tak, ale niezbyt często.

I to właśnie się stało, kiedy te dwie osoby zmarły.

W końcu Cleo postanowiła zamknąć okno, żeby ludzie na ulicy nie rzucali komentarzy, że znowu mamy dzisiaj dzień ślubu Lindy. Wachlowała się lepkim jeszcze zdjęciem Balerona. Podeszłam kilka kroków i spojrzałam jej przez ramię, ale cmoknęła z niezadowoleniem i powstrzymała mnie, łapiąc na oślep za głowę. Baleron szydził, że wszystkie mamy za ostry makijaż i wyglądamy, jakbyśmy grały w jakiejś pantomimie. Rzuciłam mu swoje specjalne spojrzenie, pełne pogardliwego współczucia, jednocześnie wolno kiwając głową.

Po przeciwnej stronie ulicy stało dwóch policjantów w koszulach z krótkim rękawem. Jeden z nich mówił coś do krótkofalówki. Tak bardzo chciałam popełnić wreszcie jakieś przestępstwo, że byłam zafascynowana policją, zanim jeszcze cokolwiek zrobiłam.

– Podoba ci się twój strój? – zainteresowała się Cleo. Skinęłam głową, rozmarzona. Znałam ludzi, którzy znajdowali się pod dozorem kuratorskim i w romantyczny sposób wyobrażałam sobie, że dozór kuratora i warunkowe zwolnienie są jakby kierowaną przez państwo agencją matrymonialną, kontaktującą nastoletnie dziewczyny z jasnowłosymi policjantami o posturze młodych byczków.

Cleo zapytała ponownie. Martwiłam się nie tyle sukienką, którą Cleo uszyła ściśle stosując się do moich wskazówek, dbając, by jak najbardziej wyeksponować moją dolną połowę, jednocześnie minimalizując obrzydlistwo górnej, na której znajdowały dwa dziwaczne pagórki, przypominające kupki soli w klepsydrze do gotowania jajek. Problemem były włosy, spiralnie zwinięte z tyłu głowy w coś na kształt fletu. Baleron miał rację! Wyglądałam jak aktorka pantomimy po lobotomii. No i makijaż. Nałożyłam go obficie i teraz żałowałam. Wiedziałam, że niebieska konturówka leży nierówno, a z powodu warstwy różu wyglądałam tak, jakby ktoś mnie przed chwilą spoliczkował.

Odwróciłam się od okna. Pragnęłam urzekającego seksownością powabu, a zamiast niego miałam w najlepszym razie otrzymać zachęcające uśmiechy, a w najgorszym gwizdy i szyderstwa. Jednak tak bardzo chciałam pograć sobie na mojej owocowej maszynie, że zeszłabym na dół nawet bez majtek, gdybym musiała.

Lindy wyszła z pokoju i Siouxie ruszyła za nią, mokrymi śladami znacząc miejsca, w których wydawała z siebie gaworzące pokrzykiwania. Cleo schwyciła pogniecioną sukienkę i też wyszła.

– Kiedy wrócę, masz być ubrany! – wrzasnęła jeszcze, wymierzając pomalowany na różowo paznokieć palca wskazującego w Balerona, jakby i on był raczkującym dzieckiem. Podziałało, ponieważ chrząknął, wyłączył telewizor i człapiąc wytoczył się z pokoju.

Znów podeszłam do okna i otworzyłam je. Do pokoju natychmiast wdarł się upał. Wraz z nim odór krwi, patroszonych wnętrzności i chrząstek jak szkarłatna flegma zwisających ze skóry, z której właśnie odarto zwierzęta. Smród zakładów Hogginsa, w których skórę zamieniano w materiał skórzany, niósł się teraz najsilniej.

Turkoczące, trzykołowe, małe ciężarówki przewoziły niewyprawione skóry z tej części fabryki, w której oddzielano je od zwierząt, do części magazynowej. Cuchnące, ociekające czerwoną breją i żylastą mazią, świeże jeszcze skóry leżały w stosach na drewnianych paletach, upchnięte na budach małych ciężarówek jak mokre płaszcze rzucone na łóżko podczas przyjęcia.

Przez cały dzień będę musiała brać ventolin. No i zero papierosów. Wódka, malibu, piwo z limonką – proszę bardzo. Ale żadnych fajek.

Wychyliłam się przez okno i omiotłam wzrokiem ulicę w poszukiwaniu policjantów.

Whitehorse, gdzie mieszkałam, jest małym targowym miasteczkiem w Yorkshire, w którym nigdy nic się nie dzieje, a chłopaki myślą, że dobra nocna zabawa polega na tym, by walnąć się w stodole na kupie siana i wzajemnie wstrzykiwać sobie środki uspokajające podawane trzodzie chlewnej.

Od strony tego akurat okna ulica wyglądała całkiem przyzwoicie. Brudnawe bliźniaki z dużymi, szklanymi gankami, niezbyt długi szeregowiec, przyczepy kempingowe, rowery, dzieciaki, skrzynka pocztowa na półkolistym kawałku żółknącej trawy. Za to od tyłu rozciągał się widok na miejsce, w którym niewątpliwie każdy porzuciłby zwłoki kogoś właśnie przez siebie zamordowanego: roztrzaskane okna, połamane deski, martwe fabryki, porzucone składy i magazyny oraz starzy mężczyźni, którzy, powłócząc nogami, na parcianych smyczach wyprowadzają zreumatyzowane psy albo jadą gdzieś tam na ryby, pałąkowatymi nogami naciskając pedały swoich rowerów.

Cleo była zdania, że powinni oczyścić kanał. Badali go już nawet nurkowie. Znaleźli palety, wciąż upaprane cielęcymi skórami i przetrawionymi resztkami ze świńskich żołądków. Przeszukano też martwe fabryki, a na pola wysłano psy. Wczoraj natknęli się w kanale na dziewczęce buty w plastikowej torebce z marketu Presto (według niektórych relacji torebka unosiła się na powierzchni, a według innych leżała na dnie; gazety nic na ten temat nie pisały). Możliwe, że buty wrzucono do wody z mostu, może nawet z okna jadącego samochodu.

Nigdzie za oknem nie widziałam policji.

Ktoś kupił Lindy w prezencie małą butelkę szampana Babycham. Wokół szyjki nalepiona została karteczka z jej imieniem i narysowanymi serduszkami. Zastanawiałam się, czy któryś z jej punkowych przyjaciół nie przesłał tej butelki kierowany ironią. Potem przyszło mi do głowy, że może wysłała ją zza grobu nasza mama. To było bardzo w jej stylu. No i chciała, żebyśmy takie właśnie były: powszechnie lubiane i słodkie.

Tak bardzo musiałam się czegoś napić, że stuknęłam buteleczką o parapet. Uderzyłam silniej niż myślałam i od parapetu oderwała się spora drzazga. Butelka była teraz otwarta, a zawartość ciepława i wystarczająco kwaśna, by przeszły mi po plecach ciarki.

Do pokoju weszła Cleo, trzymając na rękach Siouxie.

– Wszystko w porządku? – zapytała. Odkąd zaczęła popierać Arthura Scargilla i dołączyła do kampanii na rzecz górników, mówiła zwykle spokojnym i poważnym głosem. – Wiem, Mona, wiem, jak bardzo…

I Cleo zaczęła łagodną przemowę. Kiedyś śpiewała w jakimś zespole, więc doskonale wiedziała, jak modulować głos. Baleron twierdził nawet, że Cleo kiedyś pieprzyła się z Jimim Hendrixem. Chłodnymi opuszkami palców, zakończonych różowymi paznokciami, dotknęła moich pleców w miejscu, gdzie sukienka odsłaniała ciało.

– To wstyd dla Lindy – powiedziałam, ale tak naprawdę myślałam o tym, że Lindy o wiele częściej zastanawia się nad tym, jak przechwalać się nową terakotą, niż tęskni za moją mamą.

Cleo ponownie mnie dotknęła. Palce i dłonie lubiłam najbardziej ze wszystkich części ludzkiego ciała. Wyjątkowość odcisków palców wydawała mi się wtedy czymś najbardziej romantycznym. Choć przecież później zmieniłam w tej kwestii zdanie.

Znowu musiałam napić się czegoś mocniejszego. Zawsze tak jest, że jak już się zacznie, to potem chce się kolejnego drinka. Myśli mogą czasem sprawić, że czujemy się tak, jakby głowa miała nam za chwilę eksplodować, jakby nasze życie było niczym garnek mleka, który przez cały czas grozi wykipieniem. Drink pomaga obniżyć trochę temperaturę, sprawia, że nie kipimy, a gotujemy się na wolnym ogniu.

No i musiałam pograć trochę na maszynie. Pierwszy dotyk poranka, kiedy to ja właśnie wprawiałam w ruch migocący automat.

Zeszłam więc na dół, gdzie mój tatuś, Bob, który przyprowadził kuca i dwukółkę, oraz Ted i Ken pili drinka. Przed wejściem do baru zatrzymałam się na chwilę, bo zesztywniałam z zażenowania. Ale nikt nic nie powiedział na temat moich włosów ani braku cycków. Zwykle nie lubiłam baru, kiedy był po brzegi wypełniony męskim smrodem i żeby sobie jakoś radzić, musiałam być nieźle podpita.

Nigdy nie mogłam się odprężyć z wszystkimi tymi facetami wokół, ponieważ jeśli nie czynili jakichś prostackich uwag na mój temat, to z powodu mojej okropnej brzydoty, a jeśli je czynili, to dlatego, że byli śliniącymi się zboczeńcami.

A teraz być może nawet znajdował się między nimi morderca.

Wszystkie okna stały otworem, a i tak było zbyt gorąco. Jednak piwo chłodziło krew, a smród niewyprawionej skóry mniej dawał się we znaki tu na dole, w barze. Nikt nie podskoczył, kiedy weszłam, ogłupiała z gorąca.

Z kuchni dochodził zapach oleju. Na poprzednim weselu Lindy też podawano pieczone ziemniaki z solą. Na zimno.

Niechlujne papierowe łańcuchy i postrzępione frędzle lamety piętrzyły się na ławach po imprezie, jaką wczoraj wyprawiła Lindy. Ted i Ken wyglądali tak, jak gdyby także i oni stanowili pozostałość po tej wczorajszej imprezie.

– Wyglądasz tak dobrze, że można by cię zjeść – oświadczył Bob, owijając swoje mięsiste ramię wokół mojej talii i przyciskając mi się do piersi.

– A ty pachniesz tak, jakbyś gnił tu przez całą noc – odparłam, naśladując jego szorstki akcent.

Chociaż niedawno odkryłam, że pewność siebie w kontaktach z mężczyznami zyskuje się raczej flirtując z nimi niż okazując nieśmiałość, nie było to w moim stylu i często zamiast prezentować pewność siebie, stawałam się agresywna, albo zachowywałam się dziwnie. Jeśli przyłapała mnie na tym Lindy, przewracała oczami i przepraszała za mnie: „Proszę, wybaczcie mojej dziwnej małej siostrzyczce!”

Owocowa maszyna była włączona, ale nikt na niej jeszcze nie grał. Świeża jak kwiat. Pierwsza rzecz o poranku.

– Dość tego – powiedział Bob z naciskiem, chuchając na mnie obrzydliwie.

– Czy wiesz, że powożenie dwukółką po pijanemu jest wykroczeniem? – zapytałam, wyglądając przez otwarte drzwi. Konik stał przywiązany do rusztowań. Przez ulicę przechodziło właśnie dwóch policjantów, przyglądając się zawartości błotnej kałuży. Dobrze wiedziałam, co tam zobaczą, ponieważ rano, zanim jeszcze wszyscy wstali, oglądałam szlam stojąc na rusztowaniach. Zimą pubowi zagrażało zalanie, ale teraz woda cofnęła się tak bardzo, że w błocie pokazała się stara opona od traktora i zardzewiały wózek z marketu.

Wokół tych śmieci unosiła się ławica butelek po piwie. Żadnych ciał.

Jednak tamtego ranka, wyjątkowo, nikt nie mówił o poziomie wody ani o pikietach, ani o powtórce do szkolnych egzaminów, ani o prawdopodobnej śmierci dziewczynki, ponieważ był to wspaniały dzień na uroczystość weselną.

– Te gliny zaraz cię zamkną, Bob – powiedziałam.

– A potem dopadnie cię Królewskie Towarzystwo Opieki nad Zwierzętami – dodał Ted.

– I pójdziesz na zasiłek – dorzucił tatuś.

– E tam. Tylko patrzcie. Wcale nie jestem pijany – zapewniał Bob, uderzając się otwartą dłonią w czoło. – A to nie jest dwukółka, tylko powóz, młoda damo.

Potem zaczęły się radosne chłopskie dowcipy.

Czasem zastanawiałam się, jak to się stało, że właśnie mężczyźni zaczęli rządzić światem.

– Czy konik da radę pociągnąć nas wszystkich? Nie obraziłabym się, gdybym miała pojechać taksówką, jeśli uznasz, że tak będzie lepiej. Może tylko Lindy i Siouxie powinny jechać dwukółką? – zaproponowałam nadąsana. Lubiłam myśleć sobie, że zdecydowanie wolę konie od ludzi i chciałam, żeby oni wszyscy o tym wiedzieli.

– Koń da radę zawieźć was wszystkich, jeśli tylko nie będziecie chcieli, żeby jechała z wami nasza kochana Cleo – powiedział tatuś, nie podnosząc wzroku znad baru, na którym rozłożona była gazeta sportowa. – Ani Baleron.

– Oj, tak! Clee to dobra kobieta. Dobra, kochana, duża kobieta! – zgodził się Ken.

Byliśmy bezpieczni. Świeciło słońce, a Ken chodził na siłownię, miał wielkie mięśnie i tatuaż. Pił za dużo, opowiadał dobre dowcipy i sprawiał, że faceci wydawali się łatwi i mili. Bardzo podobał się moim hormonom. Ale mnie nie.

Wszystko szło świetnie.

Snułam się po barze, czekając. Próbowałam oddychać spokojnie i równo, choć nie wypiłam jeszcze drinka ani nie zagrałam sobie na mojej maszynie. Wiedziałam, że powinnam próbować obchodzić się bez ventolinu, bo lekarz mówił, że nie wolno stosować go częściej niż trzy razy dziennie. Nawet jeśli będę w rozpaczliwej potrzebie.

Na stołach w drugim końcu sali Cleo ustawiła bufet. Samoprzylepna folia do żywności marszczyła się od gorąca. Były stosy trójkątnych kanapek na chlebie obranym ze skórki, kiełbaski w miodzie z ziołami, koreczki z żółtego sera z ananasem, chrupki, jakiś blady sos posypany pietruszką, całe góry ciast, zimne bryłki złotego masła oraz biszkopt z owocami i bitą śmietaną, po której ktoś przejechał już paluchem.

– Gorąco tu – powiedziałam, zamykając oczy i wydychając powietrze. Słyszałam suchy trzask opon na zakurzonym asfalcie i krzyczącego gdzieś daleko policjanta.

– Kiedy przyjdzie kolej na ciebie? – zapytał Ken, obracając się w moją stronę, po czym obejrzał mnie od góry do dołu i wyciągnął swoją wielką łapę, aby poklepać mnie po plecach. Był wielki, łysy i kanciasty. Wyglądem przypominał mi niedźwiedzia polarnego.

Upał miał niebawem kogoś zabić. Był groźniejszy od potwora, który uprowadził Julie Flowerdew.

– Mona nie chce dać się uwiązać i ja nie mam nic przeciwko temu. Jednej córce już dwa razy pozwoliłem spróbować – wtrącił tatuś, nie odrywając łokci od gazety. – Wierzcie mi, że córki są bardzo kosztowne. Musiałbym wygrać główną nagrodę na wyścigach, żeby utrzymać je obydwie na poziomie, do którego są przyzwyczajone.

Przez chwilę żartowali sobie na temat posiadania córek. Kiedy zamknęłam oczy, ich głosy skojarzyły mi się z głosami facetów wykrzykujących znad swoich straganów na miejskim targu.

Tatuś wystroił się w garnitur i najwyraźniej był rozdrażniony. Usiłowałam skupić na nim uwagę, choć od upału robiło mi się niedobrze.

– Dasz mi trochę pieniędzy, tato? – zapytałam.

– A nie mówiłem?! – wykrzyknął niby oburzony, ale najwyraźniej zadowolony z mojego zachowania, ponieważ pokazując, że wciąż go potrzebuję, udowodniłam, iż miał rację.

– Proszę – skomlałam uprzejmie. W końcu pieniądze dał mi Bob. Całą brzęczącą garść gotówki, którą wsypał w moje trzęsące się, złączone dłonie. Pocałowałam go i uśmiechnęłam się jak głupek. Wszystko szło świetnie.

Jednak kiedy dotykałam ustami jego gorącego policzka, ani na chwilę nie zapomniałam, że każdy z mężczyzn siedzących w barze mógł być tym, który uprowadził Julie.

Podeszłam do maszyny i dotknęłam jej. Błyskała światełkami i była pełna pieniędzy, jak brzemienny gotówką bankowy skarbiec. Potem grałam, grałam i grałam. Ken, Bob i Ted wypili kolejne piwa i przyglądali mi się sennie, dopóki na schody nie wtoczył się Baleron i nie zaczęli dyskutować o tym, czy upał jakoś specjalnie nie wpłynął na wystawiane do wyścigów dwulatki. Pamiętam dzień, w którym Baleron został tak właśnie nazwany (przez Lindy, kiedy po raz pierwszy się pojawił). Przezwisko to bardzo do niego pasowało, bo nie dopinała się na nim marynarka, a guzik przy kołnierzyku koszuli był rozpięty, ale nie chciałam mieć nic do czynienia z poprawianiem jego wyglądu.

Ken, który poczuł przypływ wielkoduszności, ponieważ powierzono mu obowiązki pana domu na czas, kiedy my wszyscy będziemy na ślubie, podsunął mi wódkę. Przyciągnęłam stołek do baru, postawiłam popielniczkę na górze maszyny i przegrałam kolejne dwie pięćdziesiątki.

Ranek w dzień ślubu Lindy był bardzo miły. Wszystko wydawało się takie radosne, takie miękkie, jakbyśmy wszyscy grali w jakiejś komedii.

Nic się wtedy jeszcze nie wydarzyło.

– A widzisz, jednak nie jesteś tak sprytna, jak ci się wydaje, moja pani! – krzyczał tatuś znad baru, kiedy przegrywałam pieniądze. Poprzedniego wieczoru, w połowie przyjęcia, wygrałam dużą pulę. Trzeba być bardzo sprytnym, żeby tego dokonać. Bo tak naprawdę nie polega to na szczęściu. Chodzi o szybką reakcję na określony zestaw wyborów, reakcję dokładną i precyzyjną. Dobry trening dla przyszłych przestępców.

Nie wiedziałam, czy kiedykolwiek odważę się popełnić przestępstwo. Z drugiej strony, bez przestępstwa nie potrafiłam sobie wyobrazić własnej przyszłości.

Pewnie, że się odważę. Tak! Tak!

Oczywiście, że nie! Nigdy bym się na to nie odważyła!

– Nie mam pojęcia, dlaczego tracisz na to pieniądze – powiedział tatuś.

– Nie przychodzi mi do głowy żaden lepszy sposób tracenia pieniędzy – odpowiedziałam, nie odwracając wzroku od maszyny i mężczyźni zaśmiali się. Zmuszenie mężczyzn do śmiechu wydawało się nie lada wyczynem.

– Tylu ludzi gra od ciebie o wiele lepiej, a i tak przegrywają.

– Niemożliwe – powiedziałam spokojnie, z twarzą tuż przy cyfrach, rysunkach różnych owoców, światełkach i hałasie.

Całkiem niespodziewanie wybuchł wielki aplauz i z uśmiechem na twarzy wszedł fotograf. Nazywał się Philip Rush, ale ludzie mówili na niego Flesz. Był stałym bywalcem naszego pubu. Jednak tym razem miał na sobie błyszczący brązowy garnitur i wyprasowaną niebieską koszulę. Tak naprawdę wtedy po raz pierwszy zwróciłam na niego uwagę. Najwyraźniej znajdowałam się w tym oszałamiającym okresie życia, kiedy zaczynamy zwracać większą uwagę na mężczyzn niż na chłopców. Flesz wyglądał dobrze, na swój zaniedbany sposób. Chyba nawet wywarł na mnie jakieś większe wrażenie, bo aż zaczęłam wiercić się na siedzeniu.

– Gdzie jest nasza piękna panna młoda? – zapytał wykładając na bar sprzęt fotograficzny.

I zaczęły się te same komiksowe dowcipy Flesza, które zawsze trzęsły facetami siedzącymi przy piwie.

Do pubu zeszły Cleo i Lindy. Od jakiegoś czasu uczucia zaczęły uwidaczniać się na twarzy Cleo – zupełnie jak siniaki. A Lindy miała tak paskudną minę, że można było pomyśleć, iż zaraz zacznie jakąś rozróbę. Słowo „suka" zabulgotało mi w gardle i aby je powstrzymać, wrzuciłam do maszyny kolejną pięćdziesiątkę. Zagrałam byle jak i przegrałam. Przycisk trochę się poluzował i trzeba było walnąć w niego naprawdę porządnie, żeby coś z tego wyszło. A jeśli chodzi o Lindy, to w jednej chwili ją kochałam, a zaraz potem nienawidziłam. Po wizycie w solarium wyglądała zabawnie pomarańczowo, a to w połączeniu z czarnym makijażem sprawiało, że przypominała skórę z tygrysa. Trzymała w ręku zdjęcie tłustego Balerona, które zrobiła Cleo. Taśmą klejącą przyczepiła je nad barem, obok zrobionego zeszłej nocy zdjęcia Cleo tańczącej ze swoim nowym przyjacielem z Partii Pracy. Uważnie przyjrzałam się zdjęciu. Widać na nim było różowy, zasuszony kikucik. Penis Balerona.

Na białym, błyszczącym obramowaniu zdjęcia Lindy napisała wielkimi fioletowymi literami: „MÓJ CUDOWNY PRZYRODNI BRAT W DNIU MOJEGO ŚLUBU, MAJ 1984".

– Daj jej spokój, Steve – powiedział tatuś, wskazując na Balerona.

– Co ja jej takiego zrobiłem? – wściekał się Baleron, pokazując pod pachami mokre plamy bezsilności, wyraźnie widoczne na garniturze.

– Dzisiaj jest jej ślub. Dasz jej popalić jutro.

– Jutro będziesz musiał liczyć się z moim mężem – wtrąciła się Lindy i wszyscy wybuchnęli śmiechem, myśląc o Shredzie, który mierzył niespełna metr siedemdziesiąt i był członkiem protestanckiej sekty odnowy ewangelicznej, oraz o Baleronie, który miał wygląd, jeśli nie spryt i inteligencję, tłustego zapaśnika. Przypomniałam sobie wtedy, że kiedy mama była jeszcze z nami, dla zabawy zakładałyśmy się, ile razy w ciągu jednej godziny Shred wypowie słowa „Bóg" i „Nasz Pan".

Było to, zanim jeszcze ja sama zaczęłam gorączkowo się modlić.

Tata wyszedł zza baru i zaciągnął zasłony we wszystkich oknach. Podobało mi się, że tatuś zawsze ma głowę na karku, nawet jeśli bardzo dużo wypije. Nie zatacza się, nie mówi wolniej, zawsze ma się na baczności. I zawsze jest pełen rezerwy. Ja niestety taka nie byłam. Zwykle kiedy się schlałam, wybuchałam płaczem.

Słońce operujące za brązowymi zasłonami w okiennych wykuszach nadawało wszystkiemu wewnątrz skwarną, zakurzoną poświatę. Lindy stroszyła się w sztywnych, kremowych koronkach na krześle, które ustawił dla niej fotograf. Tym razem był tylko ślub cywilny, ale ona i tak szła na całość. Cleo powiedziała mi w tajemnicy, że jej zdaniem to właśnie optymizm Lindy tyle razy ściągał na nią w przeszłości różne kłopoty. A nie mówiłam?

Cleo chodziła tu i tam, rozpylając odświeżacz powietrza, żeby na fotografie nie przedostała się atmosfera smrodu zwierzęcych flaków. Baleron po raz kolejny pokazał spoconą pachę, wyciągając wysoko rekę, aby włączyć telewizor, po czym tata sięgnął do odbiornika, wyłączył go i dał Baleronowi lekko po głowie. Baleron był synem Cleo. Tatuś miał z nim problemy. Wszyscy mieliśmy z nim problemy. Moja była przyjaciółka Anne-Marie mówiła, że wszyscy mamy problemy ze sobą nawzajem.

Biedna mała Anne-Marie.

Cleo umieściła obok Lindy bukiet jakichś głupawych lilii i przesuwała wazon o centymetr lub dwa, to w lewo, to w prawo, dopóki Flesz nie powiedział, że jest dobrze. Bob, Ken, Ted i Baleron odwrócili się od baru i z założonymi rękami i głowami przekrzywionymi w tę samą stronę przyglądali się, jak Lindy raz po raz kapryśnie odyma usta.

Flesz robił też zdjęcia na poprzednim ślubie Lindy, ale go nie zauważyłam, bo byłam zbyt młoda. Wtedy lubiłam konie i gwiazdy muzyki pop.

Wszystko było nieruchome i spokojne. Flesz spojrzał na mnie i uśmiechnął się. Spojrzał jeszcze raz, obejrzał mnie z góry do dołu i znów się uśmiechnął. Cmoknęłam z niezadowoleniem i odwróciłam się, a burzące się we mnie hormony rozpalały samochody i wyrywały drzewa z korzeniami.

Opowiadający cudowną historię tekst piosenki Claptona *You look wonderful toniiiite* i piękna, głęboka melodia za każdym razem sprawiały, że pociągałam nosem.

– Dobrze sobie wybrałeś zawód, Flesz. Możesz całymi dniami obmacywać wzrokiem piękne kobitki i nie musisz za to przepraszać – rzucił Bob na cały głos.

– W Hollywood zrobią kiedyś film o twojej karierze: „Życie i czasy Philipa Flesza" – dodał Ken.

– Oj, chyba nie będzie to kino familijne – powiedział

tatuś miękko, bo panująca spiekota najwyraźniej stopiła mu ostrość głosu.

Ciągnęło się tak jeszcze przez chwilę.

Lindy się nie uśmiechała. Wyglądała ponuro i to z każdej strony. Sukienka z obcisłą górą miała dekolt w serek, przypominający dół wyciętego z kartonu serduszka. Pozując do kilku ostatnich zdjęć, brała głęboko wdech, pochylała się mocno do przodu i ustawiała w takiej pozycji, by widać było, jak pod opiętym materiałem powoli przesuwa się białe mięso piersi.

– Spróbuj z opuszczonym welonem! – wrzasnął nagle Baleron. – Będzie wyglądało o wiele lepiej!

– Zamknij tę tłustą mordę! – krzyknęła, a ja ucieszyłam się bardzo, ponieważ jej słowa uświadomiły mi, że mimo kolejnego dziecka, męża, domu i opalenizny Lindy wciąż ma w sobie coś z pociągającej tanie wina, społecznie wykolejonej dziewuchy, którą ja i moja mama chciałyśmy oddać pod nadzór kuratora.

Zaczęła się wymiana wyzwisk i Cleo musiała interweniować.

Potem zrobili jej jedno zdjęcie z Siouxie, jedno z Cleo i tatą, a jedno ze mną. Obok mojej pneumatycznej siostry wyglądałam bezkształtnie. Wspaniałomyślnie powiedziałam jej, że stojąc obok niej czuję się, jakbym była fotografią „przed" w reklamie chirurgii plastycznej. Pocałowała mnie w policzek i zagruchała współczująco. Uwielbiała, kiedy żartowałam z samej siebie.

Baleron nie chciał pozować do zdjęcia i Lindy nazwała go pożałowania godnym sukinsynem. Flesz powiedział, że może przecież zrobić jeszcze kilka pozowanych zdjęć później. Lindy wrzasnęła, że chce mieć z nim zdjęcie TERAZ.

W końcu okazało się, że dwukółką pojadą trzy dziewczyny. Cleo, Baleron i tata mieli jechać taksówką. Shred i jego pięcioletni syn David czekali na nas przed urzędem stanu cywilnego. Bob miał na sobie starą marynarkę ze złotymi galonami wokół kołnierza i mankietów, a na głowie starą cylinder. Jego gruba szyja od słońca przypominała już kolorem bakłażan. Ken, Ted i Phil wyszli z drinkami na chodnik, aby na nas popatrzeć. Zaczęli śpiewać. Cleo miała ze sobą swój aparat, a Baleron prowadził na smyczy psa. Weszłyśmy do środka. Było ciasno. Trzymałam na kolanach Siouxie, która wciąż tuliła się do plastikowej folii. Skraj zawiniętej sukienki Lindy zwisał poza ściankę wozu, który miał tylko dwoje małych drzwiczek, jedne z każdej strony, i płaską deskę zamiast dachu. Koń ruszył niemrawo. Czułam chłód łokcia Lindy przy moim boku

Kocha mnie. Nie kocha. Kocha. Nie kocha...

Kiedy byłam mała, często próbowała mnie zranić. Spychała z roweru, karmiła kwiatami mleczu i kwaśnymi jagodami i namawiała psa, żeby mnie pogryzł. Jednak mimo to jako dziecko czułam, że Lindy mnie uwielbia. W patologiczny sposób.

Psychiatrzy i terapeuci często o niej wspominają.

– Pamiętasz, jak bawiłyśmy się w księżniczki? – zapytałam, być może dlatego, że tak właśnie wyglądała, choć wzdłuż ulicy nie było wiwatujących tłumów. Wolno sięgnęła do torebki i wyjęła z niej ciemne okulary. Kiedy je założyła, przypominała narzeczoną mafii.

– Nie bawiłyśmy się, Mona. My byłyśmy księżniczkami. Pub był naszym pałacem, a parking samochodowy magicznym lasem – powiedziała znużonym głosem, nakładając na usta kolejną warstwę czarnej szminki i sprawdzając efekt tego zabiegu w lusterku. Uśmiechnęła się złowieszczo.

Jakby była całkowicie pewna, że jest wyjątkowo interesującą kobietą.

Wiedziałam doskonale, że Lindy jest przekonana, iż morderca ma oko szczególnie na nią. Zawsze robiła wielkie zamieszanie, kiedy miała sama wyjść na dwór. Prosiła mężczyzn przy barze, żeby odprowadzili ją na drugą stronę ulicy, jeśli Shred akurat nie mógł jej odebrać. W torebce nosiła gaz pieprzowy i mały scyzoryk.

Lindy przez cały czas czuła, że jest w przedsionku wielkiej, czarnej sławy.

Być może to zabawy w księżniczki dały Lindy to głupie pojęcie na temat miłości, a mnie poczucie nieustannego uwięzienia.

– Ten dom wygląda jak forteca – powiedziała Lindy, czytając w moich myślach.

Rzeczywiście wyglądał. Był czarno-biały, jak budowle w stylu Tudorów miał wykuszowe okna z szybami w ołowianych ramkach i szerokie, nabijane ćwiekami drzwi: „U Adama i Ewy". Przez pięć lat, odkąd tam zamieszkaliśmy, cztery samochody walnęły w ścianę od strony ulicy i nawet jej nie nadkruszyły. Okna naszej sypialni, ustawione pod kątem do głównej drogi, kończyły się drewnianym sklepieniem i delikatnymi metalowymi balkonami. Na dachu piętrzyła się pękata wieżyczka, zimna i pełna zapomnianych rupieci mojej mamy.

Był jak z bajki. I kiedy później tego lata z płaczem i zawodzeniem zwieszałam się przez barierkę balkonu, przeklinając miłość i tęsknotę, bajkowy wygląd domu pogłębiał syndrom uwięzionej księżniczki w moim przyćmionym umyśle.

– Ruszamy! – krzyknął Bob i wynurzyliśmy się z cienia na główną drogę, która rozgrzała się już jak piec.

Czasem we wspomnieniach wydaje mi się, że właśnie
w dniu ślubu natknęłam się na nią po raz drugi.
Ale nie mam pewności. Przypomina mi się mniej więcej coś takiego: stała na wysokim murze, gdzieś na wolnym
powietrzu, w beżowej sukience. Na cokole naprzeciw niej
przysiadł kamienny lew albo może pies, który kruszył się
wokół szczęk i wokół ogona. Brakowało jej tylko skrzydeł.
Płakała. Ale trochę wcześniej. Miała mokrą, smutną twarz
i zapytała:
    – Czy pamiętasz, że moja siostra umarła?
    Teraz jednak, kiedy snuję rzetelniejsze wspomnienia, takie
w środku dnia, na temat mojej wycieczki do Fakenhamów
właśnie w dniu ślubu, ona nie występuje w nich wcale.
    Po weselnym obiedzie, a przed wieczorną popijawą, około
piątej trzydzieści po południu, z prędkością wywołującą
gęsią skórkę, po wąskich, wiejskich uliczkach pędziłam na
rowerze do domu Fakenhamów w Goldwell.
    Goldwell to mała wioska trzy mile od naszego pubu.
Ekskluzywna i niebrzydka, z budynkiem dla lokalnych
władz, stajniami, kościołem z wieżą i małym sklepem spo-
żywczym, sprzedającym oliwki oraz wino lekarzom, denty-
stom, skrzypkom i księgowym.
    Byłam podpita.
    – Idź do klasztoru! – wykrzykiwałam (unosząc w powie-
trze pięść). To, co Hamlet powiedział Ofelii, było moim ulu-
bionym – i jedynym zapamiętanym – szkolnym cytatem.
    Oddychałam głęboko, a ponieważ w soboty fabryka
skór pracowała tylko do południa, drapiący w gardło smród

świeżej krwi zanikał. Oddychanie potęgowało uczucie pijanej niefrasobliwości.

Lindy miałam już z głowy. Ja natomiast byłam gotowa na wszystko i wolna.

Idź do klasztoru! W cholerę z tym. Chyba nie mogłabym wymyślić niczego gorszego: zapewnienie sobie podziwu mężczyzn, seks, alkohol i przestępstwa były moimi jedynymi pragnieniami.

Dotknęłam skóry twarzy i wydała mi się ona żurnalowo miękka. Tego dnia włożyłam w swoją twarz całkiem sporo pracy: dwie maseczki – zmywalna i typu *peel off*, parówka na zaskórniki oraz własnej produkcji tonik z soku z ogórków. Następnie nawilżałam i odżywiałam twarz domowej roboty mazidłem z żółtek i miodu, po czym nałożyłam grubą warstwę kremu nivea. Gotowa byłam nawet wybrać się do sklepu i ukraść jakiś droższy krem.

Ogoliłam się także we wszystkich niezbędnych – i kilku zbędnych – miejscach, a następnie nasmarowałam olejkiem. Byłam więc surowa i mięsista, jak coś, co za chwilę ma się znaleźć w piekarniku.

Wcześniej byłam też w domu, żeby się przebrać i żeby otworzyć kasę. Spod sprężyny w jednej z przegródek szuflady na pieniądze wyszarpnęłam miękką dziesięciofuntówkę i wsunęłam ją pod pasek krótkich spodni, które miałam na sobie.

W pokoju trzymałam pudełko, do którego zbierałam skradzione pieniądze. Białe pudełko po butach. Prasowałam wszystkie banknoty, a potem, jeszcze ciepłe, głaszcząc układałam na jego dnie. Lubiłam wyobrażać sobie wielki ciężar mojego pudełka, kiedy pewnego dnia napakowane będzie po brzegi grubymi warstwami pieniędzy, jak forma na ciasto ptysiowe. Była to fantazja o niemal seksualnych wymiarach.

Przed wyjazdem walnęłam sobie dwie lufki wódeczki i jedną szkocką, a wszystko to już po szampanie, brandy i winie.

Nie jadłam niczego ze szwedzkiego stołu, choć bardzo długo mu się przyglądałam.

Lindy w obecności wszystkich tych pastelowych gości głośno wyraziła swoją nadzieję, że nie zacznę znów przypominać wyglądem dzieci z Kambodży.

Ze świstem pędziłam wzdłuż działek, które ciągnęły się od końca nabrzeży, krzaków jeżyn i dzikich róż, po spieczone pola i granice miasta. Do Fakenhamów jeździłam przez ostatnie trzy i pół roku, więc opracowałam sobie superszybką trasę z Whitehorse do Goldwell i te ponad trzy mile potrafiłam pokonać w mniej niż piętnaście minut.

Było przyjemnie. Nerwowe wydarzenia tego dnia miałam już za sobą, moja skóra była blada i miękka, a ja sama umalowana i szczęśliwa. Upał zelżał, świeciło słońce i z pewnością nie groziło mi niebezpieczeństwo napotkania mordercy.

Po dwóch milach zatrzymałam się, jak zwykle, przy pewnej kawiarence, żeby zagrać na stojącej tam maszynie, jednak kiedy weszłam do środka, kobieta potrząsnęła głową i powiedziała, że ją skradziono. Ktoś ukradł maszynę! Nigdy przedtem o czymś takim nie słyszałam i rower aż chwiał się od mojego śmiechu. Próbowałam sobie wyobrazić, jak można było to zrobić. I gdzie ją potem ukryć?

Później zezłościłam się, że nie mogę sobie pograć, i musiałam wziąć kilka wdechów ventolinu. To było takie samolubne, żeby ukraść maszynę. Była niezła. Nazywała się „Łowca nagród" i miała rysunek tropikalnej wyspy, drzew palmowych i piersiastej dziewczyny. A złodzieje pewnie nie będą na niej grać. Nie będą jej polerować, by świeciła im w sypialni albo na melinie, albo nawet gdzieś w stodole, w której mogliby sobie grać, ilekroć przyjdzie im na to ochota. A to byłby całkowicie zrozumiały powód kradzieży maszyny do gry. Nawet coś szlachetnego. Ale nie! Oni rozwalili ją na pewno młotkami i piłami, wzięli tylko pieniądze, porzucając gdzieś cudowną obudowę, by gniła i rdzewiała.

Gdzie można by ukryć ciało zabitej dziewczyny albo obudowę automatu do gry? W opuszczonej fabryce, w głębokich i ciemnych piwnicach hurtowni, w składzie zboża na terenie fabryki paszy dla zwierząt?

Pojechałam dalej bez wygranej i kiedy dotarłam na miejsce, zobaczyłam panią Fakenham w tym jej ładnym czerwonym szlafroku, odkładającą pudełka zbożowych płatków śniadaniowych na sosnowym stole w kuchni. Mój cyfrowy zegarek pokazywał piątą pięćdziesiąt osiem po południu, jednak takie rzeczy zdarzały się w domu Fakenhamów. Od samego początku było w tym miejscu coś nienormalnego.

Napotykałam wskazówki, które powinny były ostrzec mnie przed Fakenhamami.

Pani Fakenham podobno była aktorką, choć ja osobiście nigdy nie widziałam jej w telewizji, a mój tatuś oświadczył: – Jeśli ta cholerna baba jest aktorką, to ja, kurwa, jestem księżną Walii! – Ale wtedy Cleo powiedziała mu, żeby się zamknął i stwierdziła, że według niej pani Fakenham była kiedyś aktorką, ale potem kontrolę nad jej życiem przejęły dzieci i konieczność dbania o mężczyzn.

Kto mógł wiedzieć, co było prawdą?

Kiedyś, niedługo po śmierci mamy, podczas spaceru przy świetle księżyca widziałam, jak pani Fakenham kąpie psa w środku nocy. Innym znowu razem ucierała zioła w czarnym, plastikowym wiadrze z olejem. Kiedy miała zły dzień, w całej okolicy słychać było, jak krzyczy. Właściwie zawsze miała w sobie coś z czarownicy. Nie powinno więc zaskakiwać, że w jej domu zmarła dziewczyna, choć nikt o tym nie mówił. Wcale nie wydawało mi się to dziwne, ponieważ o mojej mamie też nikt nie mówił. Z wyjątkiem Cleo, ale wtedy udawaliśmy, że nie słuchamy.

Cleo mówiła o mojej mamie miękko, jakby jej słowa składały się na hymn, śpiewany przez stojącego gdzieś daleko kościelnego śpiewaka.

Minęłam salon, który wydawał się chłodny nawet w tym

śmiertelnym upale. Olbrzymi kominek z cętkowanego czarnego marmuru wyglądał jak nagrobek.

Początkowo byłam zupełnie nieistotnym elementem życia rodziny Fakenhamów. Rzadko odzywali się do mnie, choć przychodziłam na ich teren regularnie, odkąd skończyłam dwanaście lat.

Przez cały ten czas, kiedy opiekowałam się Willow, Tamsin Fakenham była w szkole. Kilka razy w ciągu ostatniego roku widziałam, jak obserwuje mnie przez okno, ale podeszła do mnie tylko jeden jedyny raz, żeby powiedzieć o śmierci swojej siostry.

Fascynujący był dla mnie fakt, że dzieci z bogatych rodzin wyjeżdżały do szkoły gdzieś daleko. Kojarzyło mi się to z afrykańskimi chłopcami maszerującymi do dżungli, cierpiącymi na alkoholizm aktorkami w kalifornijskich klinikach, albo małymi złodziejami, którzy, wysłani do poprawczaka, uczą się dokonywać podpaleń i napadów z bronią w ręku. Czułam, że odkąd trzy lata temu odeszła mama, ja też znalazłam się gdzieś daleko. Za górami i lasami. A moja rodzina była zbyt zajęta umieraniem i zakochiwaniem się, by zauważyć, jaki kawał stąd mnie poniosło.

Wtedy, w dzień ślubu Lindy, uważnie przeprowadziłam rower po długim podjeździe i między samochodami, lekko unosząc koła nad żwirowaną nawierzchnią. Nie pomachałam dłonią w kierunku domu, choć wcześniej ten żenujący służalczy gest zdarzał mi się czasem. Zamiast tego po prostu oparłam rower o ścianę garażu i poszłam w kierunku wybiegu, obok szopy uginającej się pod czarnym ciężarem ziemi i liści.

Willow czekała przy furtce. Brud i pot utworzyły jej na grzbiecie małe kuleczki. Idąc, zataczałam się lekko, bardziej pijana niż mi się wydawało. A potem weszłam do stajni. Było tam tak chłodno i cicho, że zawsze przychodził mi na myśl mój dom rodzinny, w którym było całkiem inaczej.

Musiałam wynieść się z domu! Popełniać przestępstwa i być wolna.

Od tygodni już porządnie nie wygarniałam gnoju. Na kamiennej podłodze leżał lepki, podgniły muł przypominający wyglądem gotowany szpinak, wymagała więc spłukania gumowym wężem. Na samą myśl o tym w moich podpitych kończynach odezwał się ból. Musiałam wziąć łyk wody.

Zrobiłam, co mogłam, żeby doprowadzić stajnię do ładu i usiadłam na furtce, żeby odpocząć. Dłonią masowałam sobie kark.

Siedziałam tak jakieś dziesięć minut, kiedy na ścieżce prowadzącej do furtki pojawił się pan Fakenham. Nie widziałam go od kilku miesięcy. A nigdy dotychczas nie dostrzegłam, żeby świadomie zbliżał się w moim kierunku.

Nie wróżyło to dobrze.

W zdecydowanej większości ojcowie nie odzywali się nawet słowem, kiedy w pobliżu zjawiał się ktoś w moim wieku. Żałosne niemowy! Pan Fakenham był inny. Choć w ciągu ostatnich trzech lat odezwał się do mnie tylko dwa lub trzy razy, zawsze był ożywiony i uprzejmy.

Cieszyłam się, że mam na twarzy grubą maskę makijażu. Pan Fakenham był bardzo męskim mężczyzną.

Była pora kolacji. Słońce stało nisko na niebie i zbliżał się do mnie ze złotą obwódką światła, jakby anielską poświatą wokół tego swojego wysportowanego, tatusiowego ciała. Szedł dziwnie szybko, jakby posuwał się po ruchomym chodniku albo jechał na łyżwach kilka cali nad ziemią. Anne-Marie nazywała go superfacetem z reklamy.

Biedna, zagubiona Anne-Marie. A przecież był czas, kiedy ludzie przysyłali nam wspólne kartki na Boże Narodzenie i trzymałyśmy je u siebie na zmianę, po dwa dni każda z nas.

Tak czy owak, pan Fakenham nie był typem człowieka, którego lubiliby inni. Mój tatuś spotkał go kiedyś i powiedział: – Ten facet straciłby grunt pod nogami w najzwyklejszej kałuży! – A przecież pan Fakenham miał ponoć jakieś tytuły naukowe i zatrudniał trzysta pięćdziesiąt osób.

Codziennie wjeżdżał do Whitehorse w swoim srebrnym samochodzie i zatrzymywał się na prywatnym miejscu parkingowym, gdzie na asfalcie wymalowane były jego inicjały. Kiedy do mnie podszedł, z pijanym zapałem szczotkowałam Willow, skupiając na niej wzrok. Obserwowałam, jak drżą mięśnie na jej bokach, kiedy uderzam o nie szczotką. Latem pod skórą pulchniły się przyjemne poduszeczki końskiego tłuszczu, ale zimą była zawsze chuda jak szkielet, bez względu na to, jak bardzo by się ją karmiło. Jak moja mama, kiedy była w szpitalu.

Idź do klasztoru!

Nie chciałam rozmawiać z panem Fakenhamem. Nie byłam przekonana, czy jestem w stanie konstruować poprawne zdania. A z mojego doświadczenia wynikało, że o tym, jak bardzo jest się pijanym, można się przekonać dopiero, gdy zacznie się mówić.

Gdzieś za mną ktoś delikatnie brzdąkał na gitarze. Muzyka dochodziła z sypialni na piętrze. To była piosenka *Wild Thing*, grana cicho i niepewnie przez kogoś, kto dopiero uczył się akordów. Ta muzyka przywołała mi na myśl Lindy skaczącą po łóżku i jej włosy, spięte do góry i lepkie – jak wata cukrowa.

No i stanął tuż obok. Biała koszula, w której chodził do pracy, krawat, luźne spodnie spięte paskiem i wąsy. Nieruchomy i przejrzysty dzień wydawał się jak ze szkła, a przez tę szklaną przestrzeń prześlizgiwał się zapach miętowej pasty do zębów i mgiełka cedrowej wody po goleniu. Na policzkach miał jasnoczerwone ślady krwi, przyschnięte jak malutkie jagody. Była szósta dwanaście w sobotnie popołudnie, a on zachowywał się tak, jakby była ósma rano w poniedziałek.

– Mona?

– D...dobry – odpowiedziałam nerwowo, zaskoczona, że wie, jak mam na imię.

– Co u ciebie? Żona mi mówiła, że twoja siostra bierze dziś ślub. Nie byłem więc pewien, czy zjawisz się dzisiaj, żeby zająć się Willow.

– Będę dzisiaj krótko – powiedziałam. Dźwięki *Wild Thing* ustały, jakby ktoś zamarł w zasłuchaniu. Nie odwracałam się. Nie chciałam, żeby mnie widział.

– Nic ci nie jest?

– To tylko astma.

Astma czasem sprawiała, że oddech strzępił się ciężko, brzmiąc jak ciche łkanie.

Przez chwilę rozmawialiśmy z ożywieniem o ślubie, jakby była to całkiem zwyczajna rozmowa, a potem zapytał mnie o disco.

– Disco? O, nie. Lindy jest bardzo przeciwna. Nienawidzi disco.

– Ach, tak.

– Ma nawet taką plakietkę z napisem „Śmierć dyskotece".

– Aha.

– Ona naprawdę nie znosi disco.

– A ty, Mona? Lubisz muzykę dyskotekową?

Spojrzałam na niego i wzruszyłam ramionami. Nie podobał mi się sposób, w jaki próbował mnie rozgryźć. Nie podobało mi się, że wie, jakie pytania mi zadać. Pomyślałam sobie, że to jego menedżerska technika. Mówił do mnie jak do jednego ze swoich pracowników. Zaczęłam się bać, że nad odpowiedziami, jakich udzielę, będę zastanawiać się jeszcze całe wieki po tym, jak padną.

Jeszcze tego lata okazało się, że menedżerskie techniki pana Fakenhama, jego wpływy i pieniądze są niezbędne, kiedy – jak to delikatnie wyraził się mój tatuś – „to pierdolone piwo już się nawarzyło".

Ale to przyszło później. Na początku była tylko muzyka disco. I konie.

– Jestem pewien, że Tamsin lubi disco. A w każdym razie często słucha ostrej muzyki. Zresztą ja sam lubię się trochę poruszać. Taniec stanowi najczystszy wyraz wewnętrznego piękna ludzkiego ciała – oświadczył, stawiając w błocie kilka kroków na palcach. – A jak się miewa twoja rodzina?

– Świetnie – odpowiedziałam z szerokim uśmiechem, jakbym była zdjęciem na pierwszej stronie popołudniówki.

– To dobrze, bardzo dobrze – powtórzył i przygryzł wargi. Skrzywił się i spojrzał ponad moją głową, gdzieś na szary koniec pola. – Wiesz, Mona, jest coś, o co ja, a właściwie ja i moja żona chcielibyśmy cię prosić.

– Ależ… – bąknęłam i to „ależ" przeszło przeze mnie jak kieliszek wódki. Rozbłysnął reflektor, a przed telewizorami zasiadły miliony widzów.

– Sądzę, że możemy ci zaufać. Trochę martwimy się o naszą córkę Tamsin. Ma… hm… ma pewne problemy, hm… problemy w szkole. Oczywiście to nic poważnego, ale zawsze.

– Problemy, mówi pan.

– A tak. Problemy. Ale teraz Tamsin jest w domu. Przyjechała wczoraj.

– Aha.

– Taaak. Prawdę mówiąc nie byłem… nie jestem zadowolony ze sposobu, w jaki to wszystko załatwiono. Tamsin jest bardzo wrażliwą dziewczyną, znaczy wrażliwą osobą.

Dotarło do mnie wreszcie, że zwierza mi się na temat dziewczyny-osoby i poczułam się zarazem zafascynowana i głęboko zakłopotana. Myśl, że ojciec mógłby żebrać u kogokolwiek o przyjaźń dla swojej zbzikowanej córki, była przeraźliwie potworna. Dźwięki *Wild Thing* jeszcze nie pojawiły się ponownie. Nie przelatywał żaden samolot, ani nie było ruchu na drodze. Nawet ja, najbardziej ze znanych mi osób pozbawiona znajomych i przyjaciół, nie zniżyłam się do tego, by poprosić mojego tatę o nagabywanie obcych ludzi dla zapewnienia mi towarzystwa.

Wyobrażałam ją sobie gdzieś daleko, w oświetlonej blaskiem świec krainie dziewcząt.

– No, a gdybyś znalazła trochę czasu, żeby okazać jej trochę dobrego serca. Może…

Przerwał. Żadne z nas nie potrafiłoby wskazać, w jaki dokładnie sposób miałabym jej okazać dobre serce. On pocierał twarz dłonią, a ja nadal pracowałam zgrzebłem. Nawet nie potrafiłam przypomnieć sobie, co to jest dobre serce. Kojarzyło mi się coś ze starszymi ludźmi i zwierzętami.

Tymczasem w domu aktorka Fakenham stała w oknie z miseczką płatków śniadaniowych w jednej ręce i papierosem w drugiej. Miała duży nos, widoczne kości policzkowe i całkiem możliwe, że zanim dopadło ją macierzyństwo, mogła rzucać się tam i z powrotem po scenie oraz pozować do zdjęć w kolorowych czasopismach.

Wielki, kamienny dom, z bluszczem i solidnymi drzwiami, wydawał się puchnąć wokół niej. Było coś fascynującego w tym, jak stała tak kobieco, otoczona pękami tajemnic. Podobało mi się to wypieranie się uczuć, jakie starsze kobiety często okazywały. Chciałabym z nią pomówić. Mieć ją za przyjaciółkę. Mamę. Chciałabym pomówić z nią o sztukach, w których grała, o śmierci i umieraniu, o jej zmarłej córce i o tym, jak sypia nocami. Powiedziałabym jej o mojej mamie i o Julie Flowerdew, która zaginęła, i o moim smutku.

Ale mężowie są jak płoty broniące dostępu do żon. W większości nie do przeskoczenia.

Poza tym ze śmiercią i rozczarowaniami prawdopodobnie lepiej radzić sobie w samotności.

Biedna, zagubiona Anne-Marie! Biedna smutna Tamsin Fakenham!

Wiedziałam, że moja dawna przyjaciółka Anne-Marie ma teraz wielu chłopaków. Nie tylko Barry'ego, ale także całą sforę innych, których nie znałam. Chłopcy, którzy omal zdawali się mężczyznami. Trzymali papierosy głęboko między palcami i nosili świszczące jak kula trzyliterowe imiona: Log, Fig, Sug, Ned. Mieli pieniądze, motory, porwane skórzane kurtki. Log, najstarszy z nich, miał samochód: czarnego Mini z małą skórzaną kierownicą, szkarłatnymi kubełkowymi fotelami i dodatkowym zestawem reflektorów. Zabierał ją na przejażdżki.

Nie była już mną zainteresowana. Za miesiąc minie rok,

jak po śmierci mamy doszła do wniosku, że męczy ją nasze nieszczęście i ma go dość. Tak pewnie było.

– Jeśli Tamsin będzie miała ochotę gdzieś ze mną pójść, to oczywiście może – powiedziałam głosem pełnym wątpliwości i wróciłam do zapamiętałego szczotkowania. Nie bywałam w żadnym miejscu, w którym Tamsin mogłaby chcieć się znaleźć. Do cholery! Nie bywałam nigdzie. Wyobraziłam sobie, jak obydwie siedzimy w naszym barze i czekamy na menopauzę.

– Tak, to świetny pomysł, żebyście ty i twoi znajomi uwzględnili Tamsin w swoich planach.

– Oczywiście – zgodziłam się i pieszczotliwie przemówiłam do Willow, aby pokazać panu Fakenhamowi, jak bardzo ją kocham. I jak wiele ludziom brakowało do koni.

– Jeśli zechciałabyś, hm... to znaczy... eeee... chciałem cię prosić, żebyś, jeśli to możliwe, została przyjaciółką Tamsin. Bo wiesz, sytuacja jest teraz naprawdę trudna, stawiając sprawę całkiem szczerze.

Mówił bardzo poważnym tonem. Pociągał przy tym nosem i bawił się spinką przy mankiecie koszuli.

Przyjaciółka Tamsin. Brzmiało jak tytuł powieści o szkole z internatem dla dziewcząt z bogatych rodzin.

– Taak, naprawdę trudna – powtórzył. Przez chwilę panowała cisza. Potem znów się odezwał. – Nie wiem, czy w ogóle się poznałyście. Tamsin mówi, że nie pamięta. Przyglądała ci się wczoraj przez okno i powiedziała mi, że należysz do ludzi, których twarze budzą w niej wrażenie, że gdzieś je już wcześniej widziała. Ale pewności nie miała.

Była to pierwsza z całego szeregu zniewag, jakie miały mnie spotkać ze strony panny Tamsin Fakenham.

– Z całą pewnością spotkałyśmy się w ubiegłym roku – zapewniłam. Czy Tamsin o tym zapomniała, czy tylko okłamywała swojego ojca?

– To doskonale. Doskonale. Jak już mówiłem, sytuacja jest teraz naprawdę trudna i twoja pomoc będzie nieoceniona.

Miałam nadzieję, że nie będzie opowiadał mi o swoich rodzinnych horrorach. W pubie spotykałam wielu starszych mężczyzn, którzy lubili powierzać nastoletnim dziewczynom historie swoich nieszczęść. I było to potworne. Jednak, zamiast rozwodzić się nad sobą, zaczął mówić o nauce, a ja odpowiadałam na kolejne pytania.

– Doskonale. Oczywiście Tamsin też musi się uczyć. Zbliżają się egzaminy, więc trzeba wziąć się do roboty, prawda?

Tamsin. Wszystko to wsiąkało we mnie z wolna. Nowa osoba, nowe imię. Córka, z którą rozmawiałam tylko raz. Córka, której starsza siostra Sadie umarła, zagłodziła się na śmierć w szpitalu, kiedy Tamsin przebywała gdzieś daleko w szkole.

Tamsin była jedyną osobą, która zadała sobie trud, by wspomnieć mi o śmierci Sadie. Aż tak niska była pozycja, jaką zajmowałam w tej rodzinie. Pewnego dnia wcześnie rano, mniej więcej siedem miesięcy wcześniej, zjawiłam się oporządzić Willow przed pójściem do szkoły. Zobaczyłam, jak pani Fakenham stoi na schodach i płacze. Miała na sobie czarną jedwabną podomkę i domowe pantofle na obcasie. Była imponująco szczupła. Piła coś i paliła. I wyglądała w najwyższym stopniu kobieco. Pamiętam, że była zima, bardzo zimny dzień, a podjazd ociekał błotem. Marzły mi nogi w gumowcach, a czubki palców rąk od zimna wręcz bolały. Przyglądałam się, jak twarz pani Fakenham od smutku staje się szara, ale nie zapytałam, co się stało. Przeszłam obok niej kilka razy, na wypadek gdyby chciała mnie zawołać i coś mi wyznać albo poprosić o moją mądrą radę, ale zignorowała mnie, jakby mnie w ogóle nie zauważyła.

Tamsin powierzyła mi swój sekret. A teraz ja miałam jej pomóc. Była w tym jakaś sprawiedliwość, chociaż świat nigdy dotychczas o nic mnie nie prosił.

Tamtego dnia siedem miesięcy wcześniej, właśnie zbierałam się do wyjścia. Kiedy pani Fakenham zabrała swoje papierosy i butelkę z trunkiem i znikła z powrotem w domu, wyszła Tamsin i zaczęła się przyglądać, jak oporządzam stajnię. Z oczami wpatrzonymi w ziemię podeszła do mnie wolno, kopiąc grudki błota i powiedziała, że jej starsza siostra Sadie umarła w szpitalu kilka miesięcy temu i że właśnie dlatego jej matka pije i płacze.

Teraz Tamsin pojawiała się znowu i potrzebowała mojej pomocy. Tymczasem pan Fakenham kontynuował:

– Ivy mi mówiła, że po egzaminach chyba będziesz starać się o pracę w stajniach.

– Całkiem możliwe – potwierdziłam.

Nie bardzo wiedziałam, dlaczego Ivy, jedna z ich służących, najwyraźniej występowała w roli mojego mecenasa. Może nawet wraz z moją świetlaną przyszłością stałam się tematem rozmów prowadzonych przy obiedzie w wykładanej drewnem jadalni Fakenhamów. Jak miało się okazać, rzeczywiście stało się to później tego lata, choć nie z powodów, które mogłam przewidzieć w chwili rozmowy z panem Fakenhamem.

– Gdybyś potrzebowała rady na temat dobrych kursów albo wyboru miejsca pracy, to nie wahaj się o nią poprosić.

Pomyślałam o swojej byłej przyjaciółce Anne-Marie:

– Co za pierdoły! Dobra praca w charakterze kierownika w sektorze ubezpieczeniowym! – mówiąc to, zatykała uszy otwartymi dłońmi i zaczynała chrapać.

Nie wiedziałyśmy wtedy, czy tym właśnie zajmuje się zawodowo, ale wyglądał nam na takiego typa. Nie było choćby jednego mężczyzny, z którym wchodziłyśmy w jakiekolwiek kontakty, na temat którego nie wyrobiłybyśmy sobie bardzo konkretnego zdania.

Nie pamiętam, żebym kiedykolwiek rozmawiała z Anne--Marie na temat zmarłej Sadie. Pewnie od samego początku wiedziałam, że jest to informacja promieniotwórcza i należy ją w pełni zabezpieczyć.

– Tak, oczywiście. Jeśli tylko będę czegoś potrzebowała.

– Nie zdecydowałaś jeszcze, w jakiej dziedzinie chcesz pracować?

– Po prostu chciałabym zarabiać pieniądze – odpowiedziałam zgodnie z prawdą, choć męczyło mnie już samo zastanawianie się nad tym, jak poradzę sobie w świecie; zajmować się robieniem pieniędzy, zajmować się zdobywaniem przyjaciół, zajmować się uprawianiem seksu. Ciągle tylko czymś się zajmować!

Zabierzcie mnie do klasztoru! Proszę!

– Ma już swoje lata – powiedział pan Fakenham, sięgając ręką nad barierką i klepiąc Willow po karku tak brutalnie, że aż się wzdrygnęła.

– Taak – uśmiechnęłam się do Willow, wkładając w ten uśmiech jak najwięcej uwielbienia.

Jednocześnie wiedziałam, że niebawem będę miała Willow głęboko gdzieś. Że niebawem zostawię daleko za sobą tę całą dziecięcą czułość.

– Nie wiem, co ona zrobiłaby bez ciebie. Tam nie interesuje się końmi, ale mimo to nie potrafiliśmy pozbyć się Willow. A że Sadie już tutaj nie ma...

Pewnie dlatego, że Willow należała do córki, która zmarła. Zagłodziła się na śmierć. Przez chwilę patrzył gdzieś ponad sadem, a ja znów skupiłam się na czesaniu konia, nie chcąc oglądać barczystego męskiego smutku. Zamiast więc patrzeć na jego przygnębienie, pomyślałam, że pieniądze są jak jedzenie. Pachną, dostajemy je w małych porcjach i zupełnie nie potrafimy się bez nich obejść. Jesteśmy ich głodni, o czym dobitnie świadczy kwaśna tęsknota burząca się nam w żołądkach. Nad pragnieniem jedzenia i pragnieniem pieniędzy trzeba sprawować tak samo ścisłą kontrolę. Pieniądze mogą zabić, kiedy ich potrzebujemy i kiedy próbujemy walczyć z ich siłą.

Zmarłą siostrę widziałam zaledwie kilka razy. Zwykle była poza domem. Najpierw na uniwersytecie, a później w narciarskim kurorcie, gdzie pracowała po rzuceniu studiów. Pewnego dnia podeszła do mnie, żeby podziękować za opiekę nad Willow. Było to mniej więcej rok wcześniej.

Miała dwadzieścia lat, kiedy umarła. Jej długie włosy połyskiwały kolorem, który w rozmowie z Anne-Marie zazdrośnie opisałam jako popielaty blond. Miała skórę, którą nazwałam „bez skazy", i nogi, które można było określić tylko w jeden sposób: bez zarzutu.

Nie odniosłam wrażenia, by miała jakoś szczególnie zdeformowane czy zniszczone głodem ciało. Nawet kiedy Tam powiedziała mi później, że mniej więcej w tym czasie jej siostra znajdowała się już na krawędzi stanu krytycznego – że właśnie dlatego zawsze uśmiechała się z zamkniętymi ustami, ponieważ jej zęby żółkły i pękały, przetrawione kwasami wymiocin – i tak zachowałam jej obraz jako godnej pozazdroszczenia piękności, której zwiewna dziewczęcość zamykała się w surowej urodzie.

Fakt, że nie dostrzegłam niczego złego w Sadie Fakenham, zupełnie nie zaskakuje, ponieważ chudość zawsze mi się podobała, nawet taka uznawana przez medycynę za powód do zmartwienia. Tak więc stanąwszy oko w oko z głodzącą się na śmierć dziewczyną, byłabym oczywiście zaślepiona i wręcz zielona z zazdrości. I nie mogłabym odczuwać choćby cienia troski.

– Zresztą i tak nie nadaje się już pod siodło. Nikt jej już nigdy nie dosiądzie – powiedziałam, kiedy cisza panująca między nami stała się zbyt ciężka. Spojrzałam za siebie i dostrzegłam czerwoną plamkę. To pani Fakenham stała na schodach, a następnie zaczęła chodzić z podnieceniem to w przód, to w tył, w kompletnie szalony sposób. Przyszło mi do głowy, że może jest zła, bo rozmawiam z jej mężem.

– To zabawne mieć w ogrodzie konia, którym nikt się nie interesuje. Tak już chyba jest, że nie doceniamy tego, czym dysponujemy. A ty…

– A pewnie, dzieciaki mają różne zainteresowania – przerwałam, mrucząc w pusty kielich podkowy. Nie chciałam, żeby mówił o swojej zmarłej córce, która kiedyś spędzała niewinne chwile z Willow. Nie chciałam rozmawiać z nim o czymkolwiek, co wiąże się ze szpitalami i śmiercią. – Mieliśmy dzisiaj bardzo ładny dzień. Wyjątkowo gorący. Prawda?

– A tak, wyjątkowo gorący. Cóż, pozwolę ci pracować w spokoju. Tylko nie spóźnij się na wieczorne przyjęcie. No i bardzo ci dziękuję, Mona. Naprawdę bardzo.

– Nie ma za co. Do widzenia.

Czułam się wykończona. Jakoś doczłapałam do cichej części ogrodu i usiadłam na ziemi, opierając się o ścianę. Kiedy przybywszy wczoraj do domu, Tamsin Fakenham wydobywała z powozu swoje pudła na kapelusze i swoje suknie, kiedy szeleszcząc krynolinami stąpała po ogrodzie, by wśród ukłonów służby rzucić spojrzenie ku stajni i sprawdzić, czy przypomina sobie moją pospolitą, posępną gębę – dokładnie w tej samej chwili, kiedy ona rzuciła na nich wszystkich czar swego eleganckiego piękna dziewczyny-osoby, ja, znad jednorękiego bandyty, przyglądałam się, jak Shred tańczy pogo i słuchałam, jak tatuś opowiada Baleronowi, gdzie i kiedy spotkali się z Cleo: – Byliśmy dwojgiem samotnych ludzi. Po prostu dwojgiem samotnych ludzi – mamrotał w kółko. – Dwojgiem samotnych, samotnych ludzi.

Po krótkiej chwili znów odezwały się dźwięki *Wild Thing*, ze strun szarpanych mocnymi palcami.

A ja wciąż byłam niepewna, niespokojna i spowolniona.

orzeszki ziemne

Leżałam w łóżku z rękami pod głową i wpatrywałam się w światła zapalone dla bezpieczeństwa w znajdującej się naprzeciwko fabryce Drake'a. Był wtorek, cztery po trzeciej nad ranem, prawie trzy dni po ślubie. Alkohol już ze mnie wyparował. Nie mogłam spać. Zmieniłam się po tym włamaniu.

Wsunęłam palce między nogi i usilnie próbowałam skupić się na Tonym, nadmiernie chudym młodzieńcu, który w dziewczęcych kręgach powszechnie uchodził za „mojego chłopaka". Jednak szybko przekształcił się on w kapryśnego nieznajomego, potem w Phila Flesza, a potem zniknął.

Zaledwie kilka godzin wcześniej popełniłam moje pierwsze przestępstwo, jednak rozczarował mnie fakt, jak szybko minęło poczucie, że w związku z tym jestem kimś ważnym. Poczucie to okazało się tak przelotne, jak zadowolenie po posiłku.

Czułam się już jak wczorajsza wiadomość w lokalnej prasie.

Na dole w pubie stała nowa maszyna do gry, przywieziona przez browar. Na frontowej płycie miała trzykrotnie napisane słowo „pieniądze".

Z szuflady, w której w pijanym widzie upchnęłam całą bieliznę, wystawał, delikatnie zwisając, kawałek koronki. Po powrocie raz jeszcze przeliczyłam zaoszczędzone pieniądze, układając je w kupki dziesiątek, po pięć w każdej, po czym ponownie schowałam je na dnie szafy. Znów się nienawidziłam.

– Idź. Do. Klasztoru. – Każde słowo wymawiałam oddzielnie, wolno i złowrogo w ciemnościach nocy.

Klucz do sklepu, który właśnie obrabowałam, dostałam od Świńskiej Sarah. Jej siostra pracowała w tym sklepie jako asystentka kierownika. Sarah ukradła klucz, żeby mi zaimponować. Jako dziewczyna Sarah była całkiem w porządku, chociaż pozwalała sobie na świństwa z chłopakami, a jej nogi wyglądały tak, jakby na ich końcu znajdowały się kopyta. Ona też nie miała żadnych przyjaciół, co wyjaśniało ochotę, z jaką chciała mi imponować.

Słyszałam dalekie dudnienie, kiedy po moście przejeżdżała ciężarówka. Słyszałam też potworne, przerywane chrapanie tatusia (bardziej odległe) i naćpany, szalony chichot Balerona (trochę bliższy). Po krótkiej chwili zapanowała cisza. Słuchałam tej nicości aż do chwili, gdy moje myśli wypełniły wspomnienia dźwięków: grzmot moich własnych stóp kroczących po podłodze sklepu i grzechot metalowych wieszaków przesuwanych na ramionach stojaków. A w tle tej ścieżki dźwiękowej pojawił się obraz mojej mamy leżącej w szpitalnym łóżku.

Kiedy Lindy mieszkała jeszcze tutaj, ilekroć w nocy budziły nas odgłosy kłótni mamy i taty, wchodziła do mojego pokoju i razem wynajdowałyśmy jakieś zabawy, na przykład zastanawianie się nad najpotworniejszą rzeczą, którą można powiedzieć jakiemuś brzydalowi zapraszającemu nas na randkę. Oczywiście chłopcy na żadne randki mnie nie zapraszali i pewnie dlatego nie potrafiłam niczego w tej zabawie wymyślić. Lindy wymyślała różne rzeczy. Brzydal: – Może chcesz wpaść do mnie? – Ty: – A czy pod twoją płytą nagrobną jest dość miejsca dla dwojga?

Przez kilka nocy po śmierci mamy Lindy spała ze mną w jednym łóżku. Zawsze leżała na brzuchu, pulchne ręce układając nad głową, a włosy przelewały się przez krawędź łóżka.

Puls jej podniecającego oddechu wciąż jeszcze wibrował w powietrzu. Tylko ciało znikło.

Nie mogłam się podniecić, więc wstałam z łóżka. Kiedy stąpałam, bolała mnie głowa. Nałożyłam świeżo ukradziony szlafrok i metka z ceną drapała mnie w plecy.

Jak ostry paznokieć wyrzutów sumienia, pomyślałam ponuro.

Tak naprawdę nie był to szlafrok, tylko zwiewna po-domka firmy Galore for Girls. Miałam ich czternaście, choć z pewnością przeznaczone były dla żądnych seksu gospo-dyń domowych, które nosiłyby je w letniskowych domkach, paląc papierosy. Na myśl o tych starych, biednych kobietach coraz bardziej ściskało mnie w żołądku.

Miałam też sześć staników rozmiar 80D w odblasko-wych kolorach. Miseczki sterczały wysoko, jakby podtrzy-mywały olbrzymich rozmiarów biusty. Miałam cały wieszak stringów, bez wątpienia przeznaczonych dla dziewczyn o jędrnych i opalonych pośladkach i noszących łańcuszki na kostce u nogi. Ale nie było wśród tych rzeczy nic, co mogłabym włożyć na siebie.

Kiedy próbowałam chodzić, czułam się tak, jakby przeje-chała po mnie kobyła Boba razem z dwukółką. Przypomniałam sobie, jak zjawiła się Świńska Sarah, żeby dać mi ukradziony klucz. Była tak mocno umalowana cieniem w kolorze awo-kado, że przez chwilę pomyślałam, iż spleśniały jej powieki. Kiedy tylko dała klucz, natychmiast pobiegła w mrok. Myśl o mordercy nawet nie przemknęła jej przez głowę.

Może wszystkie pragnęłyśmy, by morderca zauważył nas wśród nocy. Zostać ofiarą okrutnego napadu, to cudow-nie potwierdziłoby słuszność naszej desperacji.

Szminka, którą wybrałam specjalnie na wieczór popeł-nienia przestępstwa, też nałożona była zbyt grubą warstwą i wyglądałam, jakbym przed chwilą jadła surowy stek.

Biodro bolało zupełnie jak po wypadku samochodowym. W świetle księżyca dostrzegłam na nim siniaka kolorowego jak motyl. Zawiązałam supeł na pasku zwiewnej podomki i ostrożnie otworzyłam drzwi sypialni.

Po raz pierwszy w życiu czułam, że poruszam się ina-czej niż reszta. Jak przestępca.

A w sklepie byłam tak zdenerwowana i było mi tak nie-dobrze, że niewiele brakowało, abym zemdlała. Zdaje mi się nawet, że raz się przewróciłam.

Tuż obok mojej znajdowała się sypialnia Balerona. Obydwoje zajmowaliśmy małe, ale wysokie pokoje od frontu
pubu, z balkonami wychodzącymi na Czarny Potok. Jako
dziecko Lindy zajmowała obecny pokój Balerona. Potem,
kiedy się rozwodziła i musiała wrócić do pubu razem z Siouxie, uparła się, żeby zająć pokój w tylnej części, z oknami
wychodzącymi na parking – największy pokój sypialny
w całym domu. Tym sposobem tatuś i Cleo przenieśli się
do jej pokoju, a ona wprowadziła się do nich. Do niedawna
Baleron, najpotężniejsza osoba w całym domu, mieszkał
w najmniejszym pokoiku. Nigdy nie skarżył się z tego powodu ani nie sugerował, żebym się z nim zamieniła, chociaż
mój upór, aby upychać go w tej pakamerze, był jak obstawanie
przy tym, żeby królik mieszkał w klatce dla chomika tylko
po to, aby zapewnić chomikowi klatkę bardziej przestronną.
W niedzielę tatuś i Cleo przeprowadzili się z powrotem do
dużej sypialni, a Baleron znów dostał pokój obok mnie.

Nigdy nie wchodziłam do jego pokoju. Taką mieliśmy
umowę. Światło jeszcze się paliło, więc przez uchylone
drzwi widziałam jego białe, wielorybie ciało zakryte tylko
slipami w zielone cętki.

Poczułam słodki zapach trawy. Baleron powoli wyrastał
na ćpuna.

Na szafie dumnie powiewała jego olbrzymich rozmiarów biała koszula, a przy oknie stała para świeżo wypasto-
wanych brązowych półbutów. Baleron ubierał się tak, jakby
miał pracę!

Ha! Kretynospermorobiejebanyty!

Zbliżał się świt, a on był wciąż na nogach. Miał przed
sobą kartkę papieru, a w ręku ołówek. Głowę oparł na
drugiej ręce, która podtrzymywała jego ciężar i zakrywała
ucho. Z kącika ust zwisał mu maleńki, czerwony koniuszek
języka. Znad popielniczki kłębami unosił się dym.

Baleron mieszkał u „Adama i Ewy" od dwóch lat. Moja
mama wyprowadziła się z domu na dwa lata przed śmiercią, po-

nieważ tatuś miał romans z Cleo. Cleo zadbała o pełen godności okres dziesięciomiesięcznej przerwy, zanim wprowadziła się do pubu razem ze swoim synem. Przyzwyczaiłam się już do niego, chociaż budził moje obrzydzenie. I nawet go lubiłam.

Wiedziałam, że na białej kartce papieru pisze słowa piosenek. Robił to, żeby się odprężyć. Tak przynajmniej mi powiedział, kiedy raz go przyłapałam. Ale nikomu o tym nie mówiłam. Nigdy też nie wyśmiewałam się z niego z tego akurat powodu.

Odwróciłam się już, żeby stamtąd odejść, kiedy usłyszałam wypowiedziane niemal szeptem słowa:

– Wszystko w porządku?

– Tak – odpowiedziałam, nie ruszając się z miejsca. Stałam wciąż ukryta za drzwiami.

– Gdzie byłaś? Słyszałem, jak wchodzisz do domu.

– Z Anne-Marie.

– Ale gdzie?

– Nigdzie.

– A teraz gdzie idziesz? – dopytywał się grubym i spowolnionym od trawy głosem. Zastanawiałam się, czy przejmuje się mną z powodu mordercy. Ostatnio niektórzy mężczyźni trzymali swoje kobiety blisko przy sobie, jak portfele.

– Na dół. Pograć trochę.

– Aha.

– Co robisz? – zapytałam i przesunęłam się trochę, tak że mogłam dostrzec, jak tłustym ramieniem zasłania białą kartkę papieru.

– Niiic.

– Okej.

– Okej.

Coś we mnie, w środku, dojrzało do zawstydzenia.

Po drodze na dół przechodziłam obok pokoju tatusia. Chrapanie było głośne, niekontrolowane i wyjątkowo małpie. Jak zawsze, kiedy był bardzo pijany. Kołysało nas do snu przez całą noc.

Kiedy usłyszysz ostrzeżenie o zbliżającym się ataku, musisz natychmiast kryć się wraz ze swoją rodziną. Ja wolałabym pokryć się bąblami i upiec żywcem.

Kiedy znalazłam się na podeście, po cichu otworzyłam zamek drzwi oddzielających część mieszkalną od pomieszczeń pubu i zeszłam po schodach.

Na dole wilgotne ręczniki barowe zwisały z pomp jak welony. Szuflada na gotówkę w kasie ziała pustką. Zaciągnięte w zbytnim pośpiechu niebieskie kotary wpuszczały pośrodku każdego okna cieniutkie włócznie wczesnego poranka.

W filmie grozy w takiej scenerii pojawiłaby się natychmiast jakaś wykrzywiona twarz.

W tym właśnie momencie gdzieś tam chrapał morderca. Może nawet z zakrwawionymi pięściami wciąż jeszcze ciasno owiniętymi wokół Świńskiej Sarah.

W popielniczce piętrzyło się osiem petów, a na brzegu smukłej szklanki swój ślad zostawiły mięsiste, różowe usta. Nie było żadnego kufla po piwie, co znaczyło, że Cleo piła sama. Tuż obok jej szklanki leżała kartka, na której słupek kwot najpierw skreślono, a później dodano ponownie. Na samym dole widniała wzięta w ramkę suma: jedenaście tysięcy dwieście czterdzieści dziewięć funtów.

Kiedy byłam w sklepie Galore for Girls, przypomniało mi się, jak kiedyś przyłapałyśmy naszą mamę na niszczeniu pubu. Cały dom skoczył na równe nogi, obudzony brzękiem tłuczonego szkła i krzykiem. Lindy zobaczyła ją ze stosem popielniczek w jednej ręce. Drugą rzucała kolejnymi popielniczkami w dozowniki alkoholu zamontowane za barem. Lecące szerokim łukiem popielniczki tłukły wszystko: od Glenfiddich do Campari. Był maj 1981 roku. Mama właśnie dowiedziała się o Cleo i była zła. Rzucała tak, jakby grała we frisby, podkręcając prawie każdy rzut. Czasem rzucała z półobrotu, jak w pchnięciu kulą, czasem jak w kręglach, a czasem znów znad głowy. I była bardzo dobra. Butelki w dozownikach eksplodowały jedna po drugiej. W końcu tatuś się obudził. Pędem zbiegł po schodach, w towarzystwie psiego warczenia. Krzyczał przy tym: – Kasa! Nie daj im kasy! – Myślał biedaczek, że to włamanie. Po tym incydencie zaczął sypiać z szufladami na pieniądze pod poduszką.

Tatuś zaczął też wywracać swoje spodnie na lewą stronę i dokładnie sprawdzać zawartość kieszeni, zanim wrzucił je do kosza na brudną bieliznę. A to był już całkiem oczywisty znak.

Bar został wyczyszczony i dokładnie widać było wzór księżycowych zawijasów, a nad podłogą unosił się zapach środka dezynfekującego. Sala wydawała się jakaś dziwna. Zupełnie nie taka jak wtedy, kiedy była tu Lindy. Z kartonowego stojaka zwisały dwie paczki orzeszków ziemnych.

Jakaś zła część mnie zrobiła się głodna.

Po sprzedaniu wszystkich paczek orzeszków na kartonowym stojaku pokazywała się dziewczyna bawiąca się topless w morskiej wodzie. Tatuś zawsze zostawiał dwie paczki orzeszków, żeby zakryć jej cycki. Potem, zwykle w niedzielę gdzieś koło południa, któryś z gości krzyczał: – No dawaj Charlie! Odkryjmy je wreszcie!

My darling, you look wonderful toniiiite.

Cleo zostawiła nóż wbity w cytrynę. Jak sztylet. Poprzedniego dnia wieczorem słyszałam, jak mówi tacie, że martwi się o mnie, bo najwyraźniej nie mam żadnych przyjaciół.

To prawda. Ale teraz byłam wyjątkowa: popełniłam przestępstwo. No i miałam się stać Przyjaciółką Tamsin.

Ktoś wrzucił pięćdziesiątaka do skarbonki fundacji niepełnosprawnych. Wyłowiłam go pałeczką do mieszania koktajli, po czym podeszłam do maszyny i włączyłam ją. Była nawet ładna. Miała więcej świateł niż poprzednia, ale nie miała tego charakteru. Zabierze mi trochę czasu, zanim ją dobrze poznam. Choć oczywiście bardzo chciałam, by stało się coś, co odmieniłoby moje życie i na zawsze zabrało mnie z pubu. Na wyświetlaczu pojawił się stos zmieniających kolor monet, ale jeszcze nie wiedziałam, co to znaczy. Prześladowało mnie dziwne uczucie, podobne do tego, co dzieje się z człowiekiem, gdy słyszy odległe szczekanie psa: coś pomiędzy zmartwieniem a złością.

Drzwi do sklepu Galore for Girls otworzyły się łatwo i cicho. W ciemności zapaliłam papierosa obok działu z bielizną nocną. Dźwięk zapalniczki wystarczył. Papieros. Pamiętam tylko, jak pomyślałam, że palarnia rymuje się z piekarnią, farbiarnią i koronkarnią, co dowodzi, że papierosy są dla dziewcząt. Wtedy uświadomiłam sobie, że nie posiadam żadnych umiejętności potrzebnych włamywaczowi. Nie potrafiłam sforsować zamka ani otworzyć czegokolwiek w magiczny sposób, posługując się krawędzią karty kredytowej. Nie było żadnych kasetek z gotówką ani żadnych sejfów. Tylko majtki, sukienki i bielizna nocna. I ja, pijana w ciemnościach. Pomyślałam, że Lindy ma rację: jestem niczym, bladym ślimakiem pełzającym w błocie.

Było jak w sklepie z ubraniami dla Barbie: wszystko delikatne, plastikowe i po jakimś czasie nieuchronnie przynoszące rozczarowanie. Jakieś trzydzieści sekund później, kiedy rzeczy wylądowały już w torbie, było po wszystkim. Znów znalazłam się na ulicy, drzwi znów zostały zamknięte, a ja znów znalazłam się w grupce pijaków chwiejnie wracających z pubu.

– Idź do klasztoru! – wyszeptałam, zwijając trzymane w kieszeniach kurtki dłonie w pięść. Każdy z mężczyzn mógł być mordercą. Kobiety szły nerwowo, z opuszczonymi głowami i rękami przy ciele, a podkute obcasy rozbrzmiewały echem pośpiesznego stukotu.

Tej nocy grałam długo, myśląc przy tym o nadmiernie chudym młodzieńcu imieniem Tony i o tym, jaki ma sens zadawanie się z chłopakiem bez grosza przy duszy, zwłaszcza jeśli nie miało się ochoty na kiepski, do granic nudy seks i mogło się samemu zarabiać pieniądze. Potem pomyślałam o ramionach spadzistych z powodu roznoszenia gazet, o tym, że pachnie farbą drukarską, i o tym, że jest prawie przyjacielem.

Pomyślałam o Baleronie, że lubi łowić ryby i pisze teksty piosenek, których nikt nigdy nie zaśpiewa.

Pomyślałam o zmarłej Sadie i o tym, że moja mama gnije. Nowa podomka była sztywna i podłej jakości. Poza tym bardzo się w niej pociłam.

Pomyślałam o sowieckich siłach specjalnych i o tym, że niedługo będą się włóczyć po naszym zrujnowanym kraju jak czerwone mrówki.

Nie miałam żadnej najlepszej przyjaciółki, żadnej siostry ani niewinności wieku szkolnego, które mogłyby mnie chronić. Wszystko miało więc się zmienić. Mimo to grałam nadal, dopóki nie straciłam wszystkich pieniędzy. Wtedy zrobiłam się śpiąca i mogłam wracać do łóżka.

Kiedy dochodziłam do drzwi, uległam nękającemu mnie żołądkowi i zerwałam ostatnie dwie paczki orzeszków ziemnych pozostałe na kartonowym stojaku, odkrywając parę pełnych, różowych cycków wystających ze spienionej, białej fali.

pieprz

Kiedy zjawiłam się za domem, wiedziałam od razu, że coś się zmieniło. Zabezpieczony zbroją szarego garnituru biurowego pan Fakenham stał z wyciągniętymi rękami i twarzą plamistą od fioletowej wysypki i piorunował wzrokiem okno w górnej części domu. Zacisnęłam hamulec roweru i z poślizgiem zatrzymałam się na żwirze tuż za nim.

Byłam w takich sytuacjach i przedtem, i potem. Przypominają grzmoty: zanim cokolwiek się stanie, robi się gorąco, a w powietrzu pojawiają się elektryczne trzaski. I nikt nie może nic zrobić, by powstrzymać to, co ma się zdarzyć.

Pan Fakenham zauważył mnie i posłał mi czarujący uśmiech, jednak nie ruszył się z miejsca. Był czwartek, po dziewiątej rano, a on jeszcze nie wyruszył do pracy.

Nikt nie zadał sobie trudu, aby wyprowadzić Willow do ogrodu, więc sennie zwieszała łeb nad postrzępioną krawędzią drzwi do stajni.

Nagle w oknie na górze pojawiła się dzika ze wściekłości twarz pani Fakenham. Nigdy przedtem takiej jej nie widziałam. Prawdziwie jadowite żądło w porannym powietrzu. Patrzyła na nas tak, jak patrzą na demony w kościele Shreda. Potem z głucho dzwoniącym trzaskiem okno zamknęło się i wściekła twarz rozpłynęła się za małymi kostkami szkła. Pan Fakenham nadal się nie ruszał i patrzył do góry, z lekko otwartymi ustami i rękami daleko od ciała. Jak postać w ilustrowanej Biblii.

I rozległ się grzmot: najpierw lampa, potem biały ręcznik kąpielowy, kawał mydła, wazon, szlafrok i książka, aż w końcu szklany słój z różową solą do kąpieli eksplodował u stóp pana Fakenhama. Zatrzęsło mną na siodełku roweru. Kiedy sól do kąpieli uderzyła o ziemię, chmura szarych gołębi uniosła się znad komina w stajni, ulatując w błękit nieba jak dym. Willow szarpnęła łbem i wycofała się w ciemność stajni.

– To dopiero było widowisko! – powiedział pan Fakenham i rzucił mi swój reklamowy uśmiech bez skazy.

Było mi szkoda pana Fakenhama. Bez wątpienia każda kobieta opętana jest jakimś rodzajem szaleństwa i mężczyźni ze stoickim spokojem walczą, by nas okiełznać. Jesteśmy im winne wdzięczność za zarządzanie naszym szaleństwem.

– Pewnie, że było – odparłam, ale nie patrzyłam na niego. Przyglądałam się po kolei oknom w tylnej ścianie wielkiego domu, chcąc dostrzec panią Fakenham. Przesuwałam wzrokiem od wysokich okien na parterze, przez małe okienka pralni, aż do sterczących pionowo okien na poddaszu. Już wcześniej dom Fakenhamów był imponujący, jednak teraz zdawał się pęcznieć, wolno nabierając powietrza. Nie wiedziałam, czy wypada pomóc mu zbierać rozrzucone rzeczy, obawiając się, że mógłby wtedy poczuć się jak starzec, który upuścił na chodnik drobne monety. Chciałam zniknąć bez śladu i chęć ta miała tyle samo wspólnego z państwem Fakenham, co ze sklepem Galore for Girls.

Bałam się, że ktoś może wezwać policję.

Przechodził przez warstwę soli do kąpieli, stawiając stopy powoli, aż piszczała ziemia. Potem spojrzał spode łba na trójkątne sylwetki drzew tworzące szpaler przy tylnym wejściu do domu. Spodziewałam się jakiejś potężnej reakcji, a tymczasem on tylko poprawił spinkę do krawata. Odpiął ją i wyprostował. Potem odwrócił się i odszedł, by wsiąść do swojego wielkiego samochodu i wycofać z podjazdu, machając przy tym do mnie i uśmiechając się.

– Udanej nauki życzę, Mona! – krzyknął. – Wyglądasz dzisiaj cudownie. I nie zapominaj, o czym rozmawialiśmy, dobrze?

Wtedy zauważyłam dziewczynę siedzącą na skraju donicy z kwiatami. Oczami wędrowała po mnie tak, jakby zbierała dane do przeprowadzanych natychmiast tysięcy maleńkich kalkulacji.

Czyniła jakieś porównania.

Obok niej stała butelka z wybielaczem.

Byłyśmy same po raz pierwszy od chwili, gdy w zeszłym roku powiedziała mi, że jej siostra zagłodziła się na śmierć. W jednej chwili wydała mi się znajoma i dopiero później uświadomiłam sobie, że w tej właśnie chwili coś we mnie westchnęło i wskoczyło na swoje miejsce, jak brakujący element łamigłówki.

Zauważyłam, że na policzku ma znamię, z którego wyrasta pojedynczy, czarny włos. Na którejkolwiek innej dziewczynie byłoby to odrażające, ponieważ nienawidzę owłosienia na ciele. Ale jakimś dziwnym sposobem u niej wydawało mi się to podniecające.

Od pierwszej chwili naszego spotkania ja byłam przestępczynią, a ona nosiła wyraźne znamiona czarownicy.

– Spieczesz się – powiedziała, jakby wszystko to, co wydarzyło się przed chwilą, było tak samo oczywiste jak widok mleczarza o poranku. W płatku ucha miała wypatrującą kolczyka dziurkę, a całe jej ciało było napięte jak gumka recepturka rozciągnięta szeroko w złości. Natychmiast zwróciłam uwagę na jej ręce, czyste jak świeżo pokrojone mięso, trochę spuchnięte i różowawe, jakby dopiero co zanurzała je we wrzącej wodzie.

– Nic nie szkodzi. Przyda mi się trochę opalenizny.

Pomyślałam, że z opalenizną i parą ciężkich piersi nie trzeba się martwić o niezależność i samowystarczalność, ponieważ ktoś, może nawet jakiś policjant, tobą się zaopiekuje.

Zeszłam z roweru i położyłam go na podjeździe. Od kaca trzęsły mi się nogi, a łydki wciąż jeszcze były pijane i obolałe. Wspomnienia ze sklepu Galore for Girls nie całkiem jeszcze odeszły. Z nikim o tym nie rozmawiałam, choć spotkałam się ze Świńską Sarah, żeby oddać jej klucz i przekazać zapłatę w postaci torby pełnej najwspanialszej bielizny rozmiar 80D. I miałam nadzieję, że teraz będę mogła trzymać się od niej z daleka.

– Cóż, z pewnością wyglądałabyś zdrowiej – rzuciła, bawiąc się włosami. Szybko nawijała sobie na wskazujący palec luźne pasmo.

– Wiem. Chociaż opalam się na czerwono i dostaję bąbli. A ty opalasz się teraz?

– Gram na gitarze, naturalnie.

– Piosenkę *Wild Thing*? – zapytałam, ale ona tylko patrzyła na mnie z okrutną konsternacją. Wtedy, zupełnie nie wiem dlaczego, powiedziałam odważnie: – Przykro mi z powodu twojej siostry. Znaczy, przykro mi, że umarła. To wciąż takie okropne. Zabiera wiele czasu. Znaczy, żeby się z tym pogodzić.

– Ach! Nie sądziłam, że będziesz o tym pamiętać! – wykrzyknęła zaskoczona. – Dziękuję.

– A to po co? – zapytałam, wskazując na butelkę wybielacza stojącą obok niej. Nie miałam wątpliwości, że obydwie potrzebujemy zmiany tematu.

– Cóż, jeśli w kuchni zostaje sporo resztek, to na ich widok możesz ulec pokusie, żeby je zjeść... – odpowiedziała, po czym zamilkła na chwilę, badając moją reakcję. Uśmiechnęłam się, żeby ją zachęcić. – No więc, jeśli polejesz wszystko wybielaczem natychmiast po tym, kiedy zjawi się w kuchni, to odpędzisz pokusę.

– Cóż za błyskotliwy pomysł! – zachwyciłam się. I rzeczywiście zrobiło to na mnie wrażenie. Podobało mi się wszystko, co wiązało się z zacieraniem śladów.

– Można też używać pieprzu. Ale to nie zawsze zniechęca do jedzenia. Problem polega na tym, że pieprz zawsze można spłukać – dodała z powagą, a ja pokiwałam głową. – W każdym razie trzeba mieć ciągle jakieś błyskotliwe pomysły, kiedy mieszka się z kimś tak niechlujnym jak moja matka.

Ostatnie słowa wymówiła tak, jakby zgniło jej w ustach.

– Aha – rzuciłam. Wiedziałam o sztuczce z pieprzem. Nawet stosowałam ją kilka razy. Ale nie o wybielaczu.

Wybielacz był lepszy.

– Nie podejmuj pracy, Mona – powiedziała z życzliwością, jakby te słowa stanowiły reakcję na coś, co mówiłam wcześniej. Było tak, jakby połowa naszej rozmowy przebiegała w sposób niewypowiedziany. Nie przyznałam nawet sama przed sobą, że jakaś praca będzie mi potrzebna.

– Ale potrzebuję pieniędzy.

– Po co ci pieniądze? – zdziwiła się, a w jej spojrzeniu na chwilę zapalił się delikatny płomyk pogardy.

– Och, na różne rzeczy.

– Jakie?

Odwróciła się do mnie gwałtownie. Wciąż była mną zainteresowana: jej szybkie, dziewczęce oczy obwąchiwały mnie kawałek po kawałku.

Zastanawiałam się, czy jest grubawa. Gdy idzie o rozmiar, nosiła przynajmniej trzydziestkę ósemkę i chociaż nie miała żadnych szpetnych pulchności, to jednak nie widać też było żadnych kości.

– No, rzeczy.

– Ale jakie? Na przykład na co? – dopytywała się, a sposób, w jaki to robiła, przypomniał mi, jak ja sama pałętałam się przed drzwiami Lindy, jęcząc: „Ale dokąd idziesz?"

– Pieniądze potrzebne mi na przykład po to, żeby grać na jednorękim bandycie.

Odwróciłam się. Sreberka mokrej słomy wplatały się w tłusty ogon Willow. Nie czułam już większego związku z tym koniem. Willow stawała się po prostu zwierzęciem.

I nie oddychałam właściwie. Cała akcja oddechowa ustała, jakbym doznała jakiegoś olbrzymiego ataku serca.

– Mona – zaczęła w zamyśleniu. – Chyba nie jest to imię, jakiego spodziewałabym się dla takiej dziewczyny jak ty.

– Kto tu jest dziewczyną? – oburzyłam się, prychając przy słowie „dziewczyna" dokładnie tak jak ona, jakby mówiła „pająk" albo „jaszczurka", albo „szczur". I rozejrzałam się wokół, jakbym szukała jakiejś dziewczyny. To był dobry żart. A ona go zrozumiała i uśmiechnęła się z uznaniem. Obydwie uznawałyśmy, że słowo „dziewczyna" zazwyczaj jest obelgą. Oddech mi powrócił.

– To imię jest bardzo...

– Tak, wiem. Wszystko przez moją siostrę. Jako dziecko głupawo się śmiałam. No i zaczęła mówić na mnie Mona, dlatego że mam na imię Lisa. Rozumiesz?

– Ależ oczywiście. Bardzo dokładnie obejrzałam oryginał. I w rzeczywistości wcale nie jest aż tak dobrym obrazem.

Jedną z rzeczy, jakich miałam nauczyć się o Tamsin w nadchodzących tygodniach, było to, że bogactwo i dobre wykształcenie pozwalały jej kwestionować, rozdzierać na kawałki, a następnie lekceważyć dosłownie wszystko. Z wielką pewnością siebie okazywała krytycyzm i cynizm. Wyjątkowo skutecznie dawało jej to poczucie wyższości nad wszystkimi wokół. Kpiła i odwoływała się do ironii. Była radośnie złośliwa. Wierzyła, że stanowi przyszłość.

– Moje imię miało być niewinnym żartem, ale przylgnęło do mnie na całe życie – zakończyłam wyjaśnienia z nienawiścią do samej siebie w głosie. Niebawem miałam się nauczyć, że był to świetny sposób na kobiety tego właśnie rodzaju.

– Jak zgubna w skutkach sztuczna rzęsa! – wrzasnęła zachwycona.

– Jak samotna skarpetka wsunięta pod biustonosz, która na wieczność przyczepia ci się do biustu! – wrzasnęłam i ja.

– Czy naprawdę wkładasz sobie skarpetki pod biustonosz, Mona?

– Już nie – odpowiedziałam groźnie zaciągając się papierosem i mrużąc oczy.

– Ja nie muszę – oświadczyła chwytając piersi w dłonie i ważąc je z uśmiechem. Były piękne. – W większości tłuszcz – dodała zauważywszy, że się przyglądam.

My darling, you look wonderful tonite.

54

I była to prawda. Rzeczywiście na tym polegał prawdziwy problem z piersiami. Chociaż niektórym dziewczynom udawało się jakoś go rozwiązać: miały wielkie cycki i nic więcej. Miałam ochotę przyznać Tam nagrodę w postaci jednego z jaskrawych biustonoszy Galore for Girls.

– Tak czy owak, na automatach do gry zawsze się traci – stwierdziła.

– Ja nie tracę. Maszyny są jak psy. Nie mogą ci nic powiedzieć, ale kiedy je dobrze poznasz, okazują się mieć jakiś swój styl i potrafią się komunikować. Każda inaczej, jak różne rasy. I jeśli robisz różne rzeczy. No wiesz, na przykład liczysz na palcach. Wtedy odkrywasz, że przed wisienkami są trzy inne obrazki. No i musisz naciskać na guziki stanowczo, a nie tak, jakby miały cię skaleczyć. Po prostu musisz mieć silne ręce.

Tamsin uniosła dłonie tak, żebym mogła je obejrzeć i ustawiła je pod takim kątem, jakby broniła się przed atakiem. Nie wydawały się już świeżo gotowane. Potem szeroko rozstawiła palce i ujrzałam jej twarz przez różowopalczastą sieć.

– I tak wszystko jest ustawiane – zawyrokowała spokojnie, teraz już bawiąc się kawałkiem błota na ziemi. Usypała mały stosik iskrzącej się soli do kąpieli, po czym zagarnęła ją w jeszcze większy stos za pomocą palca wskazującego.

– Zazwyczaj nie. No, chyba że nad morzem.

– A niby o co chodzi?

– No wiesz. Żyje się tylko raz – odpowiedziałam, mając nadzieję, że zabrzmi to zarazem dość niedbale i wystarczająco filozoficznie.

– Raz wystarczy. Bardzo dziękuję.

Tak mogłaby powiedzieć Anne-Marie. Chciałam dodać coś jeszcze o maszynach do gry, ale Tamsin wzięła butelkę z wybielaczem, wstała, zaczęła się przeciągać i dokładnie w chwili, kiedy pomyślałam sobie, że za chwilę się złamie, powiedziała:

– Moja matka jest taka niepozbierana. Nie tylko psychicznie. W ogóle nie potrafi utrzymać tego domu w czystości. Nawet mimo to, że przecież codziennie przychodzą ci starzy służący, wszystko tu wciąż wygląda jak slumsy w Bombaju.

Brzmiała niebezpiecznie i najwyraźniej się rozzłościła, a ja odwróciłam wzrok z zakłopotaniem.

Stałymi służącymi w domu państwa Fakenham było dwoje starszych ludzi: Ivy, która była gosposią, co w rzeczywistości znaczyło: sprzątaczką, i Paul, starszy facet, który był gospodarzem terenu parkowego, co znaczyło: ogrodnikiem. Oprócz tych dwojga często widywałam jeszcze młodego mężczyznę, który mył samochody, i biedną, zawsze przygnębioną młodą kobietę, która przychodziła tylko po to, żeby robić pranie. Ktoś inny przychodził do zdejmowania i zawieszania zasłon. Zastanawiałam się czasem, czy mają też specjalnych ludzi do spłukiwania wody w ubikacji i podpalania papierosów. Ivy czasem przynosiła mi coś do picia, kiedy wygarniałam gnój ze stajni. Raz powiedziała, że bardzo mi współczuje, bo robię tę całą robotę całkiem za darmo. Zapewniłam ją wtedy, że mi to nie przeszkadza. Kiedy stary Paul zjawiał się, żeby zabrać ze stajni gnój i rozrzucić na rabatach, żartował, że niebawem ściemnieje nam skóra. Twierdził, że pan Fakenham goni nas do roboty jak jakichś czarnuchów. Zawsze mnie rozśmieszał. Lubiłam go. Czasem widywałam, jak obydwoje służący stoją na dziedzińcu i machając rękami szepcą na temat tego, co dzieje się w domu.

A był to dom bardzo bogaty i z charakterem. Przez te bluszcze, otoczone murem ogrody, kamiennego lwa czy psa oraz wielkie i grube drzwi, plotkowano o nim, jakby był istotą ludzką.

– Dom wygląda całkiem miło – oceniłam i natychmiast pomyślałam o obrzydliwych resztkach jedzenia, które blakną pod wybielaczem i zaczynają przypominać grzyba. – Nie ma to jak mieszkać w takim domu. Kurwa mać!

Teraz byłam przestępczynią, więc musiałam częściej przeklinać. Ale, prawdę mówiąc, nigdy nie byłam typem, który ciężko bluźni. Kiedy czyny, jakich dopuściłam się tego lata, wyszły na jaw, wielu ludzi bardzo się zdziwiło, właśnie dlatego, że początkowo byłam tak cicha i spokojna. Niemal zawsze mogłam uchodzić za przeciętnie zepsutą chrześcijankę.

– Ależ Mona, on jest taki zapuszczony. Popatrz tylko. No popatrz. Cały ten brud, nawet na zewnątrz! – żachnęła się i strzepnęła jakiś pyłek z bluzki. – Ale jest wart fortunę. Figuruje na liście zabytków, ponieważ zbudowano go w osiemnastym wieku.

– Aha – powiedziałam, po raz kolejny patrząc na górujący nad nami dom. Był cudowny, ale też tak mroczny, że z powodzeniem mógłby znaleźć się na okładce któregoś z albumów Lindy.

– Kurwa mać!

– I wygląda na to, że mój ojciec ma kochankę.

– Boże! Nie mów! O kurwa!

– Nie do wiary, prawda? – stwierdziła, a ja nie wiedziałam, czy chodzi jej o to, że rodzice w ogóle robią takie rzeczy, czy też dziwi się, że jakakolwiek kobieta poleciała na jej tatusia. Obydwie interpretacje były OK.

– Nooo.

– I wiesz, co? Ona ma dwadzieścia osiem lat i jest jego pieprzoną sekretarką. Boki można zrywać! – była zwrócona twarzą do mnie. Na chwilę wysunęła szczękę, a oczy zmieniły jej się w śmiercionośne kamienie. – To tak banalne, że uwłacza naszej inteligencji. Nie sądzisz?

– Pewnie. A w dodatku twój tato się opala. Dostanie raka – wymamrotałam. Nie chciałam rozmawiać o ojcowskiej niewierności. Po prostu nie chciałam. – Kurwa mać! – dodałam z zakłopotaniem.

Powodem, dla którego przeklinanie i brawura nie przychodziły mi z jakąś wyjątkową łatwością, było to, że zbytnio się wszystkim zamartwiałam. Odkąd umarła moja mama, patrzyłam na słońce przez czarną szybkę, widok kwiatów przypominał mi o astmie, a niebieskie niebo przywodziło na myśl to, co miało nadejść nieuchronnie: wielki brązowy grzyb i chmurę opadów radioaktywnych. Ale wierzyłam, że przestępstwa to zmienią.

Patrzyła na mnie bez słowa i zupełnie nie wiadomo dlaczego przypomniało mi się, jak Anne-Marie zapewniała, że właśnie dlatego ludzie uprawiają seks, żeby było co robić, kiedy rozmowa staje się niezręczna. Spojrzałam na swoje nogi, ciemne włoski pojawiające się wokół kostek i poduszeczki czegoś, co nagle i ponad wszelką wątpliwość wydało się tłuszczem wokół kolan.

Idź do klasztoru i w ten sposób zadbaj o dietę!

Zastanawiałam się, czy mam zaproponować pomoc w zbieraniu ubrań i książek, które leżały na ścieżce.

Powinna mieć piętnaście lat. Ale wyglądała młodziej. Wiem, że również i ja wydawałam się ludziom młodsza. Kiedyś słyszałam, jak mama Anne-Marie narzekała, że jestem niedojrzała. Tamsin wyglądała raczej jak pretensjonalna czternastolatka. Rozumiałam doskonale, że śmierć bliskiego krewnego wywołuje ten dziwny efekt regresji. Od psychologa, podczas porady po śmierci mamy, dowiedziałam się, że trzeba wierzyć w to, w co wierzą dzieci: anioły, duchy i niebo.

Już od tamtych pierwszych chwil byłam przekonana, że rozumiem Tamsin jak nikt inny na świecie.

Była dziewiąta czterdzieści dwie rano. Poranny majowy wiatr owiewał nam twarze. Goldwell opustoszało. Wszyscy wystrojeni w garnitury tatusiowie pojechali już swoimi dużymi samochodami do Whitehorse, wszystkie kosztowne mamusie wylewały właśnie łzy do swoich jogurtów, a wszyscy wykwintni chłopcy i wszystkie wykwintne dziewczynki przebywały w okrutnych szkołach.

Czułam niebiańską rozkosz, jakbyśmy z Tamsin były jedynymi szlachetnymi istotami w całym letnim świecie.

I wtedy, patrząc na nią, doznałam tego uczucia, jakby koń wraz z dwukółką przegalopował mi po czaszce. Tego dnia nie piłam jeszcze niczego mocniejszego (nie licząc oczywiście brandy, bo to było tylko dla kaprysu, taka zwiewna koronkowa koszula nocna wśród drinków).

– Czy sądzisz, że na innych planetach jest życie? – rzuciła Tam, nie patrząc na mnie. Wwiercała piętę w ziemię i obracała się na niej wokół własnej osi, jak dziecko. Roześmiałam się, co ją chyba rozdrażniło. – Pytałam poważnie. Wierzysz czy nie?

– Może i tak.

– Myślałaś kiedyś o ucieczce?

– Na inną planetę?

– Mona, bądź poważna! O ucieczce w jakieś inne miejsce.

– Ostatnio nie – odparłam. Prawda była taka, że w dotychczasowym życiu uciekałam trzykrotnie. Pierwszy raz z pewną dziewczyną dzień po tym, jak jej ojciec pojechał do pracy w Arabii Saudyjskiej. Przejechałyśmy na rowerach kilkanaście kilometrów, aż do Wooten Newton, wioski, w której kiedyś mieliśmy pub. Zajęło nam to cały dzień. Drugi raz z Lindy, kiedy nasza mama wyprowadziła się z domu w 1981 roku, a trzeci raz, kiedy wyruszyłam przed siebie na starej, dobrej Willow dla jakiegoś powodu, którego już nie pamiętam.

– Trudno jest rzeczywiście gdziekolwiek dotrzeć – dodałam.

Tak naprawdę chciałam rozmawiać z nią o kobietach i przestępstwach, o kolejnych krokach, które podejmiemy wspólnie. Patrzyła na mnie i uśmiechała się w taki powolny sposób, z zamyśleniem, które wydawało się po części podziwem, a po części rywalizacją. Później tego samego dnia zdałam sobie sprawę, że rozpoznaję ten uśmiech, ponieważ taki sam często widywałam na twarzy Lindy.

Wtedy nagle raz jeszcze siadła na skraju donicy z kwiatami i zaczęła bawić się ziemią, którą zagarnęła spomiędzy roślin. Zbliżyła dłoń do ust i splunęła, po czym palcem wskazującym mieszała ślinę z ziemią na dłoni, aż powstała jednolita papka.

– Jesz błoto, Mona?

– Tylko jeśli mam coś uczcić – odpowiedziałam. Czułam, że każda najmniejsza cząstka mojego ciała pracuje w zawrotnym tempie. W kontaktach z Tamsin Fakenham trzeba było przez cały czas mieć się na baczności. Nigdy wcześniej nie widziałam tak czystej i zadbanej skóry jak u niej. Nawet przymilne modelki w czasopismach nie miały tej surowości, która zdawała się pulsować w widocznym napięciu jej jestestwa.

Patrzenie na jej skórę dawało mi to samo uczucie, co oglądanie na ekranie telewizora wnętrzności ludzkiego ciała otwartego do operacji.

Czasem kiedy przez cały dzień nic nie jadłam, leżałam w nocy na łóżku i wyobrażałam sobie, jak rak mojej mamy gotuje się w dymiącym rondlu wnętrzności. Śmiertelny rakowy zapach gryząco wplatał się w ulatującą parę.

– To ma interesujący wpływ na cerę – zapewniła i natychmiast zaczęła rozmazywać brązowawą maź po całej twarzy. Najpierw przykryła policzki, potem czoło, podbródek, nos i brwi, aż wreszcie dociągnęła maseczkę aż do samych uszu.

– W domu mam maseczkę odżywczą z jajek zmieszanych z miodem – poinformowałam ją ze smutkiem. – Leży w lodówce.

Na jej twarzy zostały jedynie dwie jasne plamy ciała, po obu stronach nosa, gdzie na wpół przymknięte powieki zakrywały oczy. Wyglądała przez to jak naćpana, śpiąca i smutna. Byłam już pewna, że nigdy nie stanę się z powrotem niewinną dziewczynką, produkującą swoje własne kosmetyki i lubiącą zwierzęta.

– Ale jest niełatwe, bo musisz uważać na robaki – ciągnęła szczebiotliwie, kompletnie ignorując to, co właśnie powiedziałam.

– To kłopot dla cery kłopotliwej – zauważyłam cicho.

– Słuszna uwaga – oceniła bez cienia uśmiechu, po czym podniosła się i na ziemię spadła kropelka błota.

cytryny

Wiedziałam, iż przestępcy często wpadają dlatego, że jakieś dziwne szaleństwo ostatniej chwili zmusiło ich do przyznania się. Na filmach widziałam wiele razy, jak to się dzieje, z katastrofalnymi skutkami. Mimo to następnego dnia, znaczy w piątek, o dziesiątej siedemnaście rano, machałam nogami w chłodnej, błotnistej wodzie Czarnego Potoku i mówiłam Baleronowi, co zrobiłam.

– No i wylądowałam z szufladą majtek godnych bogini siedzącej gdzieś na plaży nad Morzem Śródziemnym i z niczym, co mogłabym założyć na siebie – zakończyłam, starając się, by mój głos brzmiał szorstko i złośliwie, choć jednocześnie próbowałam mówić menedżerskim, pełnym pewności tonem pana Fakenhama.

Baleron spojrzał na mnie i zmrużył swoje świńskie oczka. Usta miałam pomalowane ostrą, miedzianą pomadką, a na powieki położyłam odrobinę rudego cienia. Już znacznie wcześniej dowiedziałam się, że typ mojej twarzy nazywa się „małym migdałem", co znaczyło, że jest po prostu chuda. Taki makijaż dodawał mi poważnie zagniewanego wyglądu. Włosom nadałam zdecydowaną linię i miałam nadzieję, że wyglądam choć trochę groźnie.

Zagryzłam wargi i mruknęłam z pewnością siebie:

– Bardziej martwi mnie fakt, że nie mieszczę się w żadne z nich, niż to, że je ukradłam. Tak bardzo czuję się winna, że mogłabym za karę odgryźć sobie ręce.

Siedzieliśmy nad Czarnym Potokiem, w miejscu, gdzie ostro skręca, przypominając zakrzywiony palec. Trójkątny zakręt leżał jakieś dziesięć minut spacerem od naszego pubu. Ze wszystkich stron były fabryki. Oczywiście właśnie to odgrodzenie od reszty świata fabrykami dawało mi takie poczucie dzikiej swobody. Zakłady wyprawiające skórę mieściły się nad Czarnym Potokiem obok fabryki łodzi, wytwórcy opon gumowych, producenta lin stalowych i wypożyczalni przyczep kempingowych. Obecnie skóry znalazły się już na dalszych etapach procesu przerabiania krów na kurtki, smród był więc bardziej chemiczny, przypominający zapach świeżej farby drukarskiej albo kleju i mniej napastliwy niż na etapie obdzierania ze skóry.

– I w sumie mogłabym zaraz wezwać gliny, kazać im uwolnić wszystkie te piękności rozmiar osiemdziesiąt, zakuć mnie w kajdanki i odtransportować na dołek. Rozumiesz, Baleron? To tak, jakbyś ty ukradł obcisłe plastikowe spodnie albo stroje sportowe. Po prostu śmieszne!

Włożył dłonie do wody i wyjął trochę upapranej ośli-zgłymi cętkami zieleniny. Bolały mnie nogi. Od szóstej dziewięć tego ranka kucałam w ogrodzie Fakenhamów, mając nadzieję, że choć na chwilę ujrzę Tam. Ale nie było jej nigdzie. Nawet śladu. Istniało poważne niebezpieczeństwo, że siedzi w bibliotece albo innym miejscu, ucząc się do egzaminów. Co dziwne, na samą myśl o tym miałam ochotę kogoś ugryźć.

Modlitwa za Tamsin pozbawiła mnie snu i czułam się porządnie ogłupiała. I byłam zła. Modliłam się tak bardzo, że czułam, jak Bóg chwyta mnie za palce. Wzięłam kilka wdechów ventolinu, jakieś sześć więcej niż było to konieczne, przez co zdrętwiały mi i zaczęły drżeć ręce. Zbyt duża dawka leku wywołała przyspieszone bicie serca. Raczej lubiłam to przypominające atak serca uczucie, takie samo jak wtedy, kiedy omal, ale nie całkiem, wygrało się skumulowaną stawkę. Albo jak po zjedzeniu sześciu batonów Mars jeden po drugim. Przedawkowanie cukru daje taki sam efekt.

– Nie wiem. Może potrzebuję więcej praktyki?

Bałam się, że euforia wywołana popełnieniem przestępstwa powoli ustępuje i zaczynam wracać do mojego samotnego dziewczęcego ja. Spojrzałam na wodę. Czarny Potok przelewał się przez pęknięcia w błocie i niebawem ryby zaczną rzucać się na ziemi – srebrne podrygi łuskowatej skóry. Gdyby była tam Julie, wyłoniłaby się z wody wprost na talerz pieczonego błota. Baleron dalej pochłaniał kolejne trójkąty pizzy, które ukradł z kuchni w pubie. Zaproponował, że się ze mną podzieli, ale tylko westchnęłam i oświadczyłam, że każdy taki trójkąt ma 467 kalorii.

– A może w ogóle nie powinnam była mówić ci o włamaniu?

Ale jak tylko poczyniłam swoje wyznanie, świat wokół mnie zapełnił się nową energią niebezpieczeństwa. Poczułam się jak pielęgniarka, która właśnie wychodzi z sali po swojej pierwszej operacji inwazyjnej, albo jak fryzjerka, która dopiero co zrobiła swoją pierwszą trwałą. Teraz, kiedy nie tylko popełniłam przestępstwo, ale i komuś o tym powiedziałam, naprawdę czułam się jak przestępca.

Na śniadanie zjadłam sześć paczuszek sera, chrupki cebulowe i pełną torbę skwarków na zimno. Jedzenie zalegało mi wnętrzności jak trucizna.

Z faktu, że był dzień, nie wynikało w żaden sposób, że gdzieś wokół nie kręci się morderca.

Wpatrywałam się w wodę, myśląc o szerokich morzach i rybach pulsujących delikatnie jak serce dziewczyny; o tym, czy łatwiej byłoby mi oddychać w morskich głębiach i o pięknie szerokich, delikatnie falujących skrzeli.

Wiedziałam, że niebawem poczuję się lepiej i wtedy wrócę pod dom Fakenhamów, zapukam do drzwi i zapytam o nią. Może nawet pokażę jej wszystkie czternaście par białych stringów. Może powiem jej coś o planach na przyszłe przestępstwa. Przekona się, że jestem dobrze sytuowana, że potrafię podejmować ryzyko i umiem pokierować własnym życiem niezależnie od mojej wytatuowanej siostry.

Tak, do cholery! Przestępstwa bez wątpienia były kluczem do wszystkiego!

– Tak czy owak, następnym razem zamierzam sporządzić szczegółową listę i odhaczać wszystko po kolei. Będę tak skupiona na kradzieży, jak skupiam się na robieniu zakupów i odchudzaniu.

Naprzeciwko miejsca, w którym siedzieliśmy, wprost na drugim brzegu był skład sośniny, a zaraz za nim osiedle nowych domów. Do składu nie można by się było włamać ze względu na alarm przy frontowych drzwiach i otwartą przestrzeń z tyłu i z przodu, a także brak płotów albo jakichś krzaków, które by mnie osłaniały. Im więcej brałam ventolinu, tym słabiej działał. Mógłby mnie też zobaczyć ktoś z samochodu przejeżdżającego po moście. Za nami wzdłuż brzegu Czarnego Potoku ciągnął się rząd segmentów w zabudowie szeregowej, a wśród nich także dom, w którym mieszkała kiedyś Julie Flowerdew.

Jak cudownie byłoby prowadzić rybią egzystencję, żyć tylko powietrzem, być jednym błyszczącym mięśniem, nie mieć potrzeby posiadania rąk i nóg ani potrzeby bycia dostrzeżonym.

Idź do klasztoru i rozpłyń się tam!

Wrzucił do wody jakiś patyk i na powierzchni pojawiły się zmarszczki.

– Ile masz lat, Baleron?

– Osiemnaście – odpowiedział niewinnie. Oczywiście wiedziałam, ile ma lat. Pytałam tylko po to, żeby podstawić mu prosto pod pysk to, o czym wszyscy wiedzieliśmy: Baleron był leniwym, beznadziejnym grubasem, którego czas już dawno minął. Nie chciałam, żeby o tym zapominał.

Rzuciłam mu specjalne spojrzenie pogardliwego współczucia.

– Potrafię zrozumieć impuls. Czasem chcę łowić ryby, kiedy nie jest to właściwe – zapewnił.

– Chcesz zrobić to ze mną? – zapytałam cicho, w uwodzicielski sposób przyjmując głos dziewczyny, która chodziła do szkoły gdzieś daleko. – I tym razem zapewnimy sobie coś pożytecznego.

– I rozumiem, jak ważne jest wyczucie czasu. Czekanie na właściwą przynętę. Siedzenie w bezruchu.

– Oczywiście mam na myśli włamanie. Chcesz zrobić je ze mną? – dopytywałam się z zadyszanym, lubieżnym westchnieniem. – Łupem moglibyśmy podzielić się po połowie. I co?

– Cierpliwość, wyczucie czasu i unikanie pośpiechu to sprawy kluczowe.

Patrzył na mnie bardzo poważnie, a ja zastanawiałam się, czy on też traktował swoje słowa jako rodzaj seksualnej prowokacji.

– Chcesz czy nie?! – wrzasnęłam.

– Może zamiast tego chciałabyś iść na ryby? Pokażę ci, co i jak. Mój tatuś jest rybakiem. A właściwie był.

– Wiem. Trałowanie na głębokich morzach itede itepe. Już mi o tym mówiłeś.

Ziewnęłam. Po czym spieraliśmy się przez chwilę.

Nagle stało się dla mnie jasne, że jeśli nie odmienię swojego życia, nie zacznę zarabiać pieniędzy, odnosić sukcesów i zdobywać niezależności, to mogę skończyć jak tatuś Balerona. Wieczorami pił gin, samotnie oglądając telewizję w dużym pokoju. Jako były rybak miał całkiem przyzwoite pieniądze, opaleniznę i dwa filmy pornograficzne na wideo. Kiedyś miał też kłopoty z policją. Nigdy nie wstawał przed południem. Wiedziałam to wszystko, ponieważ usłyszałam kiedyś, jak Cleo mówiła tatusiowi.

Oparłam się o ciepły kamień i, położywszy ręce pod głową, patrzyłam na czysty, błękitny ekran nieba. Wszystko wydawało się zabawną, szaloną pomyłką: Baleron, sklep Galore for Girls, moja mama, Lindy, wszystko. Tylko Tamsin Fakenham zdawała się mieć sens.

– O Jezu! Czasem mam podejrzenia, że mężczyzn można podzielić na dwie kategorie: niebezpiecznych seksualnych drapieżników i tłuste leniwe pierdoły.

- Nie musisz opowiadać wszystkich tych bzdur.

Kiedy pierwszy raz zastanawiałam się nad przestępstwami i przyjaźnią między kobietami, wydawały mi się bardzo od siebie odległe. Jednak im częściej wracałam do tych rozważań, tym bardziej naturalnie jedne mieszały się z drugą.

- Jak często chodzisz na wódkę? – zapytał Baleron po chwili.
- Na wódkę. Podoba mi się! – przedrzeźniałam go przez chwilę przesadnie.
- Bo chyba teraz bym poszedł. Wiesz?
- Nie idź. Chodźmy na spacer – zaproponowałam i zastanowiłam się nad jakimś żartem.
- Nie czujesz się winna? – rzucił, kiedy dochodziliśmy do linii brzegowej i stąpaliśmy po szosie nad wodą.

Chwyciłam go za chłodną rękę. W dotyku była tak mięsista, że miałam wrażenie, iż trzymam nadmuchaną gumową rękawiczkę. Kiedy szliśmy, czułam zapach pizzy.

- W każdym z tych domów może mieszkać morderca – mówiąc te słowa, czułam się źle, co musiało być skutkiem kaca. – Często okazuje się, że mordercy to ludzie, których znamy: ojcowie, bracia, narzeczeni, dyrektorzy szkół albo radośni mleczarze, z którymi gawędziliśmy od lat.

Idź do klasztoru i zacznij spiskować!

Coraz bardziej zbliżaliśmy się do domu, w którym mieszkała Julie Flowerdew. Wiele lat temu bawiłam się z nią. Byłam w tym domu. Widziałam jej sypialnię z piętrowym łóżkiem, fioletową pościelą, dziecięcymi tapetami i brązowym plastikowym nocnikiem pod łóżkiem, ponieważ ubikację mieli tylko na dole. Dom Julie stał w długim szeregu piętnastu domów z niskim murkiem od frontu i dziurą w miejscu, gdzie kiedyś była furtka. Okna były ciemne, w szybach wisiały odbite chmury i nie można było zajrzeć do środka przez szczelnie zaciągnięte zasłony.

Ktoś zdjął z okien firanki. To była kolejna rzecz, którą doradzał nam rząd, a właściwie na którą rząd nalegał na wypadek ataku nuklearnego.

Jej matka stała w alejce biegnącej z boku domów. Jak tylko ją zobaczyłam, poczułam zapach cytryn. Może coś się gotowało, a może była to przyprawa ziołowa. Mógł też to być płyn do zmywania naczyń albo mleczko do szorowania, albo coś, co wcześniej zjadła.

Na jej widok zrobiło mi się niedobrze. Matka była tak podobna do córki, chociaż ubrana inaczej. Nosiła starsze ciuchy. Miała na sobie menopauzalne szare rajstopy, krótką czerwoną spódnicę i czarny sweter ze złotymi guzikami. Kręcone włosy, zaczesane do tyłu jak u jakiejś śpiewającej po pubach artystki, spływały na jej stare, kościste, kobiece ramiona. Suka.

– Dzień dobry, Mona! – krzyknęła. Pomachałam jej ręką, po czym schwyciłam ramię Balerona i razem ruszyliśmy w jej kierunku.

Pomyślałam, że może mnie zaprosić na filiżankę i pogaduchy. Pytać o moją mamę i co robimy na rocznicę. Opowiadać o znajomych, jak pojawiają się i znikają. Istniała większa szansa na zaprzyjaźnienie się z panią Flowerdew niż z panią Fakenham, chociaż obydwie miały te same kosmiczne, kobiece problemy, które tak mnie pociągały. Może te kobiety potrafiłyby ostrzec mnie zawczasu. Może, poznawszy je, potrafiłabym stanąć o krok od katastrofy. Byłyby złym przykładem, za którym mogłabym pójść.

– Dzień dobry – zaszczebiotałam, kiedy idąc z górki, przetaczaliśmy się obok niej.

– Poczekajcie no chwilę. Przecież możecie to zabrać – powiedziała pani Flowerdew i znikła wewnątrz domu. Czekałam, rozglądając się na lewo i prawo, w górę i w dół ulicy. Wiedziałam, że za chwilę przyniesie torbę z używanymi rzeczami, ponieważ Cleo robiła zbiórkę dla górników. Na samą myśl o tym zaczęłam się denerwować. Byłam pewna, że niosąc używane ciuchy stanę się celem mordercy. Wystraszone, biedne panienki i dziwki były celem najczęstszym.

I była jedna rzecz, której nie potrafiłam zapomnieć. Kilka tygodni temu podczas giełdy rzeczy używanych w lokalu Partii Pracy widziałam moje własne ubrania zwisające z jednego ze stołów. Ciśnięta niedbale mała biała sukienka z naszytymi biedronkami kołysała się wolno. Na myśl o tym mój oddech stawał się szybszy, jak pociąg: pufff, pufff, pufff.

– Daj to Cleo. Wiem, że zbiera ubrania.

– Pewnie że dam – ćwierknęłam, jak gdybym brała udział w prowadzonych przez teatr młodzieżowy przesłuchaniach kandydatek do tytułowej roli w sztuce „Szczęśliwa Normalna Dziewczynka w Wieku Piętnastu Lat".

Nastąpiła chwila ciszy. Wiedziałam, że ogląda moje ciało i zastanawia się. Przyglądała się moim nadgarstkom. Wciąż była matką, która rozumie dziewczyny i rzeczy, które próbują robić, chociaż jej własna córka odeszła.

– Jak idzie nauka do egzaminów? – zapytała uprzejmie.

Przez chwilę rozmawiałyśmy. Baleron dreptał w miejscu, wzbijając stopami kurz, a przed twarzami trzepotał nam biały motyl. Potem pożegnaliśmy się i poszliśmy w swoją stronę.

Nie chciałam tej torby. Torby z ubraniami zgarniętymi ze wszystkich części domu. Oddanymi jak odpady. Nie chciałam jej nawet nieść. Trzymałam ją między kciukiem a palcem wskazującym, z daleka od ciała. Szłam powoli i ostrożnie, jakbym niosła torbę ze śpiącymi wężami.

Na szczycie drogi, na małym kawałku tłuczniowej nawierzchni przed nieczynną fabryką butów, stał kolejny policyjny posterunek obserwacyjny. Przy stole siedziało dwóch policjantów, nalewając sobie herbatę. Jeden otwierał paczkę herbatników porzeczkowych. Stałam tam w pełnym świetle, więc mogli mnie zobaczyć, jeśli tylko chcieli. Wystarczyło podnieść wzrok. Chuda dziewucha z rzęsami pomalowanymi ni to czarnym, ni to granatowym tuszem, spływającym strużką po policzku, wraz z opasłym przyrodnim bratem, z wielkim zakłopotaniem dreptającym tuż przy jej boku.

Ratuuuuuuuuuuuunkuuuuuuuuuuuuuuuuuuuuuuuuu!

Upuściłam torbę, po czym na policzkach pojawiła mi się woda, a w kącikach ust słoność. Piekła mnie skóra, niebo zaciągnęło się purpurą, wiał chłodny wiaterek, a Siouxie krzyczała mniej więcej coś takiego: – Nie będę! Nie będę! Nie będę! – Było możliwe, że ktoś mnie zobaczy, więc przykucnęłam na chodniku z plastikową torbą między nogami. Zaczęłam się jakby dusić, przystawiłam policzek do ramienia, psiknęłam sobie do ust więcej ventolinu, aż serce zaczęło mi walić jak młotem i wtedy owinęłam chude ręce wokół tej obrzydliwej, kościstopłaskiej klatki, aby przestała falować.

To było przezabawne!

Przyszła mi ochota na wódeczkę i koktajl Slimline z plasterkiem cytryny.

Policjanci mogli mnie zobaczyć, jeśli tylko chcieli. Baleron mógł mnie powstrzymać, gdyby się na to odważył. Ale powiedział tylko:

– Nie płacz, Mona. Nie płacz! – Położył mi na ramieniu tę swoją tłustą, wilgotną dłoń i ścisnął mnie: – Oddychaj. Oddychaj. Oddychaj.

W końcu, kiedy już mogłam, wzięłam kilka falujących oddechów i zajrzałam do torby. Przeglądałam ubrania, ledwo dotykając ich opuszkami sztywnych palców. Czułam ich zapach, drożdżowe ciepło, suchy odór nieświeżych ciasteczek, upiorny, lecz mimo to jakby seksowny. W tych bawełnianych skórach żyły kiedyś ciała, swędziały, pulsowały i puchły. Widać było, gdzie poszczególne rzeczy cerowano i zszywano, gdzie sprano tandetny barwnik, a gdzie przetarły się łokcie i kolana. Które rzeczy kupiono po okazyjnej cenie, a które kosztowały odrobinę więcej, więc zostawiano je tylko na specjalne rodzinne okazje.

– Już w porządku – wyszlochałam w kierunku Balerona. – Z wyjątkiem bladoniebieskiej dziewczęcej koszulki bawełnianej, która najwyraźniej zaplątała się tu przypadkiem, w torbie są rzeczy męskie.

Kontynuowaliśmy naszą podróż. Przez nowe osiedle przechodziliśmy, ostentacyjnie tuląc się do siebie. Baleron wycierał mi łzy zasmarkanym rękawem swojej koszuli.

– Gdybym miała funta za każdą łzę, którą uroniłam w tym roku, nie musiałabym być włamywaczką – pochlipywałam.

– Ja też – wymamrotał. – Ale pomaga mi pisanie tekstów.

Musical pod tytułem „Baleron" – pomyślałam.

Ha! Kretynospermorobiejebanyty!

Nigdy nie zachęcałam mężczyzn, by okazywali emocje. Niewątpliwie zajmuje to tak długo, że można by w tym czasie nauczyć kanarka stepować.

Szliśmy dalej. Bez osobowości dziewczyny byłam zwyczajną robaczywą panną, bez żadnych przyjaciół, ze zmarłą mamą i z macochą, która porzuciła własną rodzinę dla „walki".

Chudą jak szkielet panną, której zostało tylko tulić się do opasłego brata przyrodniego.

Faceta bez pieniędzy, bez dziewczyny i bez pracy.

Ani władzy, ani sukcesów, ani podziwu, ani seksu.

Idź do klasztoru i zapomnij o randkach!

Wtedy spostrzegłam, że w jednym z domów okno jest otwarte. Sprawdziłam szybko: żadnych samochodów na podjeździe, żadnych obserwujących sąsiadów, żadnych alarmów, żadnych rozpaczliwych wywieszek z napisem „Uwaga, zły pies!".

– No, dawaj, wędkarzu – zachęcałam, ale on stał jak kamień, wielki i z rozdziawioną gębą, więc musiałam go tam zostawić. Podeszłam do okna, odsunęłam haczyk i wielka, ciemna, lakierowana rama odsunęła się z łatwością.

Było popołudnie tego samego dnia, pół do trzeciej. Język stawał się soczysty, dupy przelewały na stołkach, a przy oknach kolesie przymykali oczy delikatnie jak koty na słońcu. Oddech taty pachniał cebulą, co było niezwykłe, bo w piątki zwykle jadał rybę. Wtedy zauważyłam, że lista potraw wypisanych na tablicy jest znacznie okrojona: tylko zimne posiłki, żadnych frytek, żadnej smażonej ryby, kurczaków ani sosu, ponieważ Cleo wyjechała do Durham na wiec górników.

Debbie Courtney siedziała na końcu baru i paliła papierosa. Dopiero przed chwilą ją zauważyłam. Była stara – miała około dwudziestu ośmiu lat, dwójkę dzieciaków i męża, który montował alarmy przeciwwłamaniowe. Skórę miała czerwoną od słońca, a wokół oczu zacieki od makijażu. Mieszkała tuż obok pubu, na Baker Road, więc na pewno nie bała się zbytnio sama wracać do domu. Suka.

Wiedziałam, że również i ona zdjęła firanki i przemyśliwała o sowieckich siłach specjalnych. Chciałaby, pewnie. Teraz albo nigdy.

Kilku młodych mężczyzn organizowało zakłady pieniężne. Zwijali małe kawałki papieru i wrzucali do kufla po piwie.

Balerona nie było w barze. Zastanawiałam się, dokąd poszedł, żeby się trząść i zwijać ze strachu.

Nagle ten gruby, na pół zachlany typ, ślepy na jedno oko, którego nazywali Dziwny Dave, odezwał się:

– Słyszałeś o tych chłopakach, Charlie? Co okradli dziś rano ten dom?

– Taaa – rzucił tatuś. Miał źle uprasowaną koszulę. Pewny znak.

– I co o tym myślisz? Małe złodzieje. Kutasy jakieś.

Prowadzili tę samą rozmowę mniej więcej od lunchu.

– Podobno mają dobry opis tych skurwieli. Było ich trzech. Widział ich jeden facet w ogrodzie – poinformował tata. Oczy miał szklane od nowej miłości.

– Kutasy. To pewnie będzie jakaś grubsza sprawa. Przyjeżdżają z Leeds, albo jeszcze skądś, a potem zaraz wyjeżdżają.

– Trzeba zamykać okna. To nie były czarnuchy ani nic takiego. Chyba.

Przez chwilę rozmawiali o środkach bezpieczeństwa.

– To jak wyglądali ci włamywacze? – zapytałam znienacka, z dumą wpychając w siebie łyżkę surówki z białej kapusty. Już od dłuższej chwili udawałam, że ją jem. Byłam tak zdenerwowana, że nie bardzo wiedziałam, czy słowa zabrzmiały jak należy. Wiedziałam, że mój wykwintny sposób wypowiadania się brzmi raczej dziwnie.

– Średni wzrost, średnia budowa, młodzi i takie tam. Po prostu kutasy – poinformował mnie gruby typ.

– Dużo domów obrobili? – zapytałam, nie podnosząc wzroku.

– Noo, mogli też obrobić inne domy, ale policja jeszcze nic nie wie, bo trochę ludzi wyjechało na urlopy.

– Czy to ma coś wspólnego ze zniknięciem Julie Flowerdew? – pytałam dalej całkiem po prostu. Nie czułam już ochoty, żeby chojrakować albo być potulną. Pojawił się u mnie zalążek osobowości.

Wszyscy spojrzeli na mnie speszeni. Zapomnieli o niej zupełnie. Więc przypomniałam im:

– Tą dziewczyną, która zaginęła.

– Nie – Dziwny Dave nie wyglądał zbyt pewnie. – Tamto było morderstwo, a to są włamania.

Wystarczyło mi raz spojrzeć mu w twarz, żeby domyślić się, że to coś o wiele bardziej interesującego.

– To w końcu byli złodzieje jak się patrzy czy tylko dzieciaki? – pytałam dalej.

Różni faceci z radością podrzucali mi szczegóły włamania.

– To mieli samochód? – sapałam, z trudem łapiąc oddech.

– Pewnie, że tak! Odjechali z piskiem opon.

Gramofon schowałam w piwnicy. Mogłam też wziąć akwarium z rybkami tropikalnymi. To by dopiero było coś! Ale gramofon był wąski, czarny, błyszczący i łatwiej dał się odłączyć. I chociaż moje ciało zamieniło się w galaretę z węgorza tak zimnego i oślizłego, jak tylko może być zaraz po wyłowieniu, jakoś udało mi się go wyplątać.

Włożyłam go do pudełka i zabandażowałam czarną taśmą. Poszłam sprawdzić. Poplamione drewniane schody piszczały mi pod stopami. Piwnica była wilgotna, zagrzybiona i chłodna. Z góry słychać było głosy, jak szczury przebiegające nad głową. Ukrywający się przed wymiarem sprawiedliwości alkoholik mógłby tu żyć całkiem szczęśliwie, pomyślałam. Piłby ściekające piwo, a od czasu do czasu spadłby mu orzeszek ziemny.

– Kupię ci drinka – zaproponowałam Baleronowi, kiedy wyszłam z tego domu, a on wciąż stał jak kamień. Jak tylko to powiedziałam, zwymiotował.

Zastanawiałam się, czy piwnica nadawałaby się na bunkier nuklearny i czy powinnam o tym wspomnieć tatusiowi.

Na półce z brzegu iskrzyły się alkohole. Odkręciłam butelkę i pociągnęłam łyk wódki. Potem jeszcze jeden. I jeszcze jeden. Potem wepchnęłam pudełko z gramofonem w najciemniejszy kąt piwnicy, tam gdzie biała farba pokryła się wysypką pęcherzy z wilgoci, a pajęczyny wisiały jak hamaki.

Poczułam, że palcem u nogi dotykam ciepłej krawędzi okna. Biała kuchnia bez zarzutu, wszystko pozmywane, blaty wyczyszczone, a ścierka do naczyń złożona grzecznie na stojącej do góry dnem misce. Potem uczucie sprężystości na miękkim dywanie, dotyk skórzanych kurtek wiszących na wieszaku, widok dużych niebieskich kapci stojących równo obok siebie w przedpokoju, a potem szczęk brązowej klamki drzwi wejściowych. Widziałam go. I skinęłam, żeby przyszedł. Potrząsnął głową, ogłuszony, jakby właśnie uszedł cało z wypadku, a wokół mnie wszystko było spowolnione, jak na spacerze po Księżycu: pijani ojcowie i stare psy, a ja ułożyłam twarz w uśmiech. Zębato szeroka i anestezjologicznie znieczulona i dość potężna, by sięgnąć ręką tam, gdzie stał. Ale i tak by nie wszedł, być może myśląc o swoim ojcu, byłym rybaku, o tym, że syn kryminalista zniszczyłby go bardziej niż gin. Całe jego ciało mówiło: *Nie pójdę.*

Przez chwilę też pomyślałam o zakończeniu mojej kryminalnej kariery tam właśnie. Wystarczyło wślizgnąć się w niebieskie pantofle, owinąć luźnym, zrobionym na drutach czerwonym swetrem i zwinąć się w słońcu na kanapie. Czekając, aż ktoś przyjdzie i mnie uratuje.

brandy

Następnego ranka, w sobotę, musiałam pałętać się przez jakieś trzy godziny, zanim zobaczyłam Tamsin Fakenham.

Nad sadem unosiła się mgła, która pociągnęła za sobą fioletowe odcienie, jakby miał nastąpić kolejny wykańczający upałem dzień.

Wielki dom lśnił.

Nic nie miało się wydarzyć.

Wzdłuż jednej strony pola rozwinął się dywan maków.

Było spokojnie, ale ja czułam się poirytowana i zła.

Okno w jej sypialni było otwarte przez cały ranek i słyszałam delikatne dzwoneczki muzyki, chyba disco, chociaż trudno to było określić ze względu na świergot ptaków i hałas czyniony przez służbę. Pracowali, choć była sobota. Paul przetaczał się tu i tam z taczkami, a na zmianę z nim pojawiała się Ivy, radośnie zagadująca do mnie coś o nadciągającej suszy. Ani Ivy, ani Paul nie wspomnieli ani razu o morderstwie, choć nie miałam wątpliwości, że są ostatnio bardzo poruszeni.

Wyglądając spod drzwi stajni, widziałam plamę oślizłego szlamu, nad którą unosiły się muchy. Otaczał mnie gęsty, kwaśny zapach. Cmoknęłam z niezadowoleniem.

Czułam złość, bo wyglądałam cherlawo i dziwacznie.

Nie byłam odpowiednio ubrana. Wokół szyi owinęłam ciasno czerwoną chustkę, założyłam różową bawełnianą koszulkę z motylem naszytym na przedzie, a na obozowisku plam i pryszczy na podbródku rozsmarowałam biały podkład. Miejscami nałożyłam też zielony fluid korygujący.

I nie byłam bardzo pijana.

I minął tydzień od ślubu Lindy.

W domu przyszło mi na myśl, żeby napić się brandy. Choć była dopiero ósma trzydzieści rano. Im bardziej o tym myślałam, tym trudniej było mi oprzeć się pokusie. Moja własna ślina smakowała alkoholem, choć dopiero co się obudziłam. Swędziały mnie opuszki palców. Miałam coś w rodzaju delirium. Przez całą noc samotnie zmagałam się z paniką wywołaną włamaniami. Zanurkowałam na parter w poszukiwaniu procentowych perfum barwionych drewnem. Zostawiłam tost, który właśnie jadłam i ze stołkiem przysunęłam się do baru. Wypiłam kilka kieliszków palącego brązowego płynu.

Na barze leżała gazeta z wyścigów, otwarta na artykule o uczestnikach Derby. Obok widniała lista cudownych końskich imion; niektóre z nich ktoś zakreślił ołówkiem. Działały jak muzyka – uspokajały mnie. Obok każdego zakreślenia widniały kwoty: dziesięć funtów, dwadzieścia, pięć. Pomyślałam, że postawienie całego pudełka zaoszczędzonych pieniędzy na właściwego konia spowodowałoby w moim życiu zmianę. Obsadziłoby mnie w wyścigu do nowego życia. Przyniosłoby wielbicieli i szacunek. Uczyniło ze mnie przyjaciółkę Tamsin.

Tarłam palcem o gazetę tak długo, aż koniuszek palca zrobił się czarny od farby.

W końcu około dwunastej trzydzieści po południu zobaczyłam srebrny samochód z panią i panem Fakenham. Siedzieli na przednich siedzeniach, wyprostowani i poważni jak przegrani politycy. Kilka minut później na chwilę przy oknie sypialni pojawiła się Ona. Miała na sobie zieloną bawełnianą koszulkę, a długie włosy zwinęła w luźny kok i przypięła spinką na czubku głowy.

Nie widziałam jej zaledwie od dwóch dni, a moja radość na jej widok była tak wielka, jakby rozdzielono nas na całe miesiące.

Była sama, zajęta czymś prywatnym i fascynującym. Wręcz widziałam ten unoszący się z niej czysty, cielesny zapach, a jednak była ode mnie tak oddalona, jakbym oglądała ją na ekranie telewizora.

Szczupła szyja wydawała się dłuższa niż jest to zazwyczaj u dziewcząt. Zdawało mi się, że należy do lepszej, czystszej rasy niż ja. Oparła swoje długie ręce na parapecie i wyjrzała, być może wdychając zapach dębu, albo po prostu grzejąc swoją nieskazitelną skórę w słońcu.

Idź do klasztoru i tam pożeraj wzrokiem piękne kobiety.

– Mona! – krzyknęła, kiedy mnie dostrzegła, a potem zwinnie odwróciła się i szybko odeszła od okna, by zejść do mnie na dół. Serce zrobiło mi się lekkie jak balon. Znów żałowałam, że wyglądam jak dziwka.

– Dlaczego wyglądasz tak smutno?

To pytanie było pierwszą rzeczą, jaką mi powiedziała, kiedy rzuciła się w nierówny cień dębu. W ręku miała kawałek wafla grubo posmarowany gorzką pastą drożdżową Marmite.

Znałam tę sztuczkę. Kiedy się je smakujące ostro lub korzennie zioła albo pasty, jeszcze przez długi czas potem pamięta się o posiłku, nawet jeśli zjadło się malutki kawałek. Doszłam do wniosku, że Tam musi być bardzo bystra, skoro na to wpadła. Obydwie znacznie wyprzedzałyśmy pozostałych, gdy idzie o żywieniowe gierki.

– Jesteś o nią zazdrosna? Odnosi większe sukcesy, jest bardziej popularna, piękniejsza i ma więcej pewności siebie? – dopytywała się, pochylając do przodu, żeby wyjąć paczkę papierosów z tylnej kieszeni obcisłych, oliwkowych spodni.

Ach, ta jej dojrzałość kształtów!

– Mam na myśli twoją siostrę, ty głupku. Tę, o której mówiłaś, że wymyśliła twoje imię.

– A, ją. Kiedyś była punkiem, a teraz stała się gospodynią domową. Ma córkę i pasierba. I jest w czwartym miesiącu ciąży. Blondynka. Duże piersi. – Mówiąc to ostatnie, dotknęłam motyla naszytego na moim płaskim korpusie.

– Piersi! Cóż za ciężar mieć swego czasu niezwykłą, płodną i dobrze obdarzoną przez naturę siostrę! Mojej siostrze przy-

najmniej skończyły się okresy. A klatkę miała jak taca do poda-
wania herbaty. Ale była niezwykła, jak sądzę. Odważna.

– Lindy nie chciała karmić piersią, żeby nie naruszyć sobie
biustu. I wciąż jeszcze, mimo wieku, sądzi, że jest zachwy-
cająca. Jej mąż jest bardzo religijny. Odrodzony. Sprawia, że
czuje się jak ciało niebiańskie.

– To prawda. Z mojego doświadczenia wynika, że chrze-
ścijanie często mają do czynienia z dużymi piersiami – po-
kiwała głową, przypalając sobie papierosa i wydmuchując
szarą strużkę dymu między liście. – Znałam kiedyś pastora.

– Alleluja! – krzyknęłam, choć nie byłam do końca pewna,
co Tamsin miała na myśli.

– Tak. To było całkiem niezłe.

– I pośladki. Ona ma idealną dupę – dodałam szybko,
żeby pokryć zmieszanie.

– Niebiaaańska dupa – rozmarzyła się zmysłowym głosem. – To już jakiś powód do sławy.

– Wiem. Większość dziewczyn ma albo jedno, albo drugie,
piersi albo tyłek, no nie? A nasza Lindy ma i jedno, i drugie.
Suka.

– Moja siostra umarła, nie mając żadnego z tych dwóch –
ani dupy, ani piersi. Prawdę mówiąc, w ogóle nie miała ciała.
Tylko szarą skórę i kości.

– Aha – mruknęłam. Nie potrafiłam powiedzieć, czy
żartuje, czy mówi poważnie. Po raz pierwszy wspomniała
o swojej siostrze, odkąd rozmawiała ze mną siedem miesięcy temu.

Słońce się schowało i trochę drżały mi ręce. Bardzo
przejmowałam się mordercą, chociaż mieszkałyśmy na wsi
i była sobota, a państwo Fakenham byli bogaci, co bez wątpienia czyniło morderstwo mniej prawdopodobnym.

Ludzie bogaci oraz eleganckie, niezależne kobiety o wiele rzadziej padają ofiarą morderstwa, prawda?

Patrzyła na mnie, ale wyraźnie myślała o czymś innym.
Wcześniej widywałam ten sam wyraz zatroskania na twa-

rzach dyrektorek szkół. Nagle poczułam się gruba, tłusta i brzydka.

– Wiesz, co? Myślę, że twoja siostra potrzebuje całej pomocy, jakiej tylko możesz jej udzielić. Cielesne pokusy kobiet zamężnych muszą być przeogromne. A ona wpadła w pułapkę i nie może sobie pozwolić, by kusiło ją w taki sam sposób, jak ciebie. Równie dobrze mogłaby leżeć w trumnie – powiedziała, a ja zaśmiałam się nerwowo. – Jak moja siostra.

– Często narażona jestem na pokusy, chociaż mam figurę jak tania deska do prasowania – zapewniłam, ponieważ zrobiło się niezręcznie i coś w jej głosie zmroziło mi ramiona.

– Widziałam już bardzo podniecające deski do prasowania. Ale przyznaję, że żadna z nich nie miała diablej siostry z jędrną dupą.

– To wielkie utrapienie – rzuciłam, kiwając głową z udawaną powagą i nie wiadomo dlaczego przyjmując irlandzki akcent.

– Powinna nauczyć się tańczyć – ciągnęła Tam, bardziej jeszcze niż ja naśladując Irlandczyków. Długie ręce złożyła przy tym nad głową jak balerina.

– O, nie. Ona nienawidzi tańca. Całe życie poświęciła walce z tym, co nazywa „dyskotekowym gównem”.

– Chcesz mi powiedzieć, że nigdy nie tańczyła jak prawdziwa kobieta, obsypana cekinami, w butach na obcasie?

– Chyba nie – stwierdziłam ostrożnie, ponieważ nie byłam pewna, czy żartuje, czy mówi poważnie.

– Nie może być buntowniczką, jeśli nawet przez chwilę nie poczuła pulsującego rytmu prawdziwej dyskoteki.

– Wiem.

– Więc co z nią nie tak?

– Kiedyś chodziła do sklepów muzycznych tylko po to, żeby rysować szpilką winylowe płyty z muzyką dyskotekową – odpowiedziałam, po czym zapadła między nami cisza i zapatrzyłam się w światło słońca przebijające się zza liści.

– Dokąd pojechali twoi rodzice? – odezwałam się w końcu. – Widziałam ich w samochodzie.

– Na lunch do restauracji w Watermill.

– To dobrze! – wykrzyknęłam. – To znaczy, że już między nimi lepiej.

Spojrzała na mnie ze złością.

– A co, nie jest? – zapytałam nerwowo.

– Sądzę, kochana Mono, że kiedyś dowiesz się, iż Churchill siadał do stołu razem z Hitlerem w pierwszych miesiącach trzydziestego dziewiątego roku.

Zamknęłam się i wlepiłam wzrok w dom.

Gdyby dom Fakenhamów był istotą ludzką, z pewnością przybrałby postać starej aktorki z czasów kina niemego, która popadła w alkoholizm. Miałby papierosa w cygarniczce z kości słoniowej z długim, dawno nie strząsanym popiołem i nieudolnie nałożone na papierowobiałą twarz rumieńce z różu. Chciałam to powiedzieć, ale wiedziałam, że zacznie szydzić, więc się nie odezwałam.

– Ten dom to slums – powiedziała i po raz kolejny wydawało się, że nasze myśli ramię w ramię tańczą tango, szybkie i bezgłośne. – Powinnaś zobaczyć kuchnię, kiedy mama jest w depresji. Poczuć odór zgniłego pożywienia i starego tłuszczu ze smażenia, który przechowuje w garnkach, żeby potem zrobić na nim sos. Przyprawia o mdłości. Albo te kawałki żarcia, które spadają za kuchenkę i piętrzą się w stosy, a potem zjawiają się olbrzymie insekty, żeby je powynosić. To w najwyższym stopniu obrzydliwe.

– Ma tatuaże – odezwałam się kilka minut później. Za wszelką cenę chciałam kontynuować tę pierwszą prawdziwą w moim życiu rozmowę na temat Lindy z kimś, kto rozumiał, w czym rzecz. Jedzenie było dobrym tematem, ale przecież nie tak dobrym jak niedoskonałość innych ludzi, zwłaszcza własnych sióstr. – Więc bez wątpienia jest szpanerska.

– Ależ Mona! Tatuaże robią sobie robotnicy i kierowcy ciężarówek – stwierdziła omdlewającym głosem, patrząc w niebo. Moje imię wymówiła ciężko, jak Lindy, kiedy chciała przypomnieć, dlaczego mnie tak nazwała.

Powieki same jej się zamykały. Wtedy po raz pierwszy przyszło mi do głowy, że ona pije. Dużo i naprawdę.

Idź do klasztoru, a tam od razu dobierz się do barku!

Właśnie dlatego zmieniała tematy i nie bardzo potrafiła się skoncentrować.

My darling, you look wonderful toniiiiite.

– Ale ona ma tatuaż na lewej piersi – wyjaśniłam. – Małą biedronkę pełzającą po wdzięcznych zakrzywieniach słodkiego dziewczęcego ciała. Wiele razy słyszałam, że jest bardzo kusząca.

Bogu dzięki za to, że ona pije!

– Każdy może być kuszący. Z piersiami lub bez.

– Ale nie każdy może być zadowolony – odpaliłam, tym razem z amerykańskim akcentem i szerokim uśmiechem, którego natychmiast pożałowałam, ponieważ sugerował on seksualną pewność siebie, której nie posiadałam. Miał być jak z „Dallas". Ale nie wyszedł. Tam nie zaśmiała się. Dostrzegła fałszywość mojego stwierdzenia, jeszcze zanim ja zdałam sobie z niej sprawę. Żadna ze mnie jawnogrzesznica.

Siadła prosto i spojrzała na mnie ze złością.

– Cuchniesz – powiedziała nagle. Uniosła swoją jędrną pupę nad ziemię, pochyliła się w moim kierunku i powąchała mi skórę na ręku. Małe, kocie oddechy, które podążały w kierunku pachy.

Poczułam, że muszę jakoś odpowiedzieć, jakoś ostro i chropowato.

– Krew i bebechy z tej pierdolonej fabryki skór – oświadczyłam, zaciągając się papierosem. – To garbarnia niedaleko naszego pubu. A może tłuszcz z frytkarni pod arkadami?

– Jasna cholera! To brandy! – wrzasnęła. Oczy rozszerzyły jej się z podziwu, a duże usta uniosły w pełnym uśmiechu.

Niedługo wcześniej, dzięki nieustannemu oglądaniu amerykańskich oper mydlanych, dotarło do mnie, że duże usta są atrybutem niezbędnym, jeśli chce się być naprawdę atrakcyjną dla mężczyzn. Wąskie wargi stanowią ciężar równy ubóstwu. Zastanawiałam się, czy można poddać się operacji poszerzającej, podczas której podcinaliby skórę i wywijali ją na zewnątrz, tworząc szerokie, surowe obramowanie. Albo czy można zmienić się, siedząc wygodnie we własnym domu, na przykład czy wkładanie sobie do ust denka butelki po mleku co wieczór przed snem załatwi całą sprawę.

– Poczekaj chwilę – nakazała i pobiegła do domu.

Przeniosłam wzrok ze światła do cienia. Sięgnęłam do tylnej kieszeni i zaaplikowałam sobie dawkę ventolinu.

Siedzenie obok Tam było jak próba przytulania się do lampy lutowniczej. Wszystkie wrażliwe i delikatne myśli ginęły natychmiast. Dopiero teraz, kiedy sobie poszła, zaczęły podkradać się fioletowe strachy włamań.

Chwilę później wróciła z dwoma kieliszkami i karafką mocnego, brązowego trunku.

– Będzie ci zazdrościć, że jesteś dziwna. Pewnie chciałaby mieć tyle wolności. Będzie zazdrosna, jak grasz na maszynach. Że jesteś na luzie – mówiła, nalewając alkohol, a potem zdjęła mi z twarzy niteczkę włosa. – Będzie ci zazdrościła, że jesteś kobietą czynu, a nie marzycielką.

Zastanawiałam się, czy mnie pocałuje.

Czy uderzy.

– Pewnie chciałaby myśleć o sobie jako osobie, która lubi podejmować w życiu ryzyko. Ale popatrz tylko, co się z nią stało. Punkówka z niezłą dupą przeistoczyła się w tępawą gospodynię domową z zasmarkanymi dzieciakami. Nienawidzę takich kobiet.

– Ja też – zapewniłam, dysząc, bo alkohol palił mnie w gardło.

– Jezu! Co za pożytek z doskonale wytatuowanych cycków, jeśli cały dzień zmywasz naczynia? A ty, Mona, masz cały czas i jeszcze więcej, aby uczynić swoje życie tak ekscytującym i niezwykłym, jak tylko się da. Na zdrowie!

– Tak. Na zdrowie.

Zastanawiałam się, jak udało jej się tak doskonale zrozumieć Lindy, choć przecież nigdy jej nie poznała.

Skóra Tam wyglądała tak zdrowo, że oblekała jej twarz jak kosztowna tkanina. Choć czasem, kiedy się uśmiechała, miałam wrażenie, że ma odrobinę końską szczękę, o milimetr za długie zęby.

Czułam się przerażona i winna, że coś takiego mogło w ogóle przyjść mi na myśl.

Brandy przesączało się przeze mnie jak taniec dyskotekowy. Skończyłam jeden kieliszek i nalałam sobie następny. Powoli stawałam się osobą, którą chciałam być.

– To nie pierwsza kochanka, jaką ma – powiedziała, przeciągając palcami po trawie. Zauważywszy moją dezorientację, dodała: – Mój ojciec. Wyobraź sobie, że miał nawet coś z dziewczyną, która przychodziła pomagać mojej matce, po jednym z tych jej zapłakanych weekendów. Była z agencji „Pomocnice".

– Pomagają na wiele sposobów – zachichotałam. – A swoją drogą, co za suka!

– Taak. Najwyraźniej lubi kobiety, które dla niego pracują. To jakby…

– Jakby jego chuj był częścią atrakcyjnej premii za nadgodziny?

– Tak właśnie jest. Zrozumiałaś, w czym rzecz. Poczekaj chwilę – rzuciła i znów pobiegła do domu.

Weszła na górę do swojej sypialni i na cały regulator włączyła muzykę dyskotekową. Świstała w słońcu i rozkołysała liście na drzewach jak do shimmy. Kiedy z uśmiechem zeszła na dół, stanęła przede mną z wyciągniętymi rękami.

– Tańcz! – powiedziała, ale nie tonem zaproszenia. To był rozkaz, domagający się natychmiastowej ekstazy.

Przekonałam się, że potrafię dostarczać ekstazy.

Tańczyłam.

Pędziłyśmy wokół drzewa w tak silnym wirze, że wokół fruwała trawa. Wiłam się, zginałam w łuk tam, gdzie nigdy wcześniej łuków nie miałam. W wielkim zachwycie stąpałam na palcach, jakbym miała na sobie wysokie szpilki.

– Co godnego uwagi zrobisz, Mona? – zapytała, z trudem łapiąc powietrze, kiedy rzuciłyśmy się na trawę.

– Mam zamiar postawić tysiąc dolarów na któregoś konia w tegorocznych Derby.

Trawa była więcej niż zielona. Była gruba i tłusta. I lśniła jak szmaragdowa farba olejna, w kolorze tak jaskrawym i czystym, że odbijała mi się na skórze.

– To plan. Ale się uda.

Jak tylko to powiedziałam, wiedziałam już, że teraz muszę to zrobić.

Popatrzyła na mnie ze szczerym podziwem.

– W takim razie pewna Lindy niebawem będzie miała o co być zazdrosna. Prawda? – zawyrokowała, dmuchając mi w twarz wąską strużką dymu.

A ja topiłam się jak masło w cudownym cieple pewności, jaką mi dawała, pijąc coraz więcej brandy i mówiąc coraz więcej rzeczy pogardliwych i szyderczych, aż owładnęło mną pijackie upojenie i usnęłam oparta o drzewo.

wódka

W tę samą sobotę wieczorem mieliśmy w pubie spotkanie popierające górników i stałam przy barze z Fleszem. Była dziesiąta trzydzieści w nocy, pomieszczenie parowało od facetów, a nad głowami w wirujących kłębach unosił się dym. Całkiem sporo już wypiliśmy: ja wódki oraz Slimline z cytryną, a Flesz piwa.

Malibu piłam tylko z przyjaciółmi.

Przez cały dzień zjadłam tylko paczkę chrupek, co dawało mi zarówno poczucie wielkiej radości, jak i zawroty głowy, jakbym znajdowała się na pokładzie statku.

Muzyka stanowiła połączenie disco z *country and western*. Faceci wybierali dyskotekowe kawałki z szafy grającej, a jakiejś grubej kobiecie zapłacono za śpiewanie country na żywo, do mikrofonu. Tatuś, który dzisiejszego wieczoru ubrany był jak prawdziwy barman, w śnieżnobiałą koszulę, granatowe spodnie i cienki krawat, podwinął rękawy i powiedział, że więcej jest ich niż nas.

Wśród gości znajdowało się wielu nauczycieli i przezabawnie było oglądać ich w dziwacznych strojach, jakie nosili poza szkołą. Nic dziwnego, że musieli zostać nauczycielami, żartowaliśmy sobie. Przez całą noc stali bywalcy pubu gapili się na górników i tych, którzy ich popierali, jak na stado bydła, choć ten spokój był złudny. Po zamknięciu oczu dźwięk w sali brzmiał jak odgłosy walki i podobał mi się ten wiszący w powietrzu gniew. Niewykluczone, że wszyscy mieliśmy poczucie, że wśród nas może być morderca.

Zauważyłam, jak tatuś mruga do Debbie Courtney, która była czujna i chichotała w odległym końcu baru. Miałam

ochotę skipować papierosa na jej terakotowym czole i pod-
łożyć zapałkę pod jej beżowe włosy.

– Kochanie – rzucił Flesz i sięgnął do mojego policzka,
jednak nie trafił i otarł dłonią o bok nosa. Był teraz tak
pijany, że głowa zwisała mu jak u osła, a usta miał nadęte
i śliskie, jakby właśnie wrócił od dentysty.

– Hej, Charlie! – zawołał nagle, ignorując mnie kompletnie i przechylając się na drugą stronę baru, w kierunku
tatusia. Usiłował przekrzyczeć porywające country, które
rozbrzmiewało wszędzie wokół. – Mam dla ciebie kawał –
mówił urywanym głosem.

– Dawaj – zachęcił go tatuś z zadowoleniem.

– Co się stanie, jeśli odtworzysz płytę z muzyką country
od tyłu?

– Nie mam pojęcia, Flesz. Co się stanie, jeśli odtworzę
muzykę country od tyłu? – dopytywał się tatuś z szerokim
uśmiechem.

– Znajdziesz swojego psa, naprawi ci się ciężarówka i wróci do ciebie twoja kobieta.

Podobali mi się mężczyźni, którzy potrafili opowiadać
kawały, i pokraśniałam z dumy, że ten mężczyzna przejawiał
zainteresowanie moją osobą. Jednak pewność siebie typowa
dla nowej tożsamości mojej dziewczęcej osoby nie pozwalała mi tego okazywać, więc zostawiłam ich śmiejących się
i ruszyłam obejrzeć, co się dzieje.

W barze było więcej kobiet niż zwykle. Cleo, która bawiła
się ze swoimi nowymi przyjaciółmi z Partii Pracy, uśmiechała
się smutno do tatusia, jakby nagle zobaczyła w nim jakieś wady.
Był to uśmiech przepraszający, jakby właśnie podjęła decyzję,
co począć z resztą swojego życia. Kiedy toczyła się rozmowa,
kobiety pochylały się do przodu na swoich stołkach, a Cleo,
podekscytowana jak mała dziewczynka, obejmowała kolana.

Wcześniej, kiedy wszyscy jedliśmy zupę pomidorową
i oglądaliśmy w telewizji wiadomości ITV, patrzyła z roz-
marzeniem na Arthura Scargilla i powiedziała miękko:

– No tak. To Braterstwo Walki.

– Brzmi jak jakaś pierdolona kapela złożona z samych pedałów – zauważył Baleron, a wtedy jego mama wstała i powiedziała:

– Dlaczego wszyscy mnie tak traktujecie? Jeśli naprawdę chcecie wiedzieć, to wam do cholery powiem. Myślę, że to godne szacunku, że ten człowiek jest właśnie tam, kiedy sprawy nie toczą się zgodnie z planem – przerwała na chwilę, ale już po chwili ze łzami w oczach ciągnęła dalej, poruszając jeszcze bardziej rewolucyjne tematy. Też zbierało mi się na płacz i byłam zła, chciałam zaciągnąć zasłony i pozamykać drzwi, żeby nikt nie zobaczył ogromnego smutku przetaczającego się przez nasz pokój. Potem zapanował wokół nas spokojny chłód, kiedy wsłuchiwaliśmy się w dźwięk słońca zabierającego kolor naszemu skromnemu umeblowaniu. Wreszcie Cleo zadrżała i, już spokojniejsza, dodała: – Jeśli ktoś ma dość szczęścia, by znaleźć miejsce, w którym chciałby się znajdować, wtedy powinien się tam znaleźć.

Nie mamy wpływu na to, co nam się podoba w mężczyźnie. Albo w kobiecie. Kobieta może zakochać się w zwyczajnym ośle i święcie wierzyć, że jest on gwiazdą telewizji.

Możesz też spotkać szaloną dziewczynę i szczerze wierzyć, że jest ona twoim zbawcą.

Kiedy się rozejrzałam, tatuś nachylał się nad barem z twarzą tuż koło Debbie.

Flesz powiedział mi, żebym wstała i obróciła się.

– Ile ważysz? – zapytał.

– Nic.

– Co ty mówisz?

– Nic. Znaczy nic nie ważę – odpowiadam i czuję, jak mój głos staje się wysoki i piskliwy.

– No dobra. Siadaj. Ile masz wzrostu?

– Metr pięćdziesiąt siedem.

– A jakie masz oczy?

– Zielonkawobrązowe.

– Dooobrze. A byłaś kiedyś blondynką?

– Może w innym życiu.

– Nie, głuptasie. Czy byś ufarbowała włosy?

– Za dobre pieniądze? Czemu nie! – rozpromieniam się.

Potem powiedział, żebym oparła dłoń o policzek i uśmiechnęła się. A potem, żebym położyła rękę na piersiach i też się uśmiechnęła. A potem, żebym położyła rękę na piersiach, ale na krzyż.

Paznokcie miałam starannie pomalowane na błyszczącą śliwkę. Tatuś przyglądał się już wtedy ukradkiem. Przez chwilę patrzyliśmy na siebie jak pokerzyści. Przez tę chwilę zastanawiałam się, czy morderca Julie jest w pubie. Gdyby tatuś wiedział! Był zbyt zajęty, żeby ze mną porozmawiać, ale już samo spojrzenie wystarczyło, by rozbolała mnie głowa.

Zastanawiałam się, czy pełny makijaż nie wyglądał źle. A Flesz postukał sobie w podbródek i poprosił tatusia o kawałek czystej kartki.

– Połóż tu rękę – polecił. Tak zrobiłam, a on poprosił tatę o długopis i powiedział: – Rozszerz palce! – tak zrobiłam, a on zaczął rysować kreskę wokół mojej dłoni, jak dzieciaki w szkole, kiedy się nudzą. Kiedy tłum przy barze trochę się rozrzedził, poczułam ukłucie w plecy i twarz taty znalazła się naprzeciwko mojej.

– Nie zachowuj się jak dziwka. Słyszysz? Ludziom się to nie podoba – syknął, po czym zwrócił się do Flesza:

– Dym tu dzisiaj taki, że wędzarnię można by otworzyć.

– No. I trzeba uważać na tych dodupnych włamywaczy – rzucił Flesz, o którym niebawem miałam się dowiedzieć, że podoba się sobie jako poeta.

Nikt nie wspominał, że musimy się martwić homoseksualistami, a raczej ostrzegano przed mężczyznami, którzy lubią nastoletnie dziewczyny.

Flesz powiedział, żebym położyła na kartce drugą dłoń i znów zajął się odrysowaniem. Przyjemne było delikatne łaskotanie długopisu wokół wewnętrznych krawędzi palców. Potem Flesz zdjął okulary, złożył je jedną ręką, opierając o bar i serdelkowatymi palcami obu rąk zaczął robić sobie przed oczami malutki kwadrat.

Podniosłam wzrok i w kuchni zobaczyłam Balerona, robiącego jakąś obrzydliwą kanapkę. Wyjmował z oleju dawno ostygłe smażone ziemniaki, kładł między dwie kromki białego chleba i usiłował to wszystko opiec. Zmuszałam się, by patrzeć, jak ludzie jedzą. Była to swego rodzaju kara.

Pociągnęłam spory łyk wódki.

Przestępstwa w jakiś dziwny sposób sprawiały, że mniej martwiłam się jedzeniem. Żeby popełniać przestępstwa trzeba być na czczo. To warunek wykonywania tej pracy. Dla kobiet. Grubych kobiet nie widuje się na policyjnych plakatach ze zdjęciami poszukiwanych. Można być grubą kobietą ZAGINIONĄ. Ale nigdy grubą i POSZUKIWANĄ.

Flesz powiedział tatusiowi, żeby podał nam jeszcze raz to samo. Ale tatuś stwierdził, że „ona ma już dosyć" i tylko Flesz dostał swoje piwo. W oczach taty dostrzegłam cień nienawiści, a kiedy Flesz się odwrócił, żeby spojrzeć na pierwszego z przemawiających górników, tatuś pogroził mi palcem i zacisnął zęby.

W porządku, to prawda, że kiedyś obudziłam się rano obok pewnego mężczyzny z baru. Nic nie pamiętałam, a on uśmiechał się i zgarniał mi włosy z czoła. Był ranek, słoneczny i ciepły, a ja leżałam na jego kanapie i byłam naga. Wciąż jeszcze czasem widuję go w barze. Ale dzisiaj nie przyszedł.

Zostawiłam drżącą rozgwiazdę palców na barze, bo postanowiłam się przejść. Jak tylko podniosłam się ze stołka, poczułam, że się przewracam. Z powodu alkoholu. Walnęłam w stół, na którym leżały plakietki i przypinane znaczki do sprzedania. Jakaś miła kobieta nachyliła się, żeby mnie znów przywrócić do pionu i zapytała, czy nic mi się nie stało.

Dobrnęłam do Balerona i grupy facetów, z którymi stał. Jeden z nich, którego nazywali Żółwiem, pewnie ze względu na egzemę na wychudzonym karku, albo może z powodu tych małych oczek, mówił:

– Wiecie już, co znaleźli, kiedy szukali tej zaginionej dziewczyny?

I nagle, każdy stojący w tej małej grupce zaczął uważnie słuchać, ponad rykiem sali.

Sposób, w jaki niektórzy młodzi mężczyźni mówili o tym morderstwie, nieprzyjemnie przypominał mi ton, jakim rozprawiali o bohaterach sportu.

Żółw przesunął się trochę w bok, żebym mogła lepiej słyszeć jego historię. Potrząsnął głową i wrzucił na twarz minę, jakby za chwilę miał wyciągnąć wszystkie szczegóły:

– Wzięli pięciu facetów, żeby przeczesali teren wzdłuż Czarnego Potoku. Blisko miejsca, gdzie ta panna mieszka. Chodzili po wysokich trawach i w ogóle, a kiedy doszli do wiaduktu i już chcieli wracać do domu, bo myśleli, że niczego nie znajdą, to właśnie wtedy – tu przerwał na chwilę, żeby obniżyć głos do szeptu – właśnie wtedy znaleźli tę torbę. Było w niej coś mokrego. I miękkiego. – Żółw przestał na chwilę opowiadać, żeby przypalić sobie kolejnego papierosa. – No, a oni dźgnęli tę torbę grabiami, które dali im gliniarze. Nie otwierali jej, ale dźgali ją tylko grabiami. No i wtedy okazało się, że ta miękka maź w torbie jest czerwona.

Poczułam ból w głowie. Żółw mówił, że „coś kapało z wnętrza torby", a potem coś o gliniarzach, a potem o dowodach rzeczowych. Czułam, że zaraz zemdleję.

– Kiedy przyjechali gliniarze, zanim zabrali się za torbę, założyli gumowe rękawiczki. Podchodzili do niej bardzo powoli. Jeszcze inni gliniarze trzymali z daleka ludzi, którzy przyszli zobaczyć, co się stało.

Słyszę, jak mówi coś o tym, że „ludzie zawsze wychodzą z domów, kiedy dotrze do nich, że coś się stało". Ukrywam twarz w dłoniach i czuję, że jest czerwona i parzy, jak żar papierosa. Zamykam oczy i oddycham. Oddycham. Oddycham. I wtedy Żółw odchyla głowę i zaczyna się śmiać.

– Bo jak otworzyli tę torbę, to zobaczyli, że nie ma w niej żadnych dowodów rzeczowych. A tylko kupa gnijących podręczników szkolnych. Takich książek, w których wypisuje się różne rzeczy. Okazało się, że w torbie jest jakaś setka starych czerwonych książek i że czerwona maź, która kapała z wnętrza torby, to kolor, który schodzi z okładek. A ciężar wziął się z tego, że książki nasiąkły wodą i przegniły.

Wszyscy ci mężczyźni śmiejący się wokół mnie!

Nagle zdałam sobie sprawę z faktu, że już niebawem stanę się dziewczyną, której zaczną podobać się starsi faceci. Z pieniędzmi i samochodami, którzy kupią mi drinki, zabiorą nad morze i odwiozą, jak popiję. A potem może zamordują nad zatoczką, w jakiejś ciemnej uliczce i pozbędą się mnie na jakimś żwirowisku albo w porzuconej, rdzewiejącej lodówce.

Problem z chłopcami polega na tym, że są jak mokra glina: na ich twarzach można odbijać odciski palców. Każdy uśmiech, jaki się im pośle, wrzyna im się w skórę, jak imię wydrapane w korze drzewa. Chodzenie z takimi chłopakami, seks i tym podobne, było OK, ale nic więcej. Próba zrobienia z nimi rzeczy naprawdę ekscytujących jest jak próba rozpalenia ognia mokrymi zapałkami.

Do tych naprawdę ekscytujących rzeczy lepszy jest mężczyzna o skłonnościach morderczych albo naprawdę bystra dziewczyna.

Oddech. Oddech. Oddech.

Przemawiała żona jakiegoś górnika. Zaczęłam słuchać. Podobał mi się jej głos, taki miękki, ale też ponaglający. Można sobie wyobrazić, że tak właśnie prawdziwy kochanek informuje o swoich potrzebach. Mówiła o trudnościach. Jak któregoś razu zjawili się w jej domu ci faceci, odsunęli meble na bok, zwinęli dywan i wynieśli do ciężarównki. Mówiła, że po raz pierwszy przemawia publicznie. Rozumiałam ją doskonale, ponieważ także i ja nie chciałam czuć się przestraszona i rozpalona do granic utraty przytomności – tęskniłam za przeniesieniem się w chłodny klimat życia publicznego mężczyzn.

Kiedy wychodziłam z sali, objął mnie Flesz, który wciąż jeszcze, choć już ledwie, ledwie, trzymał się przy barze. Biedni, słabi i bezradni mężczyźni. Zaciągał się papierosem, a jego głos brzmiał jak zamulona morska woda przelewająca się po drobnych kamyczkach. Wciąż miał przed sobą rozgwiazdowate rysunki moich dłoni. Wskazał na nie i powiedział:

– Spotkasz się ze mną w moim studio w przyszły piątek, Mona?

– Dobrze – zgodziłam się, choć nie miałam pojęcia, co tak naprawdę oznacza nasza konspiracja. Wyobraziłam sobie studio fotograficzne w czarno-białym filmie wyświetlanym w niedzielne popołudnie, miejsce pełne świateł, przestrzeni i krętych schodów.

– Obiecaj mi, kochanie – nalegał. Miał zamknięte oczy, ale za to obwisła, zaśliniona warga otwierała mu usta.

– Obiecuję.

Nagle bez żadnego powodu pocałowałam go, śliniąc mu i szczypiąc wargami zarośnięty policzek.

– Zachowaj to w tajemnicy – poprosił.

– O tajemnicy wiem wszystko – wyszeptałam i pocałowałam go ponownie.

Przechodząc przez drzwi, usłyszałam jeszcze, jak tatuś głośno mówi coś o kimś stukniętym...

Wolna. Swobodna. Noc była granatowa jak nowe dżinsy. Minęło jedenaście godzin, odkąd piłam brandy i tańczyłam z moją kochaną Tamsin. Co pomyślałaby o mnie teraz, kiedy trochę pijana, z zawrotną prędkością oddalałam się na rowerze, goniona uwagą mężczyzn? Prawdziwych mężczyzn. To prawda, że nawet deski do prasowania mogą czuć pożądanie.

Uciekałam. I byłam wolna.

Przepełniona tym uczuciem mogłabym pojechać na cmentarz, żeby odwiedzić mamę. Mogłabym, gdybym nie była zbyt pijana, żeby pamiętać o ventolinie. Płuca pękały mi od chęci oddychania. Zamiast tego zaczęłam więc śpiewać ochrypłym od alkoholu głosem i rower toczył się po szosie jak szalony ptak.

Nie lubię być sama. W nocy czasem śniło mi się, że mocno przywieram twarzą do czarnej metalowej kratownicy, chyba jakiejś furtki albo okna. Głowę mam bardzo ciężką od skorupy makijażu i dlatego nie mogę jej oderwać, żelazo mnie przygniata, ale jest zbyt ciężkie, bym zdołała je odsunąć, a nie mogę przecisnąć się na drugą stronę.

Dla dziewczyny w stylu punk tak mroczne obrazy byłyby jak najbardziej na miejscu, ale wielbicielka disco odbierała je jako porażkę.

Księżyc wisiał na niebie wąskim sierpem, jak kawałek obciętego paznokcia. Przejeżdżając obok domu Julie Flowerdew, dostrzegłam mrugający ekran telewizora, choć zasłony zostały zaciągnięte. Przy moście był rów, wielki dół pełen chwastów i wyschniętych łodyg nawrzucanych tam przez ludzi. Kiedyś zimą zjeżdżałyśmy do niego na przykrywkach od metalowych puszek po ciastkach, a kiedy chodziłyśmy się puszczać, przemykałyśmy się tamtędy ze zgiętymi plecami, żeby nie zauważył nas nikt z sąsiednich domów.

Co pomyślałaby o tym Tamsin Fakenham? Ha! Upuściłam rower i szłam wzdłuż ciemnego rowu. Wyczuwałam obecność Tamsin tuż przy sobie, choć z całą pewnością była wiele kilometrów stąd. Szłam ze zgiętymi plecami, ze względu na brak oddechu. Nie dochodziły do mnie żadne dźwięki, poza przemykającymi gdzieś daleko samochodami. Nie widziałam żadnego śladu po miejscu, w którym znaleziono te książki. Ale było to blisko domu Julie. Upał spiekł ziemię i pokrył ją szczelinami, jak niebezpieczną pokrywę lodową. Ale kiedy usiadłam, lód był ciepławy i natychmiast zachciało mi się spać.

Martwiłam się, że teraz, kiedy Lindy wyprowadziła się z pubu, nigdy już nie będę mogła spać. Po śmierci mamy spałam z Lindy, ale teraz już nigdy nie położę się obok drugiej osoby, nigdy nie wpasuję się w czyjeś ciepłe ramiona, co zawsze wydawało mi się tak cudowne.

Czułam na karku ciepło, jakby Tamsin oddychała tuż za mną.

Problem z ciszą polega na tym, że można przez nią poczuć, że się rozpuszczamy. Po czole z sykiem krążyły mi bąbelki, syczały w koniuszkach palców, syczały na języku, a kiedy wokół była tylko cisza, czułam się jak tabletka musująca w szklance czystej wody – rozpuszczałam się, umierając z braku powietrza.

W końcu to skupianie się sprawiło, że zobaczyłam naszą mamę. I poczułam się bardzo chora. Podniosłam się z ziemi, przeszłam kilka kroków i uklękłam, składając ręce i podnosząc je do podbródka. Moje modlitwy zawsze zaczynały się od słów „O Panie", po których następowała lista planów, przy realizacji których potrzebowałam pomocy. Zawsze dotyczyły niezależności, sukcesów i popularności. Dotyczyły przetrwania.

Wtedy zwymiotowałam i pochodnia wymiocin wypaliła mi gardło, bulgocąc w nim i piekąc, podchodząc też do nosa i omiatając tył gałek ocznych. Ale poczułam się lepiej.

Kiedy podniosłam głowę, kroczyła ku mnie ta dziwna dziewczyna. Potem stanęła, górując nade mną muskularnym ciałem, wielka i potężna jak atleta. Wpadłam w panikę, zakłopotana nikczemnością swojej własnej, rozbitej rodziny, która znajdowała się po drugiej stronie drogi.

Byłam pewna, że czuję ich zapach.

– Czekam na ciebie – powiedziała ze złością. – Czekam całymi godzinami.

– Nie wiedziałam, że przyjdziesz. Powinnaś była zajść do pubu. Jak się tu dostałaś? Na piechotę?

– Coś ty, głupia? Wzięłam taksówkę.

– Wszystko dobrze?

– Otóż nie. Jeśli już chcesz wiedzieć, to ci powiem, że czuję się jak kobieta interesu z amerykańskiej metropolii uwięziona na angielskiej wsi w ciele starej panny.

– Doskonale cię rozumiem – zapewniłam z podnieceniem. Na ustach błyszczała jej czerwona szminka, chyba odcień Blame the Flame. Miała ochotę przyjść na górnicze przyjęcie. Chciała się przekonać, jak wygląda „prawdziwe życie".

– A prawdziwe życie jest takie prawdziwe! – bełkotałam. – Musimy stawać się tym, kim naprawdę chcemy być, a nie tym, kim chcą nas widzieć inni.

– To prawda. Co to za zapach?

– Jaki zapach?

– Ten cholerny smród w powietrzu.

– A, to. Hoggins. Zakłady garbarskie. Chyba ci o nich wspominałam. Produkują skórę.

– To po prostu obrzydliwe.

– Przykro mi.

– W każdym razie to, co powiedziałaś o moim ojcu i jego penisie jako części atrakcyjnej premii pracowniczej, jest bardzo prawdziwe. Zastanawiałam się nad tym. Jak powiedział Marks, „wielcy szefowie pieprzą, a płotki wystawiają dupę do pieprzenia".

Chciałam powiedzieć coś ostrego jak brzytwa, ale nic nie przychodziło mi do głowy.

– Jak mamie i tacie udał się obiad w restauracji?

– Nie twój pieprzony interes! – wykrzyknęła z wściekłością. – Jak śmiesz wsadzać nos w prywatne sprawy rodzinne?

Mruknęłam jakieś przeprosiny, wtedy trochę zmiękła i powiedziała:

– Nie chcę teraz o tym rozmawiać. Powiem ci przy innej okazji. To po prostu okropne.

– Rozumiem. Przepraszam.

– Mężczyźni są tacy – uśmiechnęła się i dokończyła zdanie bardzo wolno, z zakłopotaniem. – Tacy słabi.

– Łatwo im coś wmówić – podchwyciłam temat. – Kobiety potrafią ich pokonać ich własną bronią, bo oni są tacy jednowymiarowi.

– Co robimy? – zapytała. Miała srebrną koszulkę bez pleców i szorty. Jej piersi przypominały kościelne dzwony. Popatrzyła na mnie, uśmiechnęła się:

– To głównie tłuszcz – powiedziała.

– Musimy zarobić trochę pieniędzy. To najważniejsze – rzuciłam szybko, czując, że słowa rozwiewają się w mroku nocy. – Jeśli mamy mieć jakiś cel. Nie możemy być biedne. Ani żyć w ubóstwie. I jeśli mamy zyskać jakąkolwiek szansę, by stać się tym, kim naprawdę jesteśmy. O to przecież teraz wszystkim chodzi, prawda? Mieć władzę i pieniądze. Musimy być takie jak twój ojciec, a nie jak jego sekretarka. Żyć tak, żeby wszyscy wiedzieli. O to chodzi. Być znanym i rozpoznawanym. Nie chować się w życiu prywatnym razem z dzieciakami. Jak na przykład moja siostra.

– Mona, kochanie.

– Krew, sperma, mleko! Do cholery z tym! Kobiety zawsze chowają się w ciemnościach, produkując albo wycierając szmatą obrzydliwe płyny ustrojowe.

– Mona!

– Musimy zyskać publiczne uznanie z jakiegoś powodu. Jakiegokolwiek powodu. Wszystko, tylko nie uwięzienie w prywatności i zapomnieniu!

– Pocałuj mnie, głuptasie.

– Tam. Tak za tobą tęskniłam.

Przez chwilę była tylko noc i pocałunki. A potem powiedziała:

– Szczerze mówiąc, to byłabym prawdziwie szczęśliwa, pracując ze zwierzętami i pomagając starszym. Starsze pudle w jakimś kraju trzeciego świata odpowiadałyby mi najbardziej.

– Jestem pewna, że z takimi piersiami nie narzekałabyś na brak zapotrzebowania.

– Nie mogę dłużej zostać. Czekam tu na ciebie całą wieczność i po prostu już nie wytrzymuję tego odoru. Przyjdź do mnie jutro.

– Jutro.

– Jutro.

– Jutro.

Powtarzałyśmy to i powtarzałyśmy, aż całkiem upiłyśmy się małymi pocałunkami.

mięta

Kiedy dotarłam na miejsce o drugiej sześć po południu, zobaczyłam furgonetkę. Miała z boku napis: „Northern Lights Theatre Company". Wysiadła z niej kobieta, stara, w workowatych zielonych spodniach, dużych okrągłych kolczykach i japonkach. Miała krótkie i przylizane włosy. Uściskała panią Fakenham przy wysokich, frontowych drzwiach. Potem dwaj mężczyźni w zbyt obcisłych dżinsach i z błyszczącymi włosami otworzyli boczne drzwi furgonetki i weszli do domu za kobietami. Tatuś śmiałby się z nich do rozpuku.

Przy drodze stało pięć toreb z rupieciami, a gigantyczne ognisko z drewnianych drabin ustawionych w piramidę, krzesła i popsute dziecięce zabawki pokrywały drugi koniec podjazdu.

Rolety były opuszczone. Jakby ktoś znów umarł.

Poszłam do sadu, żeby zobaczyć Willow. Tak naprawdę grałam na czas. Otumaniona tym, co zobaczyłam, wolno oprowadzałam konia tam i z powrotem. Wodze ślizgały mi się w palcach z powodu potu. Potknęłam się. Zanim przyszłam, wypiłam kilka głębszych, żeby się uspokoić. Ale niezbyt dużo.

Myślałam o tych cudownych, sześciokątnych maszynach do gry, które stoją w pasażu handlowym. To ściskające za gardło napięcie, kiedy każda kolejna moneta upada coraz bliżej krawędzi, jedna na drugą, jedna na drugą, jedna na drugą. Gry hazardowe potrafią wspaniale pokazać, co to znaczy znaleźć się na krawędzi.

W tym powolnym niedzielnym świetle wydawało mi się, że już do końca mojego życia nie nastąpi taka chwila, w której nie będę pamiętała tego, co czułam, kiedy Baleron stał jak głaz, a ja włamywałam się do tego małego domu. Uczucie to było we mnie zakorkowane jak list rozbitka w butelce. Możliwe, że przestępstwo jest chorobą, po której powrót do zdrowia wymaga długiego czasu. A może jest kacem, który wymaga mocnego klina, stawiającego cię na nogi. Klina klinem.

Przywiązałam Willow do furtki i tylko napięte wodze powstrzymywały jej głowę przed opadnięciem na ziemię. Udawałam, że bez reszty zajmuję się szczotkowaniem, kiedy pani Fakenham, kobieta i mężczyźni pojawili się z powrotem w drzwiach domu. Nieśli trzy walizki, roślinę doniczkową i dwa pudełka kartonowe. Wsiedli do furgonetki. Nikt nie machał. Odjechali. Wtedy zostałam sama w ciszy i drżałam. Na granicy rozpuszczenia się.

Rozglądałam się za Paulem lub Ivy, ale chyba dostali wolną niedzielę.

Szczotkowałam zapamiętale i całe moje ciało zginało się i prostowało wzdłuż końskich kości i mięśni. Samotność w sytuacji posiadania tajemnicy była dwakroć dotkliwsza.

Wtedy usłyszałam krzyk.

Najpierw pomyślałam, że ma on związek z włamaniami i rozbrzmiewa tylko w mojej głowie, więc przez chwilę go ignorowałam. Jednak był to rzeczywisty krzyk, potężny i rozdzierający. Potem zobaczyłam, jak pędzi w moją stronę ta dziwna, elegancka dziewczyna. Wyglądała, jakby nigdy wcześniej nie biegła, a na twarzy miała tak wielkie przerażenie i koncentrację, jakby uczestniczyła w wyścigu z jajkami na łyżce trzymanej w zębach. Spojrzałam na nią przelotnie, po czym odwróciłam się i wróciłam do szczotkowania parchatej końskiej skóry.

Tamsin. Z twarzą jak na filmie grozy.

– Pierdolony kot – powiedziała, dysząc. Wskazała na drzewo obok stajni. Drogie krótkie spodenki, zielona koszulka z firmowym logo, gołe stopy i bransoletka na kostce. Jej ciało miało dziecięcą krągłość. Oczywiście nie była kupą słoniny, ale podstawowa i niezbędna statystyka w tym względzie waha się od cudownej wartości trzydzieści sześć po zasmucające dwadzieścia sześć. Trzydzieści cztery to zdecydowanie zbyt wiele tłuszczu, bym ja mogła z tym czuć się dobrze.

– A co?

– Wlazła na drzewo.

– Aha.

– Chyba oszalała z powodu wyjazdu mamusi. Tak mi się wydaje. Widziałam ją z okna gabinetu tatusia. Nie może zejść. Utknęła tam. Tylko popatrz.

– Aha... Widzę. Jest przerażona – stwierdziłam, myśląc wszakże o tym, jak Tamsin wypowiada słowa. Jakby śpiewała w szkolnym przedstawieniu. Bałam się też, że należy do ludzi, którzy udają miłość do zwierząt, aby ukryć antypatię do innych ludzi.

– O, kurwa – powiedziała chrupiąco, jakby wgryzała się w jabłko. – Jak tylko wyszła na ten cholerny podjazd, wiedziałam, że coś musi się spieprzyć.

– Wejdę tam po nią.

– Lepiej nie. To niebezpieczne.

– To dobrze. Lubię niebezpieczeństwo.

Chęć zaimponowania jej już dawno stała się głównym powodem, dla którego wstawałam co rano z łóżka, a teraz trafiła się okazja. Zauważyłam, że Tamsin cała spływa potem, a pot lśni jedwabiście, jak sok ociekający z mięsa. Miałam ochotę ją powąchać.

Zdjęłam sandały, przeszłam po gorących kamieniach i położyłam jedną brudną stopę na chłodnej korze. Podeszwa ślizgała się na warstwie wapna. Bardzo się bałam. To był gruby jawor. Latem padała z niego mżawka lepkiego soku. Na dach stajni.

Podciągnęłam się jedną ręką. Mimo potłuczonego uda i pleców bolących ognistym żarem w miejscu, gdzie tatuś dał mi kuksańca, wspięłam się na drzewo tak gładko, jak weszłam do małego domu, który obrabowałam.

– Może powinnam wezwać straż pożarną!? – krzyknęła. – Zażądać, żeby przysłali tych swoich muskularnych facetów?

– Nic mi nie jest – odparłam. – Lepiej same spróbujmy ją ściągnąć, bo inaczej mogłaby wpaść w panikę. Mięśnie na nic się tu nie przydadzą. Trzeba być lekkim.

– Nie jesz dużo?

– Nigdy nie jem, jeśli tylko daję radę.

– Wybornie – powiedziała, a ja głowę bym dała, że mruczała jak kotka.

Byłam wysoko w koronie drzewa.

Z każdym kolejnym ruchem posiniaczone udo jęczało z bólu, który przeszywał nogę aż do samej stopy. Ale było tu chłodniej, unosił się taki imbirowy zapach i mimo bólu wspinałam się szybko. O twarz przez cały czas obijały mi się muchy. Paniczny strach mojego drugiego włamania pulsował we mnie jak kwaśny trunek.

– Tylko uważaj! Jesteś taka delikatna. Przecież jesteś dziewczyną!

– Ale nie zapominaj, że imię tej dziewczyny to niezły żart. Nic mi nie będzie. Kiedyś tańczyłam w balecie.

– Ja też. Ale zrobiłam się za gruba. A co zrobiło się z tobą?

– Ja usypiałam. W trakcie przebiegania truchcikiem przez scenę cała robiłam się senna.

Poniżej widziałam jej uśmiech. Potem tą swoją trochę zbyt mięsistą ręką otarła sobie różowe czoło. Promieniowała podnieceniem. Drzewo wydawało się stawać dęba, by spojrzeć mi w oczy. A poniżej grunt pulsował ziemskim bólem.

– Może jednak powinnaś zejść. Zapłacę komuś, żeby to zrobił. Na pewno jest jakaś firma, zawodowo zajmująca się łapaniem kotów. Jacyś bezrobotni ludzie z drabinami, którzy uwielbiają psy.

– Dam radę, nie martw się, Tamsin. Bezrobotnym nie można ufać, zwłaszcza gdy mają drabiny.

– Tak słyszałam.

Co by zrobiła, gdybym rzuciła się na ziemię?

Na pewno wtedy kochałaby mnie bardziej? Żałowałam, że nie mam papierosa. Wdychałam wilgotne powietrze tak, jakbym je paliła. Ventolin został daleko stąd, w koszyku roweru. Na horyzoncie znajdował się brązowy, błyszczący robak rzeki. Trzydzieści kilometrów dalej w tym samym kierunku było morze. Widziałam dwie kościelne wieże i cztery czerwone kropki kombajnów zbożowych. Próbowałam wyobrazić sobie, jaki będzie mój kraj po ataku nuklearnym. Zahaczyłam ręce o gałąź, która zakołysała się pod moim ciężarem. Odganiając muchy, skuliłam swoją płaską pierś, przytuliłam policzek do kory i tak zakamuflowana wyciągnęłam ręce do miejsca, gdzie kotka zamarzła w porcelanowym przerażeniu. Prawie mogłam jej dotknąć. Taka pozycja była dla mnie niebezpieczna, ale nie dbałam o to.

Usłyszałam trzask, ale gałąź się nie złamała.

Wydawało mi się, że gdzieś z daleka dochodzi jakiś krzyk.

– Tutaj, kicia – wyszeptałam, a gałąź zachwiała się.

Czubkami palców namacałam napięte mięśnie na grzbiecie kotki. W następnej chwili, młócąc powietrze ramionami rzuciłam się na nią i przyciągnęłam ją do siebie. Daleko w dole widziałam, jak Tam podskakuje ze zdenerwowania i podniecenia i wyciąga ręce w moją stronę. Przez prześwit przy rękawie widziałam jej pachy, surowe, i błyszczące, i różowe. Oczekiwała, że coś się stanie. Znacznie później zdałam sobie sprawę z faktu, że Tamsin wręcz uwielbia oglądać mnie w niebezpieczeństwie.

Ponieważ oczekiwała czegoś, postanowiłam zeskoczyć z drzewa. Kiedy znalazłam się mniej więcej trzy metry nad ziemią, przytuliłam kotkę do piersi, zamknęłam oczy i rzuciłam się wprzód.

Po gwałtownych uderzeniach kłującego bólu, trzasku łamanych gałązek i blasku migających mi w głowie dyskotekowych świateł, zakrwawiona znalazłam się na ziemi i Tamsin owinęła swoje brązowe, obciągnięte najdroższym materiałem ręce, swoją polakierowaną, brązową skórą, wokół mnie.

– Och, Boże. Bardzo się potłukłaś?

– A ile masz czasu? – zapytałam z mrugnięciem oka w głosie. Przeżyłam.

– Ile tylko zechcesz, kochanie – odpowiedziała i pocałowała mnie. Delikatny, jakby muśnięcie, pocałunek w wargi. – Zaraz przyniosę ci herbaty.

– Chcę papierosa. I brandy.

Nasz drugi pocałunek pozostał na wargach dłużej. Jak kropelka chłodnej wody.

W kuchni opatrzyła mi zadrapania plastrami i zaproponowała świeżą kawę. W ramach kiepskiego dowcipu odparłam, że zdecydowanie wolę nieświeżą herbatę. Czułam się jak po postrzale w głowę i miałam na skórze więcej zadrapań niż początkowo zauważyłam. Ale wszystko to nic, bo Tam była pod wielkim wrażeniem.

– Mój ojciec jest mną tak zawiedziony. Chciał, żebym była korespondentem wojennym albo lekarzem, albo kimś w tym typie. Ale ja umieram z przerażenia, wchodząc na prom, a na widok krwi mdleję. Wcale nie wyrosłam na taką, na jaką powinnam była wyrosnąć.

Wiedziałam, że cokolwiek było z Tam nie tak, żadne z jej rodziców nie chciało się tym zajmować. Obydwoje od niej uciekli. Najpierw wysłali ją gdzieś daleko, a teraz, kiedy wróciła, oni wyjechali. Ona też o tym wiedziała.

Nawet kotka znikła gdzieś następnego dnia i nikt jej nie widział przez całe lato.

– Nie przejmuj się. Masz przecież jędrne cycki, a to atut godny pozazdroszczenia.

– Mam nadzieję, że się do mnie przyzwyczają – powiedziała ze smutkiem.

– Na pewno się przyzwyczają – zapewniłam, nie wiedząc, czy miała na myśli swoje cycki, czy też rodziców.

Ciepła kuchnia pachniała stęchlizną, solidną porcją czegoś podgniłego, jakby od dawna nikt nie wyrzucał śmieci. W butelce koło lodówki mleko zdążyło się zmienić w ciemną śmietanę. Na korkowej tablicy wisiało zdjęcie Sadie, martwej córki. Uśmiechała się, wyglądała na szczęśliwą i nie nazbyt chudą. Była wkurzająco wręcz atrakcyjną dziewczyną i – z jakiegoś powodu dziwnie zła – musiałam odwrócić od niej wzrok. Wokół zlewu piętrzyły się stosy niepozmywanych talerzy, a na ociekaczu stały brudne kwiaty doniczkowe, które, uśmiercone upałem, zrzucały na blat i ociekacz martwe liście. Na kuchence parował stos mokrych ręczników.

Wyobraziłam sobie ten maciczny zapach odpadający od pani Fakenham wilgotnymi kuleczkami i aż tupnęłam kilka razy. Zauważyłam, że kot ma pięć miseczek na jedzenie. Codziennie dawano mu nową, nie zabierając poprzednich.

– Jeśli zastanawiasz się, dlaczego kuchnia wygląda jak na melinie, to wyjaśniam, że mama przeprowadza właśnie dwudziestoczterogodzinny strajk. Bo nie powiedziałam ci wczoraj, że kiedy wrócili z restauracji w Watermill, tuż po tym, jak ty wyjechałaś, okazało się, że tatuś odchodzi.

– Nie mów!

– A tak! I co więcej, jest zakochany w tej sekretarce.

– Boże. Przykro mi, Tam.

Uśmiechnęłyśmy się do siebie nawzajem.

– Jesteś grzybkiem w moim barszczu, Mona.

– A ty masłem na mojej kromce.

Uśmiechnęłyśmy się znowu, głośniej. Potem Tam podniosła się.

– Mama powiedziała, żebym kazała Ivy posprzątać tu wszystko, ale jakoś jeszcze tego nie zrobiłam.

Widok kociej karmy nagle sprawił, że zrobiłam się głodna.

– Więc kiedy się wynosi? W sensie twój ojciec.

– Już się wyniósł.

– Dokąd?! – wykrzyknęłam, nie będąc już w stanie panować nad podnieceniem.

– Mieszka z sekretarką w Whitehorse.

– Wszystko stało się tak szybko! – powiedziałam, po czym zagryzłam wargi i kilka razy szybko zatrzepotałam powiekami.

– Najwyraźniej ma teraz okres *carpe diem*. To po łacinie. Znaczy, żeby pieprzyć wszystkich innych i robić to, na co ma się ochotę. Mój ojciec i moja matka żyją według tej maksymy.

– Brzmi fajnie – skomentowałam z uśmiechem, ale mnie zignorowała.

– Ale z drugiej strony doskonale rozumiem jego dążenie, by wydostać się z tego parszywego miejsca.

Nigdy nie widziałam reszty domu, ponieważ nigdy nie zapraszano mnie do środka. Ale wyobrażałam sobie mnóstwo szaf, piwnic, pajęczyn, zżartych przez mole swetrów i mrocznych schowków. Wszystkie miejsca pozostawały nieposprzątane, oczywiście tylko dlatego, że Ivy bała się tam wejść.

Podłogi w korytarzach były z solidnego kamienia, a drzwi wysokie i mocne. W jednym rogu kuchni stał wiedźmowaty fotel na biegunach z wytartą tapicerką. Wydawał się bujać nawet teraz, kiedy nikt w nim nie siedział. Wysoko, z abażuru lampy zwisały dwa poskręcane pukle papierowego lepu na muchy, podziurawione muchami jak ciasto rodzynkami. Pomyślałam wtedy, że gdyby kochana Tamsin rzeczywiście zaproponowała mi coś do jedzenia, nie przełknęłabym niczego.

Nic dziwnego, że sprytny pan Fakenham dał nogę.

Na stole leżał stos pieniędzy, tuż obok kartki z instrukcjami, nabazgranymi jąkającym się charakterem pisma pani Fakenham – blady tusz załamywał się w połowie każdego niemal wyrazu.

Boże, ustrzeż mnie, proszę, od szalonych, starych kobiet!

Popatrzyłam na stos i oceniłam go szybko na przynajmniej sto funtów.

Zauważyłam, że ktoś zatopił niedopałek papierosa w misce z płatkami owsianymi.

– Więc szukasz pracy? – zapytała.

– Już nie szukam. Nie martwię się już pracą. Nie chcę pracować – oświadczyłam.

Później zastanawiałam się, dlaczego nie powiedziałam jej na początku o moich przestępstwach. Od pierwszego dnia czułam, że jestem z nią jakoś powiązana, jakoś do niej podobna. I to właśnie był powód, dla którego nigdy nie zaufałam jej do końca.

– Uczysz się do egzaminów, Mona?

– Coś ty?! Nawet przez chwilę się nie uczyłam. I nie zamierzam. A jak twoje…

– Nie. To ostatnie słowa na ten temat. Nie będę więcej pytała cię o twoje postępy w nauce, a ty nie pytaj mnie o moje.

Już sama jej obecność dodawała mi odwagi. Postawiła przede mną herbatę, w filiżance na spodeczku, i wręczyła mi paczkę papierosów.

– To herbata ziołowa. Mięta. Mama pije ją, żeby się odprężyć. Smakuje ci?

– Jest niezła. Dzięki.

Herbata ziołowa smakowała jak coś, co wypiło się niechcący, całkiem przypadkiem, po pijanemu.

– Jesteś taka odważna! No i masz tyle serca dla starej Willow – powiedziała.

Uśmiechnęłam się, wydychając dym do filiżanki. Nie potrafiłam zgadnąć, czy traktuje mnie protekcjonalnie, czy nie. Nie chciałam, żeby myślała sobie, iż zależy mi na koniach. Wiedziałam natomiast na pewno, że jej słowa są jak ubranie, które Lindy zakłada na siebie do kościoła: nawet w najmniejszym stopniu nie ujawniają, jaką naprawdę jest osobą.

Bogaci ludzie sukcesu nigdy nie okazują, co naprawdę myślą. To właśnie jest klucz do sukcesu.

Zapytała, czy chcę coś do jedzenia i zaczęła robić mi kanapkę. Włożyła cztery miętowe czekoladki *After Eight* między dwie kromki chleba i podała mi to wszystko. Poważnie, bez najmniejszego śladu humoru.

– Nie mam nic przeciwko zajmowaniu się nią – oświadczyłam, pożerając łapczywie kanapkę. Chleb i mięta tworzyły mi w ustach kleistą papkę. – Ale oczywiście konie mnie już nie interesują.

Był to mój pierwszy posiłek od wielu godzin. Rozbawienie wywołane przedziwnością pożywienia osłabiło poczucie winy wywołane przegraniem walki z głodem. Oczywiście (jaka ta Tamsin mądra!), o to chodziło.

– Cieszę się, że już nie chodzę do tej cholernej szkoły.

– Ja też – przytaknęłam z ustami pełnymi miętowej brei.

– Wiesz, kochanie? W szkole nie nazywali mnie Tamsin. Mówili na mnie Tamla Motown, tylko dlatego, że lubiłam muzykę całkowicie inną niż oni.

Pomyślałam, że w sumie to jej się upiekło. W mojej szkole mówiliby na nią Tampax.

We włosach, tuż przy skórze, miała kilka kwiatków wrzośca. Zauważyła, że się im przyglądam, rozczapierzyła palce w szeroki grzebień i wyczesała je sobie. Spadły na ramiona.

– Co znowu? – warknęła.

– Ręce wyglądają tak, jakby cię bolały – powiedziałam bez zastanowienia. Odpowiedź równie natychmiastowa, co szczera. Nie wiem, dlaczego miałam wrażenie, że właściwie całe jej ciało jest obolałe.

Idź do klasztoru i tam się wylecz!

– Dobrze więc – rzuciła, obejrzawszy uważnie moją twarz i z wściekłym warknięciem podeszła do szuflady, z której wyjęła parę ciężkich, metalowych nożyc, używanych zapewne do oddzielania skóry od boczku oraz odcinania ogonów wołowych. Podeszła do mnie wolno, trzymając rozchylone ostrza jak dziób. Nożyczki miały długość mojego przedramienia. Na ostrzu iskrzyło się słońce, jak gwiazdka. Jej kroki odbijały się od kamiennej podłogi ciężko i regularnie, niby tykanie zegara. Nagle zatrzymała się, jakieś trzydzieści centymetrów ode mnie, i zaczęła ciąć sobie włosy. Nożyczki zaskrzypiały rdzawo. Musiała pociągnąć za oporne pasmo włosów i piłować. Tuż przed powolnym ciachnięciem coś jakby lekko pisnęło. Po kilku kolejnych pasmach nożyczki się poluzowały i piśnięcie zmieniło się w delikatny zgrzyt.

Stopniowo włosy zmieniały się w jasne gniazdo na podłodze.

Ostrza coraz bardziej zbliżały się do skóry. Część włosów miała już nie więcej niż trzy centymetry. W miejscu, gdzie metalowe ostrze dosięgło jej karku, widniało czerwone, pełne złości zagłębienie. Przed obcięciem każdego kolejnego pasma unosiła włosy wysoko, odsłaniając szlachetny kształt czaszki.

Nagle przyszło mi do głowy, jak łatwo byłoby ją teraz zabić. Wystarczyłby szybki cios ciężkiego wałka do ciasta jej matki (który leżał w sosnowej kołysce stojaka, zaraz obok zlewu) w bladą czaszkę. Jeden pukiel włosów zaczepił się o plecy koszulki i zwisał jak ogon. Zaczęła jej się zmieniać twarz. Stawała się mniej wyrafinowana i bardziej dziecięca. Wyglądała, jakby poddała się charakteryzacji.

Została oddziewczęcona.

Wiedziałam już wtedy, że będziemy razem i że będzie to nadzwyczajne.

– Czy dobrze myślę, że masz siostrę? – zapytała, delikatnie odkładając nożyce stół. Końce krótko przystrzyżonych włosów podkręcały się, nadając jej chłopięcego uroku aniołka.

– Tak. Mówiłam ci przecież o niej. Lindy. Wytatuowane cycki, niebiańska dupa. Pamiętasz? – powiedziałam zdezorientowana.

– I ty jesteś ta odważna, a Lindy ta nieśmiała, jak kiedyś ja i Sadie? – dopytywała się, całkowicie lekceważąc naszą poprzednią rozmowę, zdejmując z ramion pojedyncze, przezroczyste włosy i upuszczając je, by delikatnie wirując opadały na podłogę.

– Nie. Ja jestem ta przestraszona. Ona jest odważna – sprostowałam, choć sama nie wiedziałam, czy to prawda.

Zrobiło się jakoś zimno. Rozejrzałam się po kuchni za jakimś zegarem, ponieważ nagle zapragnęłam zarówno natychmiast wyjść, jak i zostać na zawsze.

Zauważyłam, że z lewej strony włosy zwisały jej wyżej nad uchem niż z prawej, przez co wyglądała, jakby jedną nogę miała krótszą od drugiej. Uśmiechnęłam się do siebie, bo wyglądało to uroczo, i wtedy jej twarz pociemniała z rozdrażnienia.

– Co za wspaniały sposób spędzenia niedzieli! – uśmiechałam się dalej.

Wiedziałam, że powinnam już pójść, ale owładnęło mną przerażenie. Włamanie bez wątpienia było po mnie widać, jak odrę.

– Kiedy wraca twoja mama? – zapytałam, zwracając przy tym uwagę, jak silne są jej świeżo odkryte ramiona – wilgotne i szerokie, jak u pływaka.

– Trudno powiedzieć. Wyjechała, żeby grać w jakimś przedstawieniu. Wczoraj podczas tej zadymy zadzwoniła do dawno straconych przyjaciół w teatrze i jakimś cudem zdołała ich przekonać, żeby wzięli ją na dublerkę do pewnej sztuki granej w Scarborough.

– To cudownie.

– Przynajmniej tym razem rola jest odpowiednia. Stara baba porzucona przez kłamliwego męża. Oczywiście równie dobrze może to być kolejna z fantazji mojej mamusi. Nie zdziwiłabym się wcale, gdyby siedziała w jakimś nadmorskim pensjonacie oferującym w cenie śniadania i piła gin pod papierosa.

– Jak długo jej nie będzie?

– Cóż, zakładając, że naprawdę pojechała do Scarborough grać tam w teatrze i że jak zwykle bywało pokłóci się zaraz ze wszystkimi kolegami, to będzie z powrotem za jakieś dwa dni. Jeśli natomiast zakocha się w dyrektorze teatru, co w przeszłości zdarzało się równie często, wtedy może jej nie być całymi latami.

– Słodka wolność!

– Pojutrze, kiedy uporam się ze wszystkimi obowiązkami domowymi, mam wyjechać do ciotki – prychnęła. – Ale nie chcę jechać do tej tłustej baby. Ona waży ze dwie tony i ma brwi grube jak moja ręka.

– A rodzice nie będą się dowiadywać? Nie sprawdzą, czy dojechałaś?

– Nie, głupia ty jedna. Wszystko to sobie starannie przemyślałam. Dzisiaj rano zadzwoniłam i powiedziałam ciotce, że muszę się jeszcze pouczyć, więc na kilka dni pojadę na wieś do koleżanki ze szkoły. Rodzice natychmiast by coś przewąchali, bo nie mam w szkole żadnych koleżanek, ale ciotka jest przekonana, że wszystko idzie raczej radośnie.

– A jeśli …

– Jeśli, co bardzo mało prawdopodobne, moja mamusia lub tatuś przypomną sobie o mnie na czas dość długi, by zadzwonić do ciotki, wtedy ona chyba im wszystko powie. Tylko wtedy będzie już za późno. Ale jeśli będziemy ostrożne, nikomu nie otworzymy drzwi ani nie odbierzemy żadnego telefonu i pozostaniemy w ukryciu, nie będą mieli pojęcia, gdzie mnie szukać.

– Ha, ha.

– Wiem, że to cudowne. Powinnam pracować dla MI-5.

– Więc co tak naprawdę zamierzasz robić, Tam?

– Zostać tutaj razem z tobą. Przez całe lato.

Wiedziałam, że to prawda.

Kiedy usłyszysz ostrzeżenie o ataku jądrowym, natychmiast ukryj się razem ze swoją najlepszą przyjaciółką.

Światło słoneczne sprawiło, że chwila wydłużała się, a nasze słowa zrobiły lekkie jak unoszące się w popołudniowym powietrzu pyłki kurzu. Zaczynała mnie boleć głowa. Chyba z powodu panującej w kuchni zgnilizny. Zapach był w sumie podobny do smrodu fabryki skór. Wszystkie okna były szczelnie zamknięte, mimo upału. Nagle poczułam, że muszę napić się wody i ruszyłam w kierunku zlewu. Odkręciłam obydwa krany, uwalniając hałaśliwy strumień. Wielki namiot wody spadał do zlewu uderzeniami młota. Nachyliłam obolałą głowę nisko i garściami lałam wodę na twarz.

Za sobą czułam jej spojrzenie. Wciąż leciała mi krew z zadrapań na ręku i na czole.

Kiedy poczułam się lepiej, wróciłam do stołu i usiadłam. Woda spływała mi po policzkach i szyi jak łzy.

– A tak poważnie, to jak masz zamiar spędzić lato?

– Mam swoje plany – zapewniła, a ja zdałam sobie sprawę, że przez cały czas pocieram obolałe miejsca.

– Jesteś taka lśniąca w tych włosach. One aż ci się błyszczą – powiedziałam. – Chcesz przejrzeć się w lustrze?

– Nie mamy żadnych luster.

– Dobry pomysł – odparłam natychmiast. Instynktownie czułam, że to początek rozmowy, której prowadzić nie chciałam.

Wiedziałam, że jedną z rzeczy najbardziej znienawidzonych przez kobiety jest widok innych kobiet, którym ktoś się przygląda. Z tego właśnie powodu kobiety nienawidzą modelek. Zazdrość.

A może to z powodu upału? Może rząd nakazał teraz, aby we wszystkich prywatnych domach zdjęto lustra? Bardzo możliwe.

– Sadie miała obsesję. Oglądała swoje obrzydliwe ciało z każdej możliwej strony w każdym możliwym lustrze. I w każdym lustrze widziała wór tłuszczu. Matka wyrzuciła je wszystkie, kiedy Sadie w końcu się stąd wyrwała – wyjaśniła z uśmiechem w głosie.

– Aha – skomentowałam. Zwrot „wyrwała się" przywołał mi na myśl odnoszącego sukcesy włamywacza, bohatera w annałach przestępczości. Albo bezlitosnego narzeczonego. W moim umyśle włamywacze i okrutni kochankowie z pewnością mieli ze sobą coś wspólnego.

Kiedy ludzie pytali mnie o moją mamę, jeśli w ogóle pytali, nigdy nie mówiłam, że się wyrwała. Zawsze mówiłam, że UMARŁA.

– A ty raczej bez blasku – odezwała się z uśmiechem. – W sensie włosy.

– Chyba raczej bez kaski. Jestem bankrutem – powiedziałam chłodno, z gangsterskim uśmiechem. O pudełku po butach z zaoszczędzonymi pieniędzmi postanowiłam powiedzieć jej później.

– Masz – rzekła poważnie, całkowicie ignorując mój słowny żart i wręczając wzięte właśnie ze stołu ciężkie, metalowe nożyce. – Poczujesz się o wiele lepiej. Zmiana stylu to dobre lekarstwo na biedę.

Chociaż ręka płonęła mi bólem, z determinacją wsunęłam ostrze we włosy. Może z powodu upału obcięcie włosów zmieniło całe pomieszczenie i wszystko, co w nim się znajdowało. Jak zdjęcie z siebie ubrania.

Moje rudawe włosy wyglądały jak brudne obok jej blond pukli.

Jej włosy układały się w puszysty, dziewczęcy stosik, podczas gdy moje przypominały zmiecione śmieci w obskurnym zakładzie fryzjerskim.

Boczne pasma obcinałam starannymi ruchami, mierząc odległość względem moich mechatych płatków usznych. Po chwili mój kark poczuł chłód i zakłopotanie.

– Jesteś cudowna – wyszeptała, przesuwając nogami po podłodze obcięte włosy tak, by rudawe zetknęły się z jasnozłotymi. – Cokolwiek zrobisz, będę uwielbiać sposób, w jaki to się odbędzie. Możesz zrobić wszystko. Naprawdę byłam pod wielkim wrażeniem, kiedy ryzykowałaś życie, żeby ratować kicię. Teraz już na zawsze zostaniemy przyjaciółkami.

W jednej chwili nasze wymieszane włosy nabrały cech przestępczych. Jak peruki zerwane i porzucone przez uciekających bandziorów albo bielizna striptizerki erotycznie rzucona na ziemię.

– Masz coś przyzwoitego do picia? – zapytałam. Czułam się wolna. I gotowa.

– Przyzwoitego? – dopytywała się, zaskoczona, jakby całkiem zapomniała o brandy, którą piłyśmy razem pod drzewem.

– Na przykład malibu albo wódkę.

– Chyba jednak przerzucę się na koktajle – rzuciła i wyszła z kuchni.

Słyszałam odgłos jej stóp biegnących gdzieś daleko po przedpokoju.

Potem delikatne stąpnięcia pojawiły się gdzieś nade mną. Jakby po strychu tańczyły wiewiórki w butach z cholewką.

Miała rację. Mogłabym dla niej zrobić wszystko.

Po jakimś czasie zeszła znów na dół w pełnym stroju dyskotekowym. Makijaż lśnił jak stroboskopy, a jej ciało mroźnie połyskiwało od ubioru.

– Wyglądasz jak... jesteś taka kolorowa! – wyszeptałam olśniona jej telewizyjną pięknością. Zastanawiałam się, czy znów będziemy tańczyć.

– Mam nadzieję, że uda mi się na jutro ściągnąć tu tę kobietę, Ivy. Wtedy kuchnia też się ożywi kolorami – odpowiedziała z uśmiechem.

– Podoba mi się twój wygląd.

– Dziękuję. Staram się. Kolor jest bardzo ważny, prawda? – oświadczyła. Rozmawiałyśmy tak, jakbyśmy właśnie spotkały się na balu dobroczynnym. – Jak im się w szkole nudziło, nazywali mnie Tamla Motown. A wcześniej byłam dla nich Królową Disco.

Nigdy nie pytałam jej, co poszło nie tak w szkole, a przecież pan Fakenham mówił, że miała problemy. Instynktownie jednak byłam pewna, że miało to związek z faktem, iż nikt jej nie lubił.

– To dobrze.

– Przecież nie był to komplement. Ja czytywałam *Vogue*, a one *New Musical Express*. Próbowałam być jak Sadie, elegancka i wykwintna. Zawsze umalowana. To im się nie podobało. Chodźmy do salonu.

113

– Malowałaś tylko usta czy w ogóle wszystko? – dopytywałam, wchodząc jej śladem w ciemność korytarza.

– Tylko twarz, a dla nich i tak było to przezabawne.

Pokój dzienny był biały i zielony i tyle miał okien, że siedziało się w nim jak na zewnątrz. Nad kominkiem wisiała wielka fotografia Tam, Sadie i państwa Fakenham. Kolorowi, trochę skupieni, uśmiechnięci.

Rodzina przed wybuchem.

Wręczyła mi dwie szklaneczki i zapytała, którego drinka ze srebrnej tacy sobie życzę. Zapewniła, że powinnam wypić podwójnie, bo mam już za sobą dwa razy więcej wrażeń niż zazwyczaj. Nalała brandy z dobrego rocznika i wymieszała z Bacardi. Pachniało gorzej niż zazwyczaj. Jak jakieś lekarstwo. I ten niecodzienny zapach przepływał przez bogactwo pokoju, jak przez bożonarodzeniowe ciasto.

Zbliżał się wieczór i z wolna się uspokajałam, zapominając. Mrowiły mnie wargi, paliło gardło, chciałam, żeby nigdy więcej nie nadeszła już noc. Nalała mi jeszcze. *Podoba mi się tutaj, oj, podoba* – pomyślałam. Palcami dotykałam karku i moja nowa fryzura wprawiała mnie w zdumienie. Bawiłam się postrzępionymi końcami włosów. Nowa tożsamość powinna na kilka dni przynajmniej zdjąć mi z ogona policję. Odetchnęłam z okrutnym, dorosłym chłodem.

Tam zgięła się w pół na krześle, podciągając kolana pod bujne piersi. Białe włosy układały jej się w małe loczki. Jeszcze kilka minut temu wyglądały jak zmierzwione supły owczej wełny. Ale teraz zmieniały się w bujne loki golden retrievera.

W salonie wydawało się, że żyjemy ze sobą od dawna. Że to nasz dom. Że niebawem nad kominkiem pojawi się fotografia Tam uśmiechającej się obok mnie w technikolorze.

– Dzięki. Tak lepiej. Czy będzie ci brakować rodziców? Samotność może się okazać dziwna – powiedziałam, szczypiąc się w kark.

– Chcę muzyki. Potrzeba nam muzyki i tańca – zapewniła, rozglądając się po pokoju i nie słuchając zupełnie, co mówię. Nagle odwróciła się. – Ale mamy mnóstwo do zrobienia – dodała.

– To jaki jest plan?

– Nie mogę ci powiedzieć, moja droga.

Jej słowa były jak folia aluminiowa: świeciły się i owijały różne rzeczy, zasłaniając je. Spędziłam kilka minut, prosząc ją o ujawnienie planów, ponieważ wiedziałam, że podobnie jak Lindy, Tam chciała, by prosić ją o informacje.

– No dobrze. Widziałaś te pieniądze na stole w kuchni? – mówiąc to, sięgnęła, by po raz kolejny nalać mi do pełna brandy. – To pieniądze na pomalowanie domu. Odwołamy malarza, który ma zaczynać w przyszłym tygodniu, pomalujemy dom same i zatrzymamy pieniądze.

My.

Uśmiechnęła się znad krawędzi swojej szklaneczki. Jakby był to wyjątkowo odważny plan.

– Będzie opłata za odwołanie zamówienia w ostatniej chwili – warknęłam rozczarowana. – I nie dostaniemy farby po cenie. I będziemy musiały kupić pędzle i inne rzeczy, więc w sumie wyniesie drożej.

– Wiem. Dziesięć procent. Sprawdziłam. Poza tym, kiedy cały ten gnój w domu zostanie uprzątnięty, zwolnimy służących i uzupełnimy nasz dochód o pieniądze na ich wynagrodzenie, które zostawiła matka.

– Umiesz malować? – zapytałam. Martwiłam się o Paula i Ivy, ale nie chciałam dopytywać się o ich dalszy los.

– Otóż nie jest tak, że nie umiem – wyznała, a ja roześmiałam się tak gwałtownie, że brandy ulało mi się z ust, ponieważ mówiąc przybrała szorstki, nadęty, menedżerski ton swojego ojca. – Ale mogę cię zapewnić, że z pewnością nabędziemy wszelkich wymaganych umiejętności, zanim przystąpimy do tego zadania.

Śmiejąc, pochyliła się do przodu, a ja pod koszulką zobaczyłam białe piersi kołyszące się bez biustonosza.

Zamknęłam oczy i położyłam się na sofie.

– Uważaj, żeby nie krwawić na nasze meble – powiedziała surowym tonem. – Skóra cielęca jest bardzo droga.

Chwyciła gitarę i uderzała w struny.

Jej skóra już nie wydawała się czerwona, tylko biała i zimna.

My darling, you look wonderful toniiite.

– Podoba mi się twoje *Wild Thing* – wyznałam.

– Co to jest *Wild Thing*? – zapytała z trzaskiem w głosie, który przypominał szyderstwo.

– Piosenka. Ta, którą zawsze grasz na gitarze.

– Ach tak. Nie wiem, co to jest. Zwykle słucham muzyki dyskotekowej. To jedyna melodia, jaką nauczono mnie grać na gitarze.

Mówiąc to, położyła swoje piękne, świecowe palce na strunach i zaczęła grać. Przygryzając wargi w skupieniu.

woda

W prawdziwych opowieściach o przestępczości czytelnik powinien zawsze otrzymać wiele dni, tygodni, miesięcy nudy: przygotowywania tostów i parzenia herbaty. To momenty chłodne, które pojawiają się między gorącymi jak piec chwilami działalności przestępczej, zapierającej dech w piersiach.

Czytelnik powinien też dostać chwytające za gardło momenty, w których bohater czuje, że schodzi z płycizny przy brzegu, topi się. Niespodziewanie i obrzydliwie zapada w jeszcze głębsze kłopoty.

Była pora podwieczorku w poniedziałek, 1. czerwca. Lindy miała na sobie spodnie do biegania, a włosy związała w ciasny kucyk. Patrzyła na mnie, jakby chciała zapytać: „Coś ty na siebie włożyła?!".

A ja włożyłam wełniany kapelusz, który miał zakrywać moją nową fryzurę. I choć wiedziałam, że Lindy coś podejrzewa, to jednak się nie odezwała. Przecież nigdy nie zniosłaby sytuacji, w której musiałaby przyznać, że jest we mnie coś godnego uwagi. Po lokach, jakie nosiła w dniu ślubu, nie było już nawet śladu, a pasemka blond zmieniły się w pomarańczowe, nastroszone i szorstkie łaty, więc wyglądała jak cyrkowy błazen.

Byłam zachwycona, że wygląda tak ohydnie.

– Dzięki, że przyszłaś – powiedziała poważnie. – Chcę, żebyś dowiedziała się jako pierwsza. Po to do ciebie zadzwoniłam.

Kiedy oplotłam ją ramionami w ramach uścisku, poczułam guzy jej postarzałego kręgosłupa. Oparła się o mnie jak staruszka, garbiąc przy tym, wyciągając szyję i nastawiając do pocałunku suchy policzek. Biały podkład, którego używała, pachniał wilgotno, jak mokre wyroby gliniane. Czułam, że opierające mi się o klatkę piersiową cycki są sflaczałe i obwisłe, jak balony kilka dni po przyjęciu.

Ha!

Nawet bardzo zdesperowany morderca nie wybrałby jej z tłumu.

Prowadziła prywatne, lepkie życie wypełnione menstruacją, laktacją i owulacją.

Niebawem zza gór i rzek przygalopuje do niej menopauza.

Pokój śmierdział telewizorem.

Siouxie i David podbiegli do mnie z wrzaskiem.

– Więc kiedy ta cholerna kobieta wyjeżdża? – zapytałam, usiłując nadać swojemu pytaniu ironiczny i drwiący ton Fakenhamów.

– Nie mamy pojęcia. Wiem od tatusia, że powiedziała mu o tym tej nocy, kiedy było przyjęcie dla górników.

– Aha.

– Podobno słuchając górników zrozumiała, że uległa zmianie. Nie jest już tą samą Cleo, którą była kiedyś. I takie tam gadanie. I że czuje solidarność z żonami górników, a tej solidarności jej zdaniem tatuś nie zrozumie.

Prawdę mówiąc, na początku czułam się świetnie. Do perfekcji doprowadziłam umiejętność pozwalającą mi nie dbać o odczucia.

Kiedy rozmawiałyśmy, Shred przyglądał się nam żałośnie. Był smutny, że Cleo odchodzi. W jego słonecznym świecie wszyscy byliśmy z czymś powiązani. Jak elektryczny sterownik na zderzaku samochodziku w wesołym miasteczku. Biedaczek nie potrafił wyobrazić sobie tych, którzy warkoczącym samochodem z wesołego miasteczka odjeżdżali.

– Już się spakowała. Tatuś twierdzi, że ma spakowane torby już od kilku tygodni.

– Zdaje mi się, że to rozsądne. Będzie musiała sobie kupić kask pod ziemię i kanarka – zawyrokowałam.

Shred uśmiechał się do mnie smutno. Miał nową pracę w ratuszu i czarne jak smoła włosy uklepane za pomocą żelu, jak namalowana bermyca na ołowianym żołnierzyku. A przecież pamiętam czasy, kiedy Shred nosił włosy w kolorze dżemu grejpfrutowego.

– Nie możesz jakoś sobie ich stawiać? – zapytałam z westchnieniem. Jakże nędzny był ich taras w porównaniu ze świetnością domu Fakenhamów!

– Do pracy nie może. Za duże ryzyko. Ale w weekendy, czemu nie? – z dumą odpowiedziała za niego Lindy.

– Twój garnitur też mi się podoba, Shred – oświadczyłam, a on odpiął marynarkę i obrócił się dookoła. Garnitur sprawiał, że wyglądał plastikowo i wydawał się mniejszy. Miał na sobie nabijany ćwiekami pasek i kowbojki, a na szyi rzemyk z pierwszym zębem Davida. – Mógłbyś w tym wszystkim iść na dyskotekę. Bardzo układny strój.

– Nie będzie chodził na żadne dyskoteki! – wrzasnęła Lindy, a Shred zmył się.

No i okazało się, jak bardzo łatwo ją było sprowokować.

– U ciebie wszystko w porządku? – zapytała, kiedy Shred wyszedł z pokoju. Gdybym była kotem, wygięłabym grzbiet w łuk i najeżyła się. – Wydajesz się niższa. Wyglądasz blado. I jesteś porządnie zmęczona – popatrzyła na mnie ze współczuciem, jakby kierowała się przekonaniem, że w moim życiu pełno jest rzeczy strasznych i okropnych. – Po prostu zrobiłaś się szara. Jesz? Jesteś pewna, że nie chcesz zostać na obiad? I chyba nie zamierzasz znów zamienić się w skórę i kości?

Potrząsnęłam głową. Tam miała wielkiego farta, że jej siostra zmarła.

– I jeszcze jedno – dodała, potrząsając głową. – Znasz tę jebaną Debbie Courtney?

Pokiwałam głową. Uśmiechnęła się. Bez wątpienia nie chciałam usłyszeć tego, co za chwilę miała mi powiedzieć. Po błysku w jej oczach wiedziałam, że coś jeszcze ukrywa, zostawia sobie na później. Uśmiechnęła się jeszcze szerzej. Cisza dudniła jak fanfara.

– No cóż – zaczęła, otwierając pudełko papierosów. – Cóż. Ona się wprowadza.

– Do pubu? – syknęłam, po raz pierwszy od roku nie będąc w stanie ukryć emocji.

– Tak – potwierdziła, a zadowolenie z mojego przerażenia wręcz malowało jej się w oczach. – W dodatku z dziećmi. Dwóch synów. Czy wyobrażasz sobie naszego tatusia z dwoma małymi chłopcami przez cały dzień kręcącymi się po domu? Wystarczy sobie przypomnieć, jak długo zajęło mu, żeby choćby odezwać się do Balerona.

– Och.

– A widziałaś owulację tej kobiety?

Popatrzyłam na Lindy zmieszana. Co jeszcze złego mogło się wydarzyć w tej historii?

– No widziałaś? Widziałaś? To chodzące zagrożenie dla mody. Takiej ondulacji nie widziałam od lat. Musisz trzymać się od niej z daleka, bo jeszcze przejmiesz złe nawyki fryzjerskie – doradziła, po czym wrzuciła na twarz najbardziej nikczemny i złośliwy uśmiech starszej siostry. – Oczywiście, jeśli już tego nie zrobiłaś.

Powiedziawszy to, poklepała mój wełniany kapelusz i wyszła z pokoju.

Suka.

Pamiętam, że przez chwilę obserwowałam, jak słońce rozświetla drobinki kurzu. Lindy także zdjęła firanki, chociaż to dziwaczne, że była anarchistka tak szybko stosowała się do zaleceń rządu. Na zewnątrz było pogodnie i słonecznie, ale okna zbierały przyniesiony przez wiatr kurz i były tak zapuszczone, że każdy przechodzień wydawał się przez nie taki sam: siwy, wymizerowany i posiadający wszelkie cnoty dobrego współmałżonka.

Żałowałam, że nie zaproponowała mi piwa z limonką albo wódeczki, jak to czasem robiła. Pomyślałam o małej piersiówce, którą miałam ze sobą w torebce. Chciałam być na rauszu.

– Czy Baleron wyprowadza się razem z nią? – zapytałam, kiedy wróciła do pokoju.

– Wątpię – oceniła, zaciągając się głęboko końcówką papierosa. – A ty chciałabyś zabierać ze sobą taki wór słoniny, gdybyś zaczynała nowe życie?

– Chyba nie.

Przydałaby się jakaś muzyka.

Przekonanie o desperacji Lindy i podporządkowanym życiu bez wątpienia było słuszne.

– Czy policja coś znalazła? – zmieniłam temat po chwili.

– Co?

– Nad Czarnym Potokiem.

– Aha. Nie wiem. Ostatnio nie włączam radia – odpowiedziała tonem pełnym znudzenia, jakby zaginiona, a może nawet zamordowana dziewczyna stanowiła oczywisty i wyjątkowo nużący przedmiot rozmowy.

– Myślisz, że nie ma już żadnej nadziei? – ciągnęłam.

– Nie interesuje mnie to – stwierdziła pewnym tonem. Wiedziałam, że jest rozczarowana i zdziwiona faktem, iż nie dostała żadnej głównej roli w przedstawieniu teatralnym. – Mamy dość własnych problemów, żeby się nimi martwić. Nie uważasz?

W ciszy skupiłyśmy się na naszym własnym nieszczęściu i naszych własnych niepowodzeniach.

Siedziałyśmy bez słowa przez całkiem długi czas.

Wszędzie na krzesłach piętrzyły się sterty ubrań do prasowania i przyszło mi do głowy, żeby koniecznie powiedzieć Tam, iż ciąża stanowi cholernie dobrą wymówkę, aby zrobić sobie długi urlop. Nieźle się uśmieje.

Ciągnęło się tak przez chwilę, po czym Lindy palnęła długą przemowę o tym, że powinnam postarać się o pracę u Frinksa.

– Powiem ci, co postanowię – zapewniłam ze znużeniem.
U Frinksa na szklane buteleczki z syropem na kaszel naklejali

karteczki z napisem: „Tylko dotykałeś? Tylko patrzyłeś? Jeśli rozbijesz, uznamy, że kupiłeś!".

– Powinnyśmy dać jej jakiś prezent na pożegnanie – oświadczyła Lindy. – Ja coś kupię, a później ty oddasz mi połowę pieniędzy.

– W porządku – zgodziłam się, nie wiedząc, czy żartuje. Traciłam resztkę posiadanej przecież kiedyś umiejętności właściwej oceny ludzi.

Dokąd idą rodzice, kiedy odchodzą? Wyobrażałam sobie wielki terminal transportowy, jarzący się fluorescencyjnymi świetlówkami, w którym wszyscy oni zbierali się, taszcząc swoje walizki i kartoniki po płatkach śniadaniowych, na których nabazgrali nazwy miejsc, do jakich wymarzyli sobie dojechać. Pomyślałam o pani Fakenham pielęgnującej wywiezione rośliny doniczkowe w nadmorskim pensjonacie ze śniadaniem. Wyobraziłam też sobie pana Fakenhama w malutkiej kuchni po drugiej stronie Whitehorse, krochmalącego przy świetle świec mankiety swoich białych koszul.

Tego popołudnia byłam w centrum handlowym i widziałam kolejny plakat z napisem „ZAGINIONA". Był czarno-biały i tak cholernie brzydki. Wyglądała na nim, jakby była gruba i pryszczata. Z pewnością wielu ludzi pomyślało sobie, że już samym takim wyglądem w pełni zasłużyła, żeby ją zaszlachtować. Gdyby tylko umieścili na plakacie inne zdjęcie, na którym byłaby szczuplejsza i bardziej uśmiechnięta, wtedy ludzie mogliby zareagować! Na tym zdjęciu wyglądała na słabą i podporządkowaną. Nic więc dziwnego, że nikt oprócz mnie nie zastanawiał się, gdzie ona jest: na dnie Czarnego Potoku czy pod stosem palet w jakiejś fabryce.

Wiedziałam, że powinnam myśleć o Cleo, jednak z jakiegoś powodu łatwiej mi było myśleć o Julie Flowerdew.

Lindy przeszła obok mnie i poczułam korzenny zapach Poison. Zbierała małe zielone buteleczki z próbkami, które rozdają tylko ładnym kobietom, nie mającym ze sobą dzieciaków. Zużywała połowę takiej próbki dziennie, rano i wieczorem. Ja spryskałam się kiedyś w sklepie, ale miałam wrażenie, że to spray na muchy.

Debbie Courtney w pubie! Nie miałam już żadnych wątpliwości: nigdy tam nie wrócę.

Ulicą przeturkotała ciężarówka i okno zatrzęsło się jak arkusz blachy falistej.

Niebawem Cleo miała odejść w świat, a ja poczułam się kompletnie oddzielona od tego wszystkiego. Na zawsze. Ich smutne emocje nigdy nie będę mnie dotyczyły.

– Jak koń? – zapytała, wróciwszy do pokoju. Żuła ciastko.

– Okulała. Chyba trzeba ją będzie uśpić.

Już jakiś czas temu nabrałam nawyku przedstawiania Lindy rzeczy gorszymi niż były w rzeczywistości. Dzięki temu czułam się lepiej – jak dzięki piciu wódki, kłamstwom, rabunkom i niejedzeniu. Wydawała się o wiele szczęśliwsza, gdy miała przekonanie, że moje życie toczy się wyjątkowo tragicznie.

Zauważyłam, że na nowej komodzie stoi nowe zdjęcie mamusi w porcelanowych ramkach.

– Ładna fotka – rzuciłam.

– Lubię na nie patrzeć – odparła spokojnie. – Jak chcesz, zrobię ci takie samo.

Pokiwałam głową i poprosiłam o szklankę wody.

– Prawie rok – wyszeptałam.

– Wydaje się, że to wczoraj – powiedziała, wciąż patrząc na fotografię.

Przez chwilę siedziałyśmy w ciszy, myśląc o naszej mamie.

Kiedy zszedł Shred, był już wyższy – w atramentowych dżinsach i podartej czarnej koszulce; włosy znów stały mu dęba, jakby wsadził palec do gniazdka elektrycznego. Kiedy usiadł na krześle, Siouxie i David wspięli mu się na kolana. Przez chwilę wszyscy byli cicho, jak zwierzęta pasące się na niemym ekranie telewizora.

Leciał jakiś film przyrodniczy, pokazujący stado dzikich kotów rozszarpujących swoją ofiarę na krwawe strzępy.

Przesuwająca się po asfalcie guma opon wydawała dźwięki przypominające dudnienie i syk fal.

W podziwie dla ekranu rozchyliły się nam usta i szeroko otworzyły oczy.

Czułam, jakbyśmy się modlili o bezpieczne, pełne słońca życie blondynek z reklamy.

– Jeśli ktoś ma dość szczęścia, by znaleźć miejsce, w którym chciałby się znajdować, wtedy powinien się tam znaleźć – powiedziała Cleo.

Tak więc pukałam do jej drzwi.

– Jak punktualnie! – wykrzyknęła, otwierając wielkie odrzwia i rozkładając szeroko ramiona. – Wejdź, kochana. Przygotowałam ci coś na śniadanie.

Weszłyśmy. Położyłam zniszczoną walizkę Lindy w szkocką kratę (z punkrockowymi naklejkami) koło drewnianego stojaka na parasole. Spakowałam się tak, jakbym jechała na miesięczny wakacyjny obóz: aparat fotograficzny ze świeżym filmem, letnie sukienki, krótkie spodnie, bikini, buty na wysokim obcasie, kilka płyt i wystarczająco dużo kremów do twarzy, płyn do opalania, jednorazowe maszynki do golenia, szczotki, wata, perfumy i kosmetyki, które wystarczyłyby do upiększenia tysiąca migdałowych twarzy. Zapakowałam też niebieską koszulkę bawełnianą Julie, którą pani Flowerdew oddała wraz z używanymi rzeczami dla górników, oraz moje pudełko z zaoszczędzonymi pieniędzmi.

– To zachwycający dom, Tam – wyszeptałam, ponieważ frontowa część była jeszcze piękniejsza niż pomieszczenia w tylnej części domu.

– O tak, z pewnością. Jeśli masz ochotę żyć jak ta cholerna Charlotte Brontë.

Podłoga w przedpokoju układała się we wzory z czarnej, białej i brązowej terakoty, a leżący dalej dywan był jak łąka pełna zielonej trawy posrebrzanej rosą. W oknach wisiały zasłony grube i błyszczące jak kołdry. Olejne obrazy ukazywały sceny z polowania i wydłużone prosięta. Na niskich mahoniowych stolikach błyszczały ornamenty i małe srebrne puzderka. Przede mną, u stóp olbrzymiego wachlarza schodów, jak wielkie bajoro czarnej farby stał fortepian.

– Nie miej takiej zdezorientowanej miny, kochanie. To była pisarka, a ja sobie żartowałam. Mieszkała na ponurej plebanii wraz ze swoim przygnębiająco mrocznym ojcem i dziwacznymi siostrami. I nigdy nie spotykała się z żadnymi chłopcami, i w kółko opowiadała o tym w swoich przezabawnych powieściach.

Tam miała w oczach podniecający, całkiem nierodzicielski błysk. Na szyi wisiał jej centymetr krawiecki, jak modne przybranie. Wcześnie rano tego dnia dzwoniłam do niej i opisałam swoją beznadziejną sytuację. Powiedziała mi, żebym się nie bała, tylko zjawiła u niej punktualnie o jedenastej. Wydawała się podekscytowana.

– *Quelle horreur!* – wykrzyknęłam, ale Tam wolno kołysząc biodrami szła już korytarzem, machając niebieską butelką z wybielaczem. Szła krokiem przemykającej się po wybiegu modelki i do uzupełnienia takiego obrazu potrzebny jej był tylko maleńki mops na nabijanej drogimi kamieniami smyczy.

Jak piesek poszłam za nią do kuchni. Roznosił się tam tak smakowicie świeży zapach pieczenia, że spodziewałam się zobaczyć gdzieś starą babunię z rumianymi policzkami, kręcącą się po kuchni z chusteczką w grochy na głowie i drewnianą łyżką w ręku.

– Powiedziałam Ivy, żeby posprzątała i zrobiła zakupy na twoje przybycie – wyjaśniła, widząc jak wącham kulinarne powietrze. – Powiedziałam jej, że spędzimy trzy dni ucząc się razem. I ta biedna mała istota nawet upiekła ci świeży chleb. Ja jestem beznadziejna w roli gospodyni, ale mam nadzieję się tego nauczyć. Zwłaszcza teraz, kiedy muszę zajmować się tobą.

– Łatwo się mną zajmować. Wystarczy otworzyć butelczynę dżinu i podrzucić mi niewielki kawałek suchego tostu.

– To takie okropne być kobietą – oświadczyła, sadowiąc się na jednej z szafek kuchennych i zapalając papierosa. –

I mieć do zrobienia całe to gotowanie, sprzątanie, szorowanie i polerowanie. Nic dziwnego, że kobiety dostają kręćka.

– To dobrze, że masz Ivy.

– Aha.

– Masz jakieś wieści od mamy? Zaczęła już swoją sztukę?

– Ale to oczywiście zmieni się po zwycięstwie komunizmu – ciągnęła, kompletnie ignorując moje pytanie – bo wtedy kobiety nie ograniczą się tylko do kuchni. Będą mogły robić absolutnie wszystko. Będą pracowały na budowach, pod ziemią w kopalniach. Będą kobiety obsługujące śmieciarki, kobiety zabójczynie z bronią w ręku i kobiety nadzorujące ścieki miejskie.

– Hurra! Wręcz nie mogę się doczekać.

– Ale ja mówię poważnie, ty głupia. Pożyjemy, zobaczymy. Wyobraź sobie, jak wdzięczna byłaby biedna stara Charlotte Brontë za wszystkie te możliwości.

– A ja wolałabym raczej leżeć na sofie i przeglądać czasopisma.

– Tak, najlepiej na tej twojej grubej, nylonowej dupie. Boże, Mona, nie wiesz, że komunizm ma na celu pomaganie ludziom twojego pokroju? Znaczy biednym ludziom, bo ludzie tacy jak ja mają się świetnie. To ludzie tacy jak ty zostaną oswobodzeni.

Sięgnęłam po papierosa, siadłam przy stole kuchennym i pocierałam bolącą głowę, wyczerpana po zaledwie pięciominutowym pobycie w tym domu. Tam surowo i ze złością zaciągała się papierosem, po czym dramatycznie wydmuchiwała dym.

Po dobrej chwili zeszła z szafki kuchennej, wyjęła z tylnej kieszeni spodni parę żółtych gumowych rękawic, które nałożyła, podciągając aż do łokci z pełnym złości trzaskiem.

Zaczęła bez słowa kręcić się po kuchni, rzucając garnkami, pobrzękując sztućcami i trzaskając drzwiami lodówki.

– Może ci pomóc? – zaproponowałam, ale zignorowała mnie.

W końcu wyjęła z piekarnika półmisek i powiedziała:

– Proszę. Przygotowałam to wcześniej. Jedz. Potem zaprowadzę cię do twojego pokoju.

To było coś niesamowitego. Głęboko w kopcu gotowanych, tłuczonych ziemniaków kryło się gniazdo czekoladek z likierem, zbitych obok siebie jak małe myszki. Dla osiągnięcia pożądanie piekącego smaku posypała całą tę górę jedzenia grubą warstwą chilli.

– Co to jest? – zapytałam tak uprzejmie, jak to tylko możliwe.

– To bomba czekoladowa z chilli, głupia ty jedna. Sama ją wymyśliłam. I mam nadzieję, że będzie ci smakowała. Spróbowałam.

– Jest przepyszna, kochanie. Świetnie przyrządzona.

Bez wątpienia był to ten rodzaj pożywienia, do którego poddani brytyjscy będą musieli się przyzwyczaić, kiedy ziemski glob opanuje jądrowe szaleństwo, zostanie wprowadzony w życie Ratunkowy Plan Żywieniowy i porozdzielają wszystkim małe plastikowe łyżeczki.

– Pyszne! Mniam mniam – zachwyciłam się ponownie. Zwróciłam uwagę na fakt, że miała raczej wstrętny zwyczaj palenia, podczas gdy jadłam. Oparła papierosa na brzeżku mojego talerza i poczekała, aż popiół spadnie do jedzenia.

– A teraz wielka wycieczka – zapowiedziała, wychodząc z kuchni. – Chodź za mną!

– Czy przeszkadza ci fakt, że mam z tobą zamieszkać? – zapytałam, idąc jej śladem po schodach, przeżuwając papkę czekoladowo-kartoflaną i ciągnąc za sobą walizkę w szkocką kratę. Wciąż nosiła żółte gumowe rękawiczki i dłonie świeciły po obydwu jej bokach jak dwa kanarki do towarzystwa.

– Nie byłoby cię tutaj, gdyby mi to przeszkadzało, głupia ty jedna!

– Po prostu nie było żadnej możliwości, żebym została w domu po tym, jak Cleo wyjedzie – kontynuowałam zadyszana, śpiesząc się, by dotrzymać jej kroku. – Gdybyś kiedykolwiek miała tego pecha, by zobaczyć mojego przyrodniego brata, zrozumiałabyś.

– W sumie oczekiwałam tego. Jestem pewna, że Cleo

uciekła z górnikami, a mój lubieżny ojciec zaczął kochać tę debilną sekretarkę tylko dlatego, żebyśmy mogły być razem. We wszystkich tych rzeczach jest jakieś nadprzyrodzone znaczenie, Mona. Musisz w to uwierzyć.

– Ojciec zgodził się, że potrzebuję kilku dni, żeby oswoić się ze wszystkimi zmianami.

Zaczęłam nazywać tatusia ojcem, żeby również i on brzmiał jak książkowy bohater.

Kiedy dotarłyśmy do szczytu schodów, skręciła w prawo i zatrzymała się.

– To jest główna sypialnia – scena wielu mistrzowsko przeprowadzonych aktów nienawiści, wstrętu i odrazy oraz zdrady. Przylega do niej łazienka.

Stałam w drzwiach, usiłując złapać oddech, patrząc w kierunku, który wskazywał jej żółty palec. Olbrzymie owalne łóżko przykryte było błyszczącą narzutą w kwiaty, powtarzającą deseń zasłon. Przez drzwi łazienki, które otwierały się do wewnątrz pokoju trochę na prawo, widać było, jak łososioworóżowa wkładka gazety ściele się na podłodze przed białą miską klozetową. Sypialnia stanowiła klasyczny przykład luksusu, a wielkie okno wychodziło na słoneczny, zielony ogród.

– Twoja matka miała kilka wspaniałych rzeczy – stwierdziłam, patrząc na skórzaną sofę i krzesło w rogu pokoju oraz puzderka na biżuterię rozstawione na szklanym blacie toaletki. Liczyłam fotografie Sadie w tym pomieszczeniu. Niektóre solo, a niektóre z Tamsin u boku.

– Ależ Mono! Czy to znaczy, że twoi rodzice nie mają tak dużo pieniędzy? – uśmiechnęła się. Wiedziała, że mojej mamy już nie ma, choć wyglądało, jakby o tym zapominała.

– Cóż, mam wrażenie, że po prostu wydawali je na rzeczy inne niż takie – mruknęłam, wchodząc za nią do sypialni i podchodząc do okna, przy którym zatrzymała się, by obserwować ogród.

– Taaak. Jak komunizm – powiedziała, przeciągając żółtym palcem po swoich dziwnych włosach i rzucając mi najlepsze ze swojego repertuaru zamyślonych spojrzeń. – W komunizmie następuje całkowita zmiana priorytetów. Nie mają szykownych samochodów i najnowocześniejszych pralek, ale za to przez cały czas grzeje im centralne ogrzewanie. Ale w końcu co do cholery potrzebne jest, żeby utrzymać się przy życiu?

Po raz pierwszy zauważyłam, że za wysokim żywopłotem Fakenhamowie mieli trzy korty tenisowe. Ślady na pomarańczowej nawierzchni wskazywały, że niedawno rozegrano na nich jakiś mecz.

– Naprawdę, mogłabym zostać komunistką – uśmiechnęła się. – Co o tym myślisz?

– Kiedy dorośniesz? – odwzajemniłam uśmiech.

Spojrzała na mnie surowo i nie uśmiechnęła się.

– Założę się, że jesteś dobra w tenisie, Tam. Mam rację?

– Oczywiście. Dwa lata temu zdobyłam mistrzostwo w Yorkshire.

– Ja jestem dobra w ping-pongu.

– A to podobne. Nauczę cię.

Wiejski krajobraz, tak wspaniale przybrany zielenią i niebieskościami, przyglądał nam się i uśmiechał. Wysokie drzewa w ogrodzie, włosami wierzchołków dotykające nieba, chwiały się specjalnie dla uczczenia tej okazji, a małe, białe chmurki z uznaniem wpatrywały się w nas, dwie cudowne dziewczyny. Z tego okna, które wychodziło na południową część Goldwell, nie było widać żadnych dróg, domów ani ludzi, tylko unoszące się uśmiechy ziemi, pól i żywopłotów. Bogaci mają lepsze widoki. Mrucząca zieleń wpłynęła do sypialni, zalewając nas, dwa nowe pędy, słońcem i wiatrem.

– To tak różne od widoku z mojego okna, który rozciąga się na wszystkie fabryki i bagnisty brzeg Czarnego Potoku – powiedziałam cicho.

– Sądzę, że widok stąd może być ładny – zgodziła się – jeśli podobają ci się takie właśnie rzeczy. A mojej matce i ojcu najwyraźniej się nie podobają, bo przecież w innym razie byliby tutaj, prawda?

– Może po prostu muszą od tego widoku trochę odpocząć? Prowadzenie tak niezwykłego życia z pewnością męczy.

– Chodź, głuptasie – poleciła, potrząsając głową i odwracając się od okna. – Chcę oprowadzić cię po całym domu.

Korytarz był ciemny i pachniał pastą do podłogi, ale za to chodnik był trampoliną, po której chciałam skakać. Przede mną Tam pukała żółtą rękawiczką w każde mijane drzwi.

– To pierwsza łazienka. To sypialnia dla gości. To kolejna sypialnia dla gości. To schowek na rupiecie. To trzecia sypialnia dla gości z własną łazienką. Możesz ją zająć. Chciałabyś mieć własną łazienkę?

I poszła dalej. Zaczynałam rozumieć, że jej pytania są po prostu rzucanymi uwagami.

Minęłyśmy kolejne schody prowadzące dalej w górę domu.

– Co jest na górze? – zapytałam, wykazując uprzejme zainteresowanie najbardziej dopieszczanego gościa.

– Kilka zagraconych pokoi i jedno dziwne miejsce, w którym mama trzyma rekwizyty teatralne ze wszystkich zwariowanych przedstawień amatorskich, w których występowała dotychczas.

Brzmiało ciekawie i chciałam to zobaczyć, jednak ona maszerowała dalej, nie przekazawszy żadnej dodatkowej informacji na ten temat. Na końcu korytarza skręciła w prawo, stałyśmy więc teraz twarzą w kierunku tyłu domu, czyli na wschód, gdzie była stajnia Willow i jej wybieg. Było jeszcze troje zamkniętych drzwi.

– To gabinet ojca, z którego przez wszystkie te lata prowadził rozgrzewające kabel do czerwoności rozmowy telefoniczne ze swoimi licznymi sekretarkami. To kolejna sypialnia dla gości, a to... – przerwała na chwilę, stanąwszy przed zamkniętymi drzwiami. – To pokój Sadie.

– Rozumiem.

Stałam obok niej, dotykając chłodnej skóry jej ramienia. Patrzyła na swoje stopy, mrugając przy tym powiekami.

– Mogę zajrzeć do środka? – poprosiłam delikatnie. Gdy szło o moją mamę, lubiłam, kiedy ludzie okazywali zainteresowanie jej osobą i jej rzeczami, nawet kiedy już od nas odeszła.

– OK – zgodziła się, powolnym gestem kładąc swoją żółtą rękawicę na gałce przy drzwiach i przytrzymując ją przez chwilę. Rozległ się złowieszczy pisk gumy pocierającej o porcelanę. – Ale żebyś się nie przestraszyła. Matka upiera się, żeby pokój wyglądał dokładnie tak, jak wtedy, kiedy Sadie żyła. Może to wywołać gęsią skórkę, choć tak naprawdę jest głupie.

– Świetnie to rozumiem – wyszeptałam. – To całkiem normalne. Ja też długo nie chciałam, żeby ktokolwiek dotykał rzeczy mamy.

– Dobra. Gotowa? – zapytała, a ja skinęłam głową. Powoli otworzyła drzwi.

Był to najcudowniejszy pokój, jasny i delikatny. Maślane słońce przelewało się po wszystkim jak bita śmietana po najbardziej wyszukanym cieście. Pojedyncze łóżko skrywało się pod chmurą białej, koronkowej narzuty, a falbany spadały spienionymi zmarszczkami na podłogę. Na okrągłym stoliku przy łóżku czekała książka, a obok niej szklanka czystej wody. Nie było kurzu. Wszystko wypolerowano. O wysoki stos poduszek opierały się lalki z poszarzałymi, porcelanowymi twarzami. Na regale z ciemnego drewna, który rozciągał się z prawej strony okna od podłogi niemal po sam sufit, porzucone pluszowe misie beznadziejnie wyciągały ku nam łapki. Owalna toaletka ze szklanym blatem gościła ekspozycję złożoną z buteleczek perfum, kosmetyków do makijażu, biżuterii oraz szczotki do włosów.

Srebrnej szczotki, wciąż jeszcze miękkiej od złotych, lśniących włosów.

Jednak najgorsze czaiło się w rogu: jedyne lustro w domu, wysoki antyk, dumnie odchylony odrobinę w tył na swoim stojaku, odbijający bez końca tylko zmierzchy, wschody słońca, świty, ciemność i stojącą naprzeciwko wysoką szafę.

– Tylko nie płacz, Mona! – wykrzyknęła Tam z irytacją.

– Przepraszam. Wszystko dlatego, że wiem, jak okropne musi to być dla ciebie.

– Tak, okropne. Ale teraz jest o wiele lepiej, bo mam tutaj ciebie. Przestań, proszę. Nie chcę, żebyś stała się smętna i zrozpaczona jak wszyscy inni.

Powiedziawszy to, wyszła z pokoju. Przez chwilę stałam w nim sama. Podeszłam do okna i jeden raz spojrzałam przez nie krótko. Pod tym właśnie oknem czekałam na Tam w zeszłą sobotę rano.

Więc to z tego okna mnie obserwowała.

Obróciłam się i, chwyciwszy walizkę w szkocką kratę, zamknęłam za sobą drzwi Sadie.

– A teraz dowód, że nie trzeba umierać, żeby trafić do nieba – powiedziała, kiedy ją dogoniłam u podnóża schodów. – Spodoba ci się, kochanie.

– Tak?! – wykrzyknęłam radośnie.

– Piwnica. Całe rzędy zakurzonych butelek alkoholu, czekające tylko na pijące dziewczyny.

– Prawdziwy raj!

Skręciła w lewo za schodami, z tupotem przebiegła obok fortepianu i zanurzyła się w kolejnym ciasnym korytarzu. Przekręciła klucz w wąskich drzwiach i zaczęła schodzić po schodach.

Wilgotne ściany piwnicy pokrywały wielkie płyty lśniącego kamienia. Czułam zapach chłodnej, omszałej zieleni, jak podczas nocnego spaceru w zarośniętym ogrodzie. Światło, w które wchodziłyśmy, było przyćmione ciemnym szkarłatem wina. Ciągnęłam walizkę za sobą, kiedy schodziłyśmy po skrzypiących schodach. Tam czekała na mnie na dole, nieruchoma i milcząca. Kiedy się odwróciła, jej twarz była sztywna i nieruchoma jak woskowa figura. Niewątpliwie zobaczyła swoją siostrę, jej jasno błyskające włosy w piwnicznej ciemności.

Usłyszałam powolne kapanie, powietrze było gąbczaste i wilgotne. Czułam się jak złota rybka: mokra i oszołomiona. Nie chciałam się koncentrować, ze strachu, że również i ja zobaczę Sadie. Czułam, że oczy znów kłują mnie od łez. Willow. Będę myślała o Willow. Ale nie byłam już w tym samym życiu, w którym opiekowałam się koniem tej wykwintnej rodziny. Moje dni z Willow były teraz zaledwie mglistym wspomnieniem szczęśliwego dzieciństwa. Zwierzę wciąż jeszcze gdzieś tam było, jednak nie chciałam już na nie patrzeć i nawet nie zauważyłabym, gdyby sępy rozszarpały jej szczątki.

Zrobiło się chłodno i Tam potarła gumowe rękawice jedna o drugą: wydały z siebie przerażające cmoknięcie.

Sięgnęłam do kieszeni i wzięłam kilka dawek ventolinu. Wiązało się to z ryzykiem, ponieważ Tam nie znosiła słabości i bezbronności.

– Wyglądasz niezdrowo, Mona – wyszeptała i nagle w ciemności gumowy palec dotknął mi policzka.

Zrozumiałam wtedy, że Tam traktuje mnie tak, jak zawsze traktowała mnie Lindy: jak gdybym istniała wyłącznie dla jej osobistej rozrywki.

– Skórę masz białą i kalafiorowatą. I wyglądasz trochę jak nieżywa – westchnęła. – Jakbyś była w szpitalu.

– Moja mamusia... – zaczęłam i natychmiast przerwałam.

– Nie, no tak. Mamusia. Mama. Lubię, jak mówisz. Masz taki szorstki akcent. Typowy dla Yorkshire.

Zapach był ziemisty, jakbyśmy znajdowały się gdzieś głęboko pod ziemią.

– To przez ciemność. I oglądanie pokoju Sadie. Przypomina mi to o niej i o tym, co się działo, kiedy umarła.

Popatrzyła na mnie podejrzliwie.

– Już prawie rok – dodałam. – Odkąd umarła. Moja mama.

Wysunęła dolną szczękę i zamrugała szybko oczami w błazeńskiej imitacji żalu.

– Wciąż o niej myślę – powiedziałam i uśmiechnęłam się. – Ale wszystko jest w porządku.

Powietrze było ciężkie, prawie mokre, jakby miała się na nas za chwilę rozpadać chmura łez.

– Nie przejmuj się – pocieszyła mnie Tam, wchodząc w szpony najczarniejszej ciemności pośrodku piwnicy. Potem, odwracając się nagle, powiedziała wyzywająco: – To składa się na twoje *je ne sais quoi*. A mężczyźni będą za tym po prostu przepadać. Oni zdecydowanie wolą zniszczone kobiety.

– Och, pewnie.

– W takim razie proszę. Wybierz jakiś alkohol – zaproponowała, po czym wbiegła po schodach na górę. Z trudem dysząc, zostałam w ciemnościach piwnicy ze swoją walizką.

Wyciągnęłam trzy butelki z drewnianego stojaka i zaniosłam je na górę.

Kiedy wynurzyłam się z piwnicy, siedziała na pudle fortepianu, paląc papierosa i niecierpliwie machając nogami.

– Jeśli sądzisz, że to było przerażające, kochanie, to przygotuj się na coś, co chcę ci pokazać teraz.

– Co?

– Poczekaj. Zaraz się przekonasz. Odstaw wino.

Postawiłam butelki na fortepianie, ale ponieważ nie kazała mi zostawić walizki, dalej ciągnęłam ją za sobą po korytarzu. Ukośny cień przyciemniał już korytarz, więc ze światła przeszłyśmy w ciemność. Zaraz na lewo od frontowego wejścia znajdowały się wielkie, białe drzwi. Zamknięte. Stary, czarny klucz z zapętlonym oczkiem wystawał z zamka.

– Jesteś gotowa? – upewniała się. Pogłaskała mnie po twarzy.

Skinęłam głową. Przekręciła klucz, chwytając go żółtym kciukiem i żółtym palcem wskazującym.

Wolno otwierające się drzwi wydały delikatne, jazgotliwe skrzypnięcie. Pchnęła je i uczyniła gest zapraszający mnie, bym przeszła pod jej ramieniem, jakbyśmy tańczyły jakąś figurę. Weszłam do środka jako pierwsza.

Było zimno. W środku panował ten sam kamienny, stary chłód, który skapuje na ludzi w kościołach.

Przede mną roztaczało się wielkie, kasztanowe lodowisko. Stół tak ogromny, że można by na nim grać w bilard. Na środku sterczał trójramienny, złoty świecznik. Wsunięte głęboko, tak że każde oparcie dotykało blatu, stały krzesła. Zza stołu wyłaniał się antyczny kredens, ozdobiony niebieskimi i białymi talerzami. W pokoju nie było nic więcej.

– Oto jadalnia, Mono – oświadczyła Tam uroczyście. Zamknęła za sobą drzwi i opierała się teraz o nie, broniąc wyjścia.

– Jest piękna.

– Nie jest, ty głupia. To najbardziej przerażające miejsce w całym domu.

– Jak to?

– Wyobrażasz sobie, jak to jest siedzieć wieczorem przy tym stole? Nikt się nie odzywa. Sadie nic nie je. Tatuś marzy o swojej sekretarce. Mama sztywnieje na myśl o wszystkich swoich utraconych szansach. Przejmujący zgrzyt noży i widelcy. I tak co wieczór.

Pomyślałam, jak my siedzimy wokół telewizora z kubkami herbaty, trzęsącymi się nam na kolanach, prześladując Balerona.

Zadrżałam. Niewątpliwie w jadalni było tak zimno dlatego, że nikt tu nie wchodził, odkąd umarła Sadie. Była zamknięta na głucho. Jak grób mojej mamy.

Na lewo od świecznika stał jakiś okrągły szklany przedmiot. Lśnił różnymi kolorami, jak woda z domieszką benzyny: szkarłatnie, niebiesko, żółto. Może wazon na kwiaty, a może szklana kula pani Fakenham?

Tamsin oderwała się od drzwi. Szła w moją stronę. Między palcem wskazującym a kciukiem trzymała czarny klucz do jadalni i zaczęła wolno pocierać nim o kant stołu.

Spojrzała w dół i zobaczyłam ją niebezpiecznie podwojoną przez mahoniowe lustro blatu. Potem tak niespodziewanie, że aż podskoczyłam z zaskoczenia, odwróciła się z dzikim pędem, pochyliła, zebrała całą siłę w dłoni i przy pomocy zębatego końca klucza zaczęła drapać wypolerowany blat.

– A maaaasz! Noooo! Maaaaaasz! – jęczała twarz w stole.

– Tamsin! – krzyknęłam stłumionym głosem i zakryłam ręką usta, żeby pohamować szok. Poruszała ręką tak, jakby polerowała blat. Tylko ten przerażający dźwięk szaleńczego skrobania. Miała zaciśnięte zęby, a na szeroko otwartych oczach lśniła jej mokra mgiełka.

Potem na blacie stołu w jadalni pojawiła się wydrapana w kolorze blond plątanina linii, kątów i krzywizn, jakby najlepsi łyżwiarze wykonali tam przed chwilą zapierające dech w piersiach ewolucje.

Tego wieczoru, kiedy opróżniłyśmy zakurzone butelki zawiesistego, czerwonego wina, na przekór wsuniętej pod frontowe drzwi ulotce, ostrzegającej „Uwaga! Susza!", postanowiłyśmy odprężyć się w długiej, gorącej kąpieli.

Tam zapaliła świece w całej łazience i wtaszczyła na piętro gramofon, więc muzyka disco przebijała się z hukiem przez parę.

Wtedy nadszedł czas, żebyśmy się rozebrały.

Bardzo powoli Tamsin pozbywała się ubrania. Ponieważ upierała się przy żółtych gumowych rękawicach, cały proces był odstraszająco powolny; z trudem poradziła sobie z suwakami i guzikami. Najpierw zdjęła skarpetki, potem bladoniebieski sweter na guziki, potem piękne białe spodnie, a potem różową bawełnianą podkoszulkę. Każdą z tych rzeczy starannie składała po zdjęciu z siebie i umieszczała jedną na drugiej na stojącym w łazience krześle.

Powoli ujawniała się jej nagość. Miała tak kremową skórę, że nabrałam pewności, iż gdybym jej dotknęła, na palcu zostałaby mi biała piana, akurat do zlizania.

Kiedy została już tylko w różowych, koronkowo delikatnych majteczkach i takim samym biustonoszu, odwróciła się do mnie tyłem, powoli, jak na erotycznym filmie, sugerując raczej niż pokazując. Ręką odzianą w żółtą rękawiczkę sięgnęła do pleców, żeby odpiąć biustonosz. Potem, najpierw zerkając na mnie nieśmiało znad ramienia, z fałszywą skromnością odwróciła się przodem.

Czy Tamsin była zbyt tłusta? Miała dwa jędrne pośladki i te piersi! Piersi tak pełne, i bardziej różowe niż cała reszta ciała, i dziwnie półprzezroczyste w okolicach sutków, przez co wyglądały tak, jakby przed chwilą nadmuchano je z gumy do żucia. Jednak cała reszta jej ciała była długa i smukła: biodra układały się w najdelikatniejszą krzywiznę, pulchne łydki przechodziły w mocne kostki. Miała ładnie widoczne żebra i wyraźnie wciętą talię. Z powodzeniem mogłaby znaleźć się w każdej książeczce dla chłopców.

– Teraz twoja kolej – powiedziała goło, zginając rękę tak, jakby ktoś przypiął jej do piersi żółtą kokardę.

Zerwałam z siebie ubranie najszybciej, jak mogłam. Stałam przed nią z przepraszającym uśmiechem i dłońmi zaciśniętymi w pięść. Popatrzyłam na swoje piersi i zastanawiałam się, jak wyszłyby na zdjęciu. Gdyby oczywiście pojawiły się w jakimś czasopiśmie. I przyszło mi do głowy, że do tego właśnie numeru musieliby dołączać gratis szkło powiększające!

Zagwizdała z uznaniem, a potem dostała ataku śmiechu i bez słowa komentarza rzuciła się do wanny.

– Tylko zobacz. Jeśli wstrzymasz oddech, szeroko otworzysz oczy i wyprostujesz ręce i nogi, to możesz pod wodą udawać topielca. To świetna zabawa.

Spróbowałam i omal się przy tym nie utopiłam. Kiedy przestała się śmiać, włączyła muzykę i powiedziała, żebym stanęła w wannie i tańczyła okryta parą. Tańczyłam, a później ćwiczyłam moje nowe taneczne umiejętności w korytarzu, tuż za drzwiami do łazienki, gdzie muzyka była najgłośniejsza.

Romans.

Tej nocy nie przyszedł czas, kiedy Tam zaproponowała, byśmy poszły spać. Nie wskazała mi mojego pokoju, choć wszędzie niezręcznie ciągałam za sobą swoją walizkę. Nie pokazała mi też swojej sypialni. Natomiast o pierwszej w nocy zrobiła mi kanapkę z pieprzem i pieczoną fasolą, a kiedy ziewnęłam i zaczęłam trzeć oczy, powiedziała:

– Nie myśl nawet o zmęczeniu, kochanie. Dzisiejszej nocy nie czeka cię sen. Będziemy spały w ciągu dnia, a tań- czyły nocą. Co o tym myślisz?

– Jak uważasz – ziewnęłam.

– Nie możemy przecież ryzykować, że ktoś nas zauważy, więc będziemy żyły jak mądre sowy.

– W porządku.

– Jesteś zbyt zdenerwowana, Mona. Powinnaś więcej palić.

– Taak – zgodziłam się i sięgnęłam po papierosa. którego specjalnie dla mnie wyjęła sobie z ust. Miękki i mokry filtr delikatnie przykleił mi się do warg.

– Chodzi mi o to, że musimy zachować takie środki ostroż- ności, bo co jeśli ktoś powie mojemu ojcu, że nas tu widział? Przecież mam teraz być na wsi z elegancko zaplecionymi war- koczami i ołówkiem zagryzanym w naukowym szale.

– O, nie!

– Ale jeśli zasłony pozostaną zaciągnięte, a drzwi poza- mykane, pomyślą sobie, że wyjechałam zgodnie z planem.

– A jeśli zobaczą nas w nocy?

– Nie zobaczą, głupia ty jedna! O dziesiątej trzydzieści wszyscy wokół są już dawno w swoich zapoconych łóżkach. Ale oczywiście będziemy ostrożne. Właśnie wtedy zamie- rzam malować. Nocą. O wiele przyjemniej maluje się przy chłodnym świetle księżyca niż przy słońcu za dnia. Nie sądzisz? Chyba zacznę zaraz.

Wciąż jeszcze trudno mi było ocenić, czy Tamsin żartuje, czy też mówi poważnie. Znikła, by wrócić mniej więcej po dwudziestu minutach w drelichowych spodniach i z włosami zakrytymi chustką. W jednej ręce miała nóż, a w drugiej jakieś długie i płaskie narzędzie. Była druga szesnaście w nocy.

– Teraz pójdę do stodoły poszukać jakiejś drabiny. Zostań tutaj i pracuj nad strategiami obstawiania zakładów, żebyśmy mogły wygrać trochę pieniędzy. Musisz poznać wszystkie sekrety hazardu, żebyśmy nie przegrały, kiedy już zaczniemy wygrywać. Tymczasem ja będę malowała na zewnątrz.

W końcu udało jej się oprzeć drabinę o ścianę domu i zaczęła nożem zdrapywać farbę. Stała zaledwie kilka szczebli nad ziemią, ponieważ za bardzo bała się wejść wyżej. Zaczęła od wschodniej ściany, na tyłach domu, przekonana, że tak będzie bezpieczniej, gdyby zjawił się ktoś wścibski.

Chociaż miałam zostać w kuchni, skupiona i zatopiona w rozważaniach, pierwszą noc z Tamsin spędziłam gryząc palce i gapiąc się w ciemność.

Kiedy nie było jej już dłuższą chwilę, weszłam na górę, wychyliłam się z okna drugiej łazienki, krzyknęłam: – Proszę o uśmiech, kochanie! – i pstryknęłam kilka zdjęć. Wyglądała na rozczarowaną i złą. Waliła w ścianę z wielką siłą. Była potargana i zadyszana.

W miejscach, gdzie ze złością uderzała nożem, pojawiły się drobne strupy. W końcu farba zaczęła odchodzić i słać się księżycowymi płatkami po całym ogrodzie. Chciała kłaść nowy kolor, zanim jeszcze usunie starą farbę. Zaraz też zeszła z drabiny, by znaleźć puszkę różowej farby, którą zaczęła nakładać na ścianę.

– Tak trzymać, kochanie. Świetnie ci idzie – zachęcałam ją.

– To wyczerpujące – odpowiedziała, przekrzykując chłód nocy. – Ale ulżyło mi, bo wreszcie doprowadzam różne rzeczy do porządku.

O trzeciej czterdzieści osiem wróciła do kuchni i rzuciła na stół najpierw narzędzia, a potem chustkę. Wyglądała na wściekłą. Pod gumowymi rękawicami bolały ją odciski i otarcia. Jej cudowne piersi z gumy do żucia falowały, jakby za chwilę miała się rozpłakać.

– Idę do łóżka. Dobranoc – powiedziała i znikła, trzaskając za sobą drzwiami.

Siedziałam, ale nic więcej się nie wydarzyło.

Kiedy głowa zaczęła mnie boleć od opierania o stół, postanowiłam przenieść się na fotel bujany. Na piersiach rozłożyłam sobie ścierkę do naczyń, oparłam nogi o walizkę w szkocką kratę i spałam tak do rana.

kiełbaski

– Gdzie byłaś? – zapytała ze złością. Podciągnęła gumowe rękawiczki i rozległ się elastyczny trzask. Zrobiła minę i stanęła z założonymi rękami.

Był czwartek 4. czerwca i mieszkałyśmy razem już przez całe trzy dni. Wracałam z miasta, gdzie byłam, żeby postawić zakłady (bez powodzenia). Chociaż był to dla nas środek nocy, czekała na mnie, niecierpliwie paląc papierosy. Jej włosy znów przybrały postać szalonych, wełnopodobnych loczków.

– Zaatakowano nas, kiedy cię nie było. Musiałam wstać z łóżka. Było wstrętnie, jasno i słonecznie. I ciebie nie było. Omal nie wezwałam policji – syczała, wysuwając dolną szczękę na początku i z kłapnięciem cofając ją na końcu każdego zdania. – Nie chcę, żebyś wychodziła z domu nie uprzedzając mnie o tym. Słyszysz? Jesteś bardzo samolubna, Mona. Bardzo.

Nerwowo bawiła się miarką krawiecką, którą teraz już przez cały czas nosiła przewieszoną przez kark.

Wszystko było wysprzątane. Kran lśnił czystością, podłoga piszczała, kiedy przejeżdżało się po niej palcem, nawet białe kafelki świeciły lodową świeżością, jakby całą kuchnię wylizał ktoś językiem. Może była Ivy.

Nagle poczułam, jak złość ściska mnie w żołądku. Potem tęsknota. Już wcześniej jej wyznałam, że będąc z nią, czuję się równie szczęśliwa, co wystraszona. Powiedziała wtedy: – Czyż nie taka jest definicja najbardziej ekscytującego etapu miłości? Jedno bez drugiego czuje się znudzone, wystraszone albo ogłupiałe. – Pomyślałam wtedy, że to bardzo mądre.

Dostałam awans, pozwalający mi spać z nią w łóżku, i choć miałam tam bardzo mało miejsca, a ona spała ciasno owinięta dwoma kocami i prześcieradłami, podczas gdy ja trzęsłam się z zimna tuż obok niej, to przecież lepsze to niż bujany fotel w kuchni. Sypialnię miała schludną, z książkami, biurkiem, kosztownymi obrazami na ścianach i miękkim, dorosłym oświetleniem. Były tam też przedmioty z Afryki i dziwaczny dywan wiszący na ścianie.

– Musiałam wygrać dla nas trochę pieniędzy – wyszeptałam szybko, nie mając nawet pewności, czy mówię prawdę. Ona omal nie wezwała policji. Jutro mijało dokładnie siedem dni od włamania do małego domku z dużymi niebieskimi kapciami, zrobionym na drutach czerwonym, rozpinanym swetrem i błyszczącą kuchnią.

– Słyszałaś mnie, kochanie? Zostałam zaatakowana.

Nie miałam pojęcia, co miała na myśli, mówiąc „zaatakowana", ale kojarzyło mi się to z jakimś odległym państwem.

– Musiałam coś dla nas wygrać. Żebyśmy miały dużo pieniędzy, kiedy będziemy obstawiać w wyścigach.

Mój głos brzmiał, jakbym po raz pierwszy słyszała siebie samą z taśmy. Często mówiłyśmy o Dniu Derby, kiedy postawimy zakład, ponieważ był to jedyny cel, do którego zmierzałyśmy. Nie udawało nam się znaleźć jakiegokolwiek celowego zajęcia.

– Jeśli w ogóle kiedykolwiek coś obstawimy – mruknęła, opuszczając jedną rękę w geście przebaczenia. Spojrzałam na własne stopy, a później znów do góry. Paliła mnie twarz. Słońce piekło tak strasznie, że natychmiast parowały pojawiające się w oczach łzy.

Na stole ułożyła rząd noży, wyginających się w łuk od najmniejszego do największego.

– Obstawimy. Zaufaj mi, Tam.

– Brzmisz jak mąż w amerykańskim telewizyjnym filmie obyczajowym.

– Kochanie! Zobaczysz, będzie dobrze. Przysięgam.

– Twój akcent jest koszmarny. Nie powinnaś była wychodzić z domu, nie zapytawszy mnie o zdanie. To niebezpieczne. Poza tym jest za gorąco. To nienaturalne.

– Kochanie, dlatego noszę moją starą myśliwską broń – powiedziałam, poklepałam się po dupie i posłałam jej powolny, ale nieodparty uśmiech. Zatrzymałam ten uśmiech na twarzy, aż stał się trochę przerażający.

Często straszyłyśmy się nawzajem, nie przyznając, że tak właśnie robimy. Pomagało nam to zwalczyć nudę.

Odwróciła się ode mnie i miękką szmatką w kolorze cytryny potarła ostatni w rzędzie nóż.

– Przestań! Powinnaś być racjonalna.

– Ależ kochanie. Nigdy nie zrobiłabym czegoś, co mogłoby cię zranić. Jabłuszko ty moje.

– Przestań!

– Przepraszam. To się nie powtórzy. Już nigdy nie wyjdę z domu, nie pytając cię wcześniej o zdanie – zapewniłam.

Ale nie spojrzała na mnie. Patrzyła gdzieś nad moim ramieniem, a twarz powoli tężała jej w wyrazie wielkiego bólu.

Nagle poczułam się gruba.

– Znów tu są! Uciekaj! – wrzasnęła. Obróciłam się w panice, ale nie dostrzegłam niczego niezwykłego. Słyszałam krzyk. Nieskładnie pobiegłam za nią korytarzem w kierunku drzwi, obijając stopy o kamienną podłogę. Krzyczący głos brzmiał płasko i szybko, jakby szaleniec czytał liczby w bingo.

Czyżby to była tłusta ciotunia?

Potem zostałam w korytarzu sama. Mimo pamiętnego zwiedzania dom nadal wydawał mi się obcy. Wciąż były w nim pokoje za wysokimi, zamkniętymi drzwiami, do których jeszcze nie wchodziłam. Klamki, dziurki od klucza i zamki wygładzone wiekową farbą w kolorze kości słoniowej. Każda deska skrzypiała na swój sposób i tak bezpardonowo, że nawet drewniane deski wydawały się tu mieć gwałtowny charakter.

Potem zjawiła się za mną, nierealna, romantyczna, uśmiechnięta, popchnęła mnie delikatnie, a potem przeszła przede mnie, zamknęła drzwi i znalazłyśmy się w zalatującej stęchlizną, szarej ciemności, z moim nosem wetkniętym w jej kark i jej plecami przyciśniętymi do mojej potwornej piersi. Twarz miała wtuloną w pęk płaszczy wiszących z tyłu drzwi. Bałam się, że w moim oddechu wyczuje ten plasterek kiełbasy.

Malutka kanciapka, pełna brudu i kabli, stary dywan, a za dyszeniem naszych oddechów trzaski elektryczności.

– Przez całe popołudnie na mnie polował. A ja siedziałam tu sama. Nie było nikogo, kto by mi pomógł – wyszeptała. Mówiła do drzwi, do rzędu pięciu desek znajdujących się przed jej twarzą, a ja mówiłam do tyłu jej głowy. Zastanawiałam się, czy ma na twarzy ten swój kpiący uśmiech.

– Co? – mruknęłam. Teraz słyszałam go wyraźnie. Stał na zewnątrz i chyba był wściekły. Mówił okropne rzeczy, których powinien był się wstydzić w kontaktach z dziewczyną, uczęszczającą przecież do jednej z lepszych instytucji edukacyjnych. Żądał pieniędzy. Wyobraziłam sobie jego starą, obwisłą i w dodatku bez grosza twarz, mielącą w ustach przekleństwa.

To był Paul. Ogrodnik. Zaaplikowałam sobie dawkę ventolinu, ponieważ stanowił on jedyny bodziec, jaki miałam: żadnych fajek i żadnego alkoholu. Przyszło mi do głowy, że może powinnam zasugerować, byśmy poszukały tutaj jakiegoś kleju.

– Mężczyzn nie należy się bać. To nieudacznicy. Nie wolno nam o tym zapominać – wyszeptałam.

– Wysoki Paul. Cholerny służący. Nie mam pojęcia, czy jest nieszkodliwy, czy nie jest. Mogłam stracić życie. Chce swoją tygodniówkę, ale pieniędzy już nie ma. Wydałyśmy. Ciągle dzwoni i stuka do drzwi. Mógł mnie przecież zamordować.

– Przykro mi. Byłam poza domem, żeby zarabiać pieniądze – powiedziałam. Nie potrafiłam nawet wyobrazić sobie upokorzenia, którego doznałabym, gdyby Tam dowiedziała się o mojej niedawnej przegranej.

– A wyobraź sobie, że wybucha teraz bomba jądrowa.

– Tutaj byłybyśmy bezpieczne. Przetrwałybyśmy wybuch.

– Ale myślisz, że to dobry pomysł, żebym pozwoliła ci przynieść tutaj kilka kocy, jakieś puszki i kilka butelek wody, tak na wszelki wypadek?

Nie potrafiłam stwierdzić, czy żartuje sobie, czy nie, jednak postanowiłam zaryzykować:

– O, tak, kochanie. Powinnyśmy to zrobić. Żeby było jeszcze bezpieczniej, możemy też wyłożyć ściany książkami.

Przez chwilę panowała cisza. Wyobraziłam sobie przepięknego pomarańczowego grzyba na tle błękitnego nieba.

– Jadłaś? – zapytała pociągając nosem, jednak nie odwróciła głowy.

– Nie. Oczywiście, że nie. Nie przełknęłabym niczego poza twoimi szykownymi domowymi potrawami.

– Kiełbaski – stwierdziła i popatrzyła w dół ze smutkiem. I była to prawda. Kiedy byłam poza domem, zjadłam cudownie niegodziwy plasterek kiełbasy.

Byłyśmy przerażone. Jednak nie mogłyśmy tego przyznać, ponieważ nie miałyśmy dokąd pójść. Jeśli oddychałam w określony sposób, wciągając powietrze głęboko do żołądka i nie mówiąc ani słowa, przerażałam ją jeszcze bardziej. Uświadomiłam sobie, że lubię ją przerażać, że lubię widzieć, jak jej ciało zmienia się pod wpływem strachu. Tę właśnie satysfakcję czerpała Lindy, kiedy byłam mała, a teraz ja czułam wyjątkową przyjemność, gdy wprawiałam innych w przerażenie. Uczyłam się też, że zmieniając własne zachowanie możemy wywoływać określone zachowania innych ludzi. Tam także o tym wiedziała. Można to robić sobie nawzajem, nie trzeba znaleźć się w tłumie. Pomyślałam, że mój zapach z tak bliska, pomieszany z kurzem i padłymi insektami, musi przypominać gnijącą podziemną jamę.

– Jesteśmy tu jak w grobie – zauważyłam.

– Sadie i ja kiedyś się tu bawiłyśmy. Jeśli można to nazwać zabawą. Zamykała mnie tutaj i mówiła mi, że wokół stóp mam wijące się węże. Trzymała drzwi tak, że nie mogłam ich otworzyć, dopóki nie zaczęłam błagać o litość.

– Lindy kazała mi stać w wiadrze z lizakiem w ręku i śpiewać piosenki dla swoich przyjaciół. Pozwalała mi wyjść z wiadra dopiero wtedy, gdy mój występ został oceniony na maksymalną liczbę punktów.

– Kiedy Sadie poważnie zachorowała, jeśli ktoś powiedział jej coś okrutnego, po prostu mdlała. Upadała na podłogę jak liść spadający z drzewa.

– Suka – oceniłam.

– Taaak – zachichotała.

– Ciii! – wyszeptałam, sięgając ręką nad jej ramieniem i przyciskając palec do jej cudownie miękkich ust. Znów było między nami dobrze. – Ja udawałam nieżywą, jeśli Lindy dała mi klapsa. Padałam na ziemię i kazałam jej myśleć, że mnie zabiła. Leżałam nieruchomo przez długi czas. Nawet pół godziny. Szło mi to nawet całkiem nieźle. Nawet kiedy mnie szarpała i gryzła, żeby przywrócić do życia, potrafiłam leżeć martwa jak kamień.

Uśmiechnęła się, ale nie na długo. Kiedy po odgłosach zorientowała się, że Paul przeszedł na drugą stronę domu, jej oddech stał się szybki i przerażony.

– Wyglądasz jak Sadie stojąca w tym ciemnym schowku – szepnęła. – Była tak samo chuda i koścista jak ty.

– Naprawdę? – zapytałam, delikatnie wydmuchując sylaby na skórze jej karku.

– I te trochę wystraszone uszy. I tak samo proste włosy jak te, które miałaś.

Tak naprawdę, mimo tego wszystkiego, co słyszałam o Sadie, zawsze wyobrażałam ją sobie jako zdrowo wyglądającą szwajcarską dziewczynę podobną do Heidi. Taka właśnie wydała mi się wtedy, ze skórą bez skazy i popielatoblond włosami fruwającymi na wietrze. I tak wyglądała na wszystkich fotografiach w całym domu.

– Dopiero później zrozumiałam, ile odwagi potrzeba, by

żyć jak ona. Jak odważna była Sadie, aby przyjąć wyzwanie śmierci – wyznała, ostatnie trzy słowa wymawiając wyjątkowo dramatycznie, jakby znajdowała się na scenie.

– Przyjąć wyzwanie śmierci – powtórzyła. – Brzmi tak romantycznie, jak tytuł filmu.

Próbowałam wyobrazić sobie Sadie z Kambodży i jej blond włosy wypadające całymi pękami.

Walenie męskich pięści o zamknięte drzwi było odległe, ale wyraźne i silne.

Przysunęła się do mnie jeszcze trochę bliżej i zauważyłam, że we włosach miała łysą plamkę, w miejscu gdzie przystawiła nożyczki zbyt blisko skóry. Mogłaby odwrócić się i pocałować mnie. Zlizać ze mnie każdą zmarszczkę.

– Nie wejdzie do środka, prawda? – zapytałam szeptem, kiedy brak oddechu, podniecenie i jej bliskość stały się nie do wytrzymania.

– Przecież on jest ogrodnikiem, na litość boską. Jest słu--żą-cym, Mona! Nie wszedłby do domu, dopóki mu nie pozwolę. Wciąż jeszcze ja tu trzymam sprawy w swoim ręku.

– To dobrze. Ktoś musi trzymać sprawy w ręku.

– Wygrałaś? – zapytała, przesuwając rękę do tyłu i opierając mi dłoń na udzie, nie w zwykły, przepełniony miłością sposób, ale by sprawdzić, czy jestem bezbronną dziewczynką.

– Taak. Mnóstwo – odparłam w tajemniczy sposób, jakby moja wygrana była początkiem czegoś innego. Jakbym miała władzę, której ona nie potrafi do końca zrozumieć. Coś tak niewytłumaczalnego, że ludzie bardzo się mną interesowali.

Próbowałam wydawać się męska.

– To takie ekscytujące! – wykrzyknęła.

– O, tak! – krzyczałam, zaciskając oczy i pięści.

Ten schowek był dokładnie takim miejscem, jakie rząd zalecał jako schronienie na wypadek sowieckiego ataku.

– Więc niedługo będziemy mogły postawić wielki zakład – wyszeptała z uśmiechem i obróciła się, stając twarzą do mnie. – Cieszę się, że wróciłaś. Myślałam, że uciekłaś ode mnie.

Wzięła moją rękę i pogładziła ją. Moje chuderlawe nadgarstki zawsze mnie zdradzają. Wobec kobiet. Mężczyźni nigdy nie zauważają.

Chwyciła mnie palcami za kciuk i wolno gładziła swoim kciukiem moje maleńkie nadgarstki.

– Ręce zawsze każą mi myśleć o maszynach do gry – wyznałam cicho. Możliwość rozmowy o maszynach do gry najwyraźniej przynosiła mi wielką ulgę.

– Czy chcesz, żebyśmy uciekły do krainy nieprzebranych maszyn do gry, Mona?

– Już ci mówiłam, kiedy uciekasz, nie uda ci się dotrzeć donikąd.

Nitki pajęczyn, rozciągnięte w mrocznym rogu, wyglądały jak pukle siwych włosów.

– Zawsze o tym pamiętaj. Nie wolno ci zapomnieć, co czułaś, gdy byłyśmy razem w jednym bunkrze.

– Zapamiętam.

– Na zawsze.

– Na zawsze, moja kochana.

– Chcę dobrze się bawić dziś w nocy, kiedy on już sobie stąd pójdzie. Zróbmy coś zabawnego! – zaproponowała i zaczęła obracać się dookoła, w taki sam sposób, jak ja i Lindy obracałyśmy się kiedyś, jeśli udawałyśmy figurynki na pozytywce. Aż stanęła ze mną twarzą w twarz, wyrzucając w zatęchłą ciemność krótkie, wystraszone i ciepłe oddechy. – Zmierzę cię – oświadczyła nagle, zdejmując z szyi centymetr krawiecki i strzelając nim jak z bata.

– Tak się cieszę, że jesteś tu ze mną. Tak się cieszę, że nie jestem sama, bez Lindy i z Debbie, tuż przed nadchodzącą rocznicą mamy.

– Tak naprawdę żadna z nas nie ma już siostry, prawda? – oświadczyła raczej niż spytała, mierząc. – Mamy tylko siebie nawzajem.

– Wiem, że powinnam odnosić sukcesy samodzielnie. Ale chcę, by twoja wola była moją.

– Jeśli wygrasz dużo pieniędzy, moja ty mądralo, to je wydajmy! Nie pozwólmy, aby ci koszmarni mężczyźni popsuli nam zabawę!

– Musimy być odważniejsze – powiedziałam, kiedy mierzyła mi obwód talii.

whisky

Tamtej nocy długo zastanawiałyśmy się, co odważnego i ekscytującego mogłybyśmy zrobić. Byłyśmy już w tym czasie znudzone i posępne. W końcu Tam postanowiła, że wybierzemy się do ogrodnika Paula i załatwimy z nim sprawę raz na zawsze.

Tam wybierała drogę.

Wyszłyśmy przez podwórze.

Jakże bezpieczne byłyśmy wtedy, otoczone ze wszystkich stron garażami, stajniami i budynkami gospodarczymi. To dzięki wielkiemu bogactwu i władzy Tam mogła czuć się tak nieporadna i słaba. To dzięki wielkiej miłości mojej rodziny mogłam bezczelnie wierzyć, z dziką pewnością, że rodzina nie zwraca uwagi, co wyprawiam, i ma to wszystko w dupie. Byłam zaskoczona, że ojciec nie protestował ani nie próbował skontaktować się ze mną przez te trzy dni. Czułam niewzruszoną pewność, że porzucił mnie na zawsze.

Przez cały czas chichotałyśmy i przepełniała nas energia, jaką można mieć tylko w środku dnia/nocy, choć czekał nas długi marsz i nie spałyśmy od ponad osiemnastu godzin.

Od Tam wiedziałam, że Wysoki Paul mieszka po biednej stronie Goldwell. Kawał drogi od cudownych wiejskich domów umieszczono osiedle mieszkań komunalnych, dyskretnie schowane za plantacją truskawek przed oczami pasażerów srebrnych limuzyn. Tuż przed tymi mieszkaniami komunalnymi stał rząd segmentów, gdzie Wysoki Paul pędził swój ponury żywot wraz z rodziną. Najszybsza i najbardziej wiedźmowata droga na jego stronę miasteczka prowadziła lądem.

Maszerowałyśmy, miejscami biegłyśmy, a miejscami szłyśmy w podskokach, by nie wdepnąć w księżycowo oświetlone paprocie i kałuże błota.

Nocne powietrze dawało chłód i orzeźwienie. Przeszłyśmy przez pola i pluskając nogami minęłyśmy kępkę drzew gnieżdżących się na kawałku podmokłego terenu. Strach niemal natychmiast zmieniłyśmy w histerię i szybko zaczęłyśmy mówić z akcentem: ja irlandzkim, a ona rosyjskim. Śmiałyśmy się nerwowo i pociągałyśmy z małej buteleczki, którą znalazłyśmy ukrytą w gabinecie ojca Tam. Palący, brązowy płyn spływał nam kroplami po brodach. Wycierałyśmy go wierzchem dłoni.

W nagłej panice zaczęłam się zastanawiać, czy ta suka nie ma przypadkiem w domu jakiegoś własnego zapasu alkoholu, który ukrywa przede mną, ale potem wygnałam tę myśl.

Chwyciłyśmy się za ręce (Tam wciąż miała gumowe rękawiczki) i szłyśmy podskakując w luźnych kaloszach.

Miałyśmy cel.

– Nigdy tego nie zrozumiesz, Mona, że kiedy masz służących, po prostu nie możesz być sama. Śledzą każdy twój krok. Od dziecka zawsze miałam ludzi, którzy mnie obserwowali. Zawsze wokół myszkował jakiś wścibski personel. A ponieważ bez przerwy jesteś na widoku, musisz przez cały czas wyglądać odpowiednio i robić odpowiednie rzeczy. To taka presja! Ty jesteś w innej sytuacji. Wszyscy mają gdzieś, jak wybywasz na kilka dni. Możesz sobie wyglądać jak Cyganka, nie myć się, być wymizerowana i na wpół żywa. Mnie to oczywiście obchodzi. Mam na myśli resztę. A ja przez cały czas jestem oglądana przez to pospólstwo. W takiej sytuacji czuję się jak najgorszego sortu tani telewizor.

– Moje ty biedne kochanie!

Co kilkaset metrów całowałyśmy się i całe twarze miałyśmy przez to lepkie od alkoholu. Gdyby ktoś przyłożył do nas zapałkę, natychmiast zajęłybyśmy się ogniem.

Teraz był to najbardziej romantyczny romans.

A mimo to niemal w tym samym momencie, kiedy pojawiła się ta miłosna zmiana, zaczęłyśmy sobie nie ufać. Tej samej nocy, gdy wybrałyśmy się do Wysokiego Paula, doszłam do przekonania, że Tam wychodziła na zakupy, choć ona temu zaprzeczyła. Wydała pieniądze z wypłaty dla służących na czekoladę, chrupki i kruche ciasteczka, które w tajemnicy gromadziła w jednej z szafek kuchennych. Wiedziałam, bo słyszałam jak szeleści.

Ja z kolei byłam w jej sypialni, kiedy ona malowała na drabinie. Nie znalazłam tam niczego, co wskazywałoby, że się uczy do egzaminów, jednak byłam pewna, że to właśnie robi. Musiałam się spieszyć, więc przeleciałam jej szuflady jak szczur: wszystko w najlepszym porządku. Żadnych śladów, co knuje. I ten jej charakter pisma! Nieregularny i niechlujny. Długopis mocno przyciskała do kartki, jak dziecko. Słowa niespokojnie przekrzywiały się w prawą stronę, jakby zdania miały za chwilę wywrócić się do góry nogami, upaść nagle na twarz, jak pijak albo nieboszczyk.

Wierzyłam jednak, że choć nie dowierzamy sobie nawzajem i boimy się siebie wzajemnie, możemy być w sobie szaleńczo i bez reszty zakochane.

Dom, w którym mieszkał Wysoki Paul, miał czerwone drzwi, dwa okna na piętrze, jedno na dole, dzwonek i ni cholery nie zważające na ewentualny nuklearny atak szare firanki.

Waliłyśmy w drzwi, zaśmiewając się tak nieprzytomnie, że ślina kapała nam z ust. W jednym z okien na górze zapaliło się światło. Zanuciłam *Wild Thing*, a Tam nadała swojej twarzy skupiony wyraz i machała pięściami szybko i swobodnie, jak zawodowy perkusista.

Kiwałyśmy się na progu z powodu alkoholu. Zdawało się nam, że noc jest kawałem filcu przytkniętym do naszych twarzy, jakbyśmy były szczelnie owinięte ciemnym kocem.

W sąsiednich mieszkaniach komunalnych paliło się jeszcze kilka świateł. Tam stwierdziła, że wystarczy trochę lepiej się wwąchać, żeby poczuć w nich aluminiowe dzbanki do kawy i groch łuskany.

Stara, gruba baba, która otworzyła nam drzwi, kurczowo trzymała się dolnej krawędzi jasnoniebieskiego swetra, nałożonego w pośpiechu na koszulę nocną. Tam wsunęła kciuki za pasek swoich cudownych oliwkowych sztruksów. Opuchnięte kostki nad starymi stopami przelewały się poza obrys kapci. Jak tylko drzwi się otworzyły, Tam zabezpieczyła je, wsuwając w szparę czub swojego buta.

Cudowna skóra Tam lśniła jak poświata nad rumianą różą. Ziemista twarz starej kobiety była szara, a kilka grubych włosów prawie tworzyło zarost na jej podbródku. Owłosienie na ciele tak mnie bulwersuje, że z miejsca chciałam ją zdzielić.

I byłam wstrząśnięta jej widokiem. Nigdy wcześniej nie widziałam brzydkiej starej baby w nocnej koszuli. Nawet w najtańszych katalogach mieli dość zdrowego rozsądku, aby różowe, flanelowe koszule nocne prezentować na ponętnych blondynach. Chociaż stare kobiety, podobnie jak insekty, odgrywają niezastąpioną rolę w łańcuchu pokarmowym, to jednak są odrażające i najlepiej trzymać je z dala od ludzkich oczu.

Okolica była spokojna i cicha, dom przepełniała zatęchła cisza snu, jednakże wyobrażałam sobie, że zespół perkusistów gra mi w głowie na bębnach zrobionych z blaszanych pojemników.

Terkoczące tempo zdań wypowiadanych przez Tam i jej sztywne ramiona zdradzały wściekłość. Stara gruba kobieta przygładziła siwe włosy, a później, napinając skórę, próbowała usunąć zmarszczki znad brwi. Pociągnęła nosem i odgięła się odrobinę do tyłu, co – jak później zdałam sobie sprawę – stanowiło reakcję na odór whisky w naszych oddechach.

– Proszę więc przekazać swojemu mężowi, żeby nigdy więcej nie pojawiał się w naszym domu. Jest zwolniony. Moi rodzice zostali poinformowani o tej decyzji i w pełni się z nią zgadzają. I mam dla pani jeszcze dobrą radę. Otóż niech pani przyjrzy się raczej obleśnemu zainteresowaniu, jakie pani mąż okazuje nastoletnim dziewczętom.

– Wie pani chyba, że zaginęła dziewczyna – weszłam jej w słowo. W ogóle nie miałam zamiaru się odzywać, ale teraz, kiedy już niespodziewanie zaczęłam, trudno mi było przestać. Okrucieństwo Tam napędzało moje własne. – Policja szuka faceta, który mógłby ją zamordować. Szuka zabójcy. Więc łażenie wokół domów i walenie do okien, gdzie mieszkają dziewczęta, nie jest najlepszym pomysłem. Ktoś musi być mordercą. No nie?... I co tak stoisz, ty... ty głupia krowo!

Tam dotknęła mego ramienia i przejęła pałeczkę. Teraz znów mówiła ona, a mnie bolała głowa i chciałam usiąść. Serce walczyło, próbując wyskoczyć mi z piersi. Zerwał się wiatr i głos Tam ścichł przy końcu wypowiadanego zdania. Była czwarta trzydzieści cztery nad ranem. Tam nadal miała poważną i okrutną minę, ale chciało mi się śmiać.

Stara kobieta najpierw wyglądała na zdezorientowaną, ale potem wyprostowała się, odęła usta i szybko się rozzłościła. Jednak zanim zdołała cokolwiek powiedzieć, Tam podniosła wyprostowaną dłoń ze słowami:

– Tylko proszę się nie kłócić. Proszę mu to tylko przekazać.

– I zdejmij z okien te firanki, ty głupia stara babo!

Odwróciłyśmy się spokojnie, by pomaszerować do domu. Płyty chodnikowe wydawały się całkiem miękkie, jakbyśmy szły po poduszkach. Oświetlone promieniami księżyca szklarnie wydawały się pękać jak lód. Za nami panowała szerokooka cisza, po czym stara kobieta zaczęła krzyczeć. Dźwięk jak trzask rzuconego naręcza chrustu. Zapaliły się światła w innych parterowych oknach szeregowca. Ręka trzęsła mi się tak bardzo, że nawet nie zdołałam nacisnąć pojemniczka z ventolinem. Okolica stała się nagle bardzo hałaśliwa: szczekanie psów, samochody, wiatr, otwierające się drzwi. Dotknęłam ściany, żeby się przytrzymać, i poczułam, że jest gorączkowo ciepła, jakby wszystkie domy zmieniły się w gotujące mięso.

Whisky się skończyła, a zaczęło poczucie, które tamtego lata miało stać się moim stałym towarzyszem. Byłam przekonana, że za chwilę jakiś rozwścieczony dorosły zjawi się obok, żeby nam udzielić reprymendy albo nawet wymierzyć nam jakąś karę cielesną.

Ale nikt nie przyszedł.

wieprzowina

Różowe światło padało przez witrażowe jak w kościele okna, a następnie układało się w niebieskawe kształty na ścianach. W atelier panował ten sam chemiczny smród potu, co u taniego fryzjera. Siedziałam na śliskiej, białej kanapie i czekałam, aż Flesz zrobi kawę. Daleko w dole, na rynku, delikatnie kłębił się dźwięk tłumu, złożonego z niewinnie przechadzających się rodzin.

Był piątek, dzień po nocy, w której odwiedziłyśmy starą kobietę. Cudownie się rozpływałam: byłam na nogach już bardzo długo i od wielu godzin nic nie jadłam. Kiedy weszłam, Flesz wcinał kanapkę z pieczoną wieprzowiną. Oglądałam wijący się jak świński ogonek warkocz tłuszczu, który zostawił na białej papierowej torbie, i myślałam sobie, jak bardzo opanowana i zdolna jestem w porównaniu z nim.

Okazało się, że chciał fotografować moje ręce. Uznał bowiem, że ręce są tym kawałkiem mnie, który ma to coś. I miał rację. Studio znajdowało się nad kinem. Zapewniał, że otworzył je dzisiaj specjalnie dla mnie. Oświadczył, że w piątki wykonuje tylko wyjątkowe prace z wyjątkowymi ludźmi.

Czułam, jak moje hormony tańczą kankana.

Tego ranka spędziłam całe wieki na wyczerpującym zeskrobywaniu owłosienia z palców u nóg, z samych nóg, pach, brzucha, bikini i innych miejsc zwykle nie wymienianych. W rezultacie byłam teraz pokryta tak wieloma czerwonymi plamkami i zadrapaniami i kropelkami krwi, że wyglądało to, jakbym spadła z roweru pędzącego z zawrotną prędkością.

Zastanawiałam się, ile gotówki będę mogła dołożyć do mojego pudełka na oszczędności, po tym, jak mi zapłaci.

Nie bałam się zbytnio: byłam pierwszą na świecie bezcyczną modelką pozującą topless. I miałam wywrócone na drugą stronę sutki, jak dwa małe pępki.

Flesz zjawił się niosąc dwa kubki i niebieską tacę z obrączkami. Różowa dolna warga wystawała mu do przodu i trzepotała, kiedy wydmuchując do góry powietrze, chłodził sobie twarz.

Jakże by się z tego uśmiała moja kochana Tam.

Ale może i nie, ponieważ nie miała pojęcia, że tu przyjdę. Był czwarty dzień naszego wspólnego życia i powiedziała mi, że nie ma nic przeciwko temu, żebym wychodziła z domu, jeśli ją uprzedzę. Poprosiłam więc o pozwolenie wyjścia z domu, kłamiąc przy tym, że muszę postawić zakład. Nie mogłam powiedzieć jej prawdy, ponieważ coraz mocniejsze stawało się między nami przekonanie, że mężczyźni to bezsilni nieudacznicy. Opowiadałyśmy sobie o nich przezabawne dowcipy, a ja przytaczałam też żenujące opowieści o Baleronie, Shredzie i moim ojcu. Tam z kolei z upodobaniem zarzynała reputację własnego ojca: – Jak nakłonić ojca, żeby zmienił żarówkę? Położyć ją pod łóżkiem jego sekretarki! – Albo: – Skąd wiesz, że twój ojciec kłamie? Porusza ustami.

– Ha! Jebanekretynospermorobyożeszty! – wrzeszczałam, ku jej wielkiemu zadowoleniu.

Flesz miał na sobie białą koszulę w stylu New Romantic, z falbankami wokół mankietów. Postawił kubki z kawą i wierzchem dłoni otarł pot znad brwi. Jego desperackie wysiłki, by się modnie ubierać, były żałosne. Wcisnął się obok mnie i zaczął opowiadać, jak to robi nie tylko śluby i wesela, dzieci i rodziny. O, nie! Robił też plastikowe pojemniki na kanapki oraz wanienki dla ptaków, wiaty i szklarnie dla pewnej firmy ogrodniczej. Robił też stroje. Robił i samochody, i wiele innych zdjęć dla różnych katalogów. Miał odnieść wielki sukces. Otarł pot, który ściekał mu po twarzy, jak deszcz po okiennej szybie.

Współczułam mu nawet jeszcze bardziej, niż współczułam każdemu innemu mężczyźnie, którego znałam.

Potem obejrzałam sobie dokładnie jego włosy, w poszukiwaniu kolejnych zabawnych szczegółów, i doszłam do wniosku, że najpewniej je sobie farbuje, ponieważ u nasady były ciemniejsze niż na końcach. Tak dużej różniczy nie mogło chyba spowodować zwyczajne blaknięcie na słońcu.

Kiedy na mnie patrzył, miał niespokojny wzrok, jakby chciał, żebym go uspokoiła i zrozumiała.

Powiedział, że robił też piękne kobiety.

– Więc dzisiaj pozujesz do zdjęć pierwszy raz? – zapytał, a ja pokiwałam głową. Nie podobało mi się, że tak to nazywał, bo zaraz przychodziło mi na myśl, jak rechotałyby Lindy i Tam, gdyby usłyszały. Żałowałam, że przed przyjściem nie wypiłam sobie czegoś mocniejszego. Przez kilka minut przyglądał mi się w ciszy, badając, czy są też jakieś inne kawałki mnie, które mógłby wykorzystać.

Bez alkoholu to nie było to. Nawet pustka stanowiąca następstwo powstrzymywania się od jedzenia nie wystarczała, by dać mi poczucie siły.

Potem powiedział mi, żebym poszła do tej jego małej, brudnej kuchni, która śmierdziała kapustą, i wyszorowała ręce, a potem pomalowała paznokcie lakierem, który specjalnie przygotował. Kiedy przechodziłam obok niego, poklepał mnie po tyłku: plask, plask.

Wokół zlewu leżał wilgotny szlam z brudu i rozmoczonych okruszków chleba. Na wyłożonej linoleum podłodze też walały się drobinki jedzenia – okruszki i wyschnięte już plamy jakiegoś czerwonawego sosu. Wyobrażałam sobie, jak bardzo ta zasyfiona kuchnia zdegustowałaby Tam i łącząc się z nią duchowo, doznałam odruchu wymiotnego. Usłyszał to, ale pomyślał, że krzyknęłam z uznaniem, więc na cały głos zapewnił, że ten lakier wybierał specjalnie dla mnie, i że specjalnie dla mnie przyniósł watę i zmywacz.

Przejrzałam się w brudnym lustrze, które wisiało

w kuchni. Od alkoholu skórę miałam suchą i pokrytą plamami, a mój makijaż wyglądał mniej więcej tak, jakby dziecko narysowało go kredkami świecowymi. Moja twarz była zbyt małym migdałem, a moje przystrzyżone włosy były zbyt proste i zbyt brązowe.

Ilekroć myślałam o policji i tej gdaczącej starej babie, zaczynało mi brakować oddechu.

Przez chwilę świetnie się bawiłam, rozcapierzając palce jak dama. Byłam tak wytworna jak córka Fakenhamów. Oparte na aksamitnej poduszeczce ręce oświetlało od góry mocne światło lampki. Taniocha, ale ręce wyglądały poważnie. Dłonie trzeba było trzymać sztywno ułożone, a nadgarstki luźne i odprężone. W usypiającym upale marzyłam, że ktoś wkłada mi na palec pierścionek i szeptem oświadcza: – Chcę, żebyś została moją żoną.

Kiedy dziewczyna wyjdzie za mąż, ludzie nie mówią o niej różnych rzeczy, z których wynika, że jest nieinteresująca. Mówią, że spodziewali się tego.

– Doskonale – zapewnia pochylony, z okiem przy aparacie. – Jesteś cudowna i szczupła – jego prawie kwadratowe okulary niezręcznie uderzają o szkło soczewki. – Doskonale. Cudownie. Odpręż się.

Podszedł do mnie i ustawił mnie w jakiejś pozycji, jakbym była z plastiku.

Fakt, że Flesz mi się przygląda, wywoływał we mnie zarówno upojne uszczęśliwienie, jak i poczucie własnej brzydoty. Przypominały mi się historie, które Tam opowiadała mi o swojej siostrze. Przed oczami stanął mi klarowny obraz Sadie. Tak bardzo nie chciała jeść, że miała ciało pisklęcia. Wraz z wiekiem stawała się coraz młodsza, ponieważ znikały jej piersi. Kości odkształcały się jak suche drewno. W ciągu ostatnich trzech dni Tam opowiedziała mi wiele historii o swojej zmarłej siostrze, więc teraz nasza intymność stawała się jak duszny upał parnego dnia.

Kiedy Sadie ważono w szpitalu, nagą jak odartego ze skóry królika, w pięści ściskała monety albo pęk kluczy, żeby wydawać się cięższą. Przez ostatni miesiąc była na kroplówce z glukozy. – Sadie spędzała w szpitalu więcej czasu niż Florence Nightingale – mówiła z uśmiechem Tam. Trzymała w pamiętniku torebki foliowe i do nich wypluwała przeżute jedzenie, którego nie chciała przełykać. Jedzenie zmieniało się w twarde, brązowe granulki i śmierdziało nieświeżym oddechem.

– Mojemu tacie nie spodobałoby się, że pozuję – powiedziałam.

Choć, prawdę mówiąc, ojciec powoli zacierał mi się w pamięci i jeśli Tam i ja miałyśmy jakąś filozofię, to polegała ona najprawdopodobniej na tym, by robić rzeczy, za które nasi ojcowie nienawidziliby nas najbardziej.

– Przecież to całkiem nieszkodliwe – odparł. – Ale może lepiej mu o tym nie mów.

Nie odezwałam się, ponieważ chciałam, żeby sobie pomyślał, że mogłabym ojcu o tym powiedzieć.

Może Tam i ja niebawem będziemy sobie żartowały z tego całego gówna. Wciąż nie byłam pewna, jak daleko Tam posuwa się w swym okrucieństwie. Przerażało mnie to czasem. Miałyśmy jeszcze tyle do odkrycia o sobie nawzajem. Niektóre dziewczęta są jak podpałka: jeśli otrą się o siebie zbyt mocno, mogą wybuchnąć płomieniem.

Flesz patrzył na mnie z ciepłym uśmiechem. Moje hormony podskakiwały mniej więcej do dachu wysokiego budynku.

Potem przypomniałam sobie, że Sadie trzymała wymiociny w zawiązanych, plastikowych reklamówkach z supermarketu. Potem szmuglowała je ze swojego pokoju w swojej ekskluzywnej skórzanej torebce.

Spojrzenie Flesza nie było jakieś złe, po prostu takim spojrzeniem posługiwał się w pracy, podobnie jak ja: na weselu byłam cała nieśmiała i grzeczna w kontaktach z reformowanymi chrześcijanami, a teraz, jako modelka, byłam delikatna i słodka. Praca potrafi zmieniać człowieka. Gdybym dostała odpowiednią pracę, z astmatycznego nieudacznika o płaskich piersiach natychmiast zmieniłabym się w ostrą sukę w butach na wysokim obcasie i skórzanym stroju.

Zmieniłabym się, a co, do cholery!

– Wiele dziewcząt mi pomaga – odezwał się, z twarzą ukrytą za aparatem. – Masz chłopaka, Mona?

Potrząsnęłam głową. Bez wątpienia nie było już powrotu do chłopców i pieszczot z nimi.

Przez chwilę żadne z nas się nie odzywało. Kiedyś tańczyłam w balecie i brałam udział w jakimś przedstawieniu. Miałam grube, mięsiste trykoty i jakieś długie, różowe wstążki, które mama przyszyła mi do baletek. Trzeba było stanąć na pointach, ręce zgiąć nad głową i po prostu tak stać, pokazując wszystkie swoje żebra i kości. Mama i tatuś byli tam razem, żeby mnie oglądać. Czułam, jak wszystko drży we mnie od bezruchu i napiętej uwagi, ale wytrzymałam i stałam nieruchomo całe wieki. Miałam jakieś pięć lat, może sześć albo siedem, kiedy bezruch i spokój sprawiały mi przyjemność. Uczesane blond włoski, Lindy, pięć lat starsza, przysuwająca swój policzek do mojego, żeby zrobić szkolne zdjęcie, a potem tup, tup, tup miękkich baletek na drewnianej podłodze, czytanie książki, oglądanie mamy, ciepła woda w plastikowym basenie w ogrodzie i przede wszystkim nylonowa kamizelka i wszyscy z mojej klasy biegnący po gorącym piasku do morza.

– Pobudka – odezwał się Flesz. Skończyliśmy dwie tace obrączek ślubnych i niebieską tacę pierścionków, a teraz robiliśmy jakieś srebrne sygnety. Zdjęcia odsłaniające niewinne piękno dziewcząt z nagą piersią w biżuterii.

– Wszystko w porządku – zapewniam. Próbuję się rozbudzić, szukając w nim jakichś obleśnych szczegółów. Kiedy ostatnio znajdowałam się w towarzystwie mężczyzn, często trzymałam hormony na wodzy, wyliczając pod nosem szczegóły, z których mogłam później szydzić. To było najzabawniejsze, wyszukiwanie szczegółów, które można było wyolbrzymić później: chłopak z supermarketu z jabłkiem Adama w kształcie banana, kierowca ciężarówki, który miał w uchu błyszczący bursztynowo wosk przypominający żółte światło sygnalizacji drogowej, starszy mężczyzna z browaru, którego włosy na klatce piersiowej układały się w uśmiech.

Może Tamsin chciałaby znać te szczegóły? Czy potrafiłaby je sobie wyobrazić i roześmiać się?

Później ustawił mnie przed wiatrakiem, kiedy próbowaliśmy zrobić coś, żeby stwardniały mi sutki. Ale dostałam tylko gęsiej skórki, więc w ramach innej strategii miał zamiar dotykać sutków później.

– Zimno mi – powiedziałam. Teraz robiliśmy sceny topless przy księżycu. – I zaczynam podwójnie widzieć.

– Pomyśl o czymś, co sprawiłoby ci wielką przyjemność.

– Nałożenie z powrotem ubrania. Zaczyna mnie boleć głowa.

– Wiesz – on mi na to, kładąc dłoń na podbródku – coraz poważniej zastanawiam się, czy nie powinienem zgłosić cię do konkursu fotograficznego. Właśnie ciebie. Bo masz klasę. I żebyś sobie nie pomyślała, że mówię to wszystkim swoim modelkom.

– Jeśli się nie pospieszysz, konkursowe zdjęcie będziesz musiał zatytułować „Zezowata dziewczyna z hipotermią".

Brak jedzenia wywoływał u mnie majaki. Mogłam kupić coś w mieście, jednak od incydentu z plasterkiem kiełbasy jedzenie bez Niej wydawało się olbrzymią zdradą. Przez całą noc Tam nie zaproponowała mi niczego, a to, w połączeniu z sesją zdjęciową, spowodowało głód i zawroty głowy. Oczywiście było to dobre dla figury, jednak męczyło mnie tak bardzo, że zapadały mi się gałki oczne.

– Rozchmurz się. I odpręż. Jesteś czystą poezją, Mona – dziwnie wymawiał słowo „poezja". – Głęboko we mnie inspirujesz wspaniałe rytmy. Mogłabyś być muzą. Wiesz, co to muza, prawda? Odpręż się i pomyśl, jak płynie poezja.

Muza... to kobieta... albo dziewczyna... o świętej... urodzie, która... inspiruje... geniusz mężczyzny. Odpręż się raz jeszcze.

W żaden sposób nie zareagował na to, że wyprowadziłam się z domu, choć mu o tym wspomniałam. Nie wspomniał też ani słowem, że się głodzę i że mam krwawe blizny na ogolonej skórze.

Pochylił się ku mnie i dotknął mi czoła. Uśmiechał się w ten proszący sposób, który oznaczał, że chce, bym odwzajemniła uśmiech. Zaczęłam zdawać sobie sprawę z faktu, że mężczyźni potrzebują kobiet o wiele bardziej niż kobiety potrzebują mężczyzn.

– W porządku? Dobrze, to wykorzystam cię raz jeszcze – oświadczył i sięgnął po kolejną tacę ze stołu. – Chciałbym zrobić kilka ujęć całej twojej twarzy z naszyjnikiem, jeśli się zgodzisz. Zgodzisz się, prawda, ślicznotko? Masz odpowiednio ładną twarz. Dobrze. Teraz dotknij włosów. Bardzo ci się podobają, prawda? Chcesz, żebym ja też je kochał. Taaak. Wyobraź sobie, że naszyjnik to rzeka, strumień przepływający ci wokół ramion, zwilżający ci piersi, marszczący się parasol jedwabiu.

– Uważaj, bo jeszcze wiersze zaczniesz pisać – powiedziałam znudzona.

– Moja fotografia jest moją poezją – odparł, nie żartując.

Kiedy było po wszystkim, stanęliśmy naprzeciw siebie i dał mi pięć funtów. Pozwoliłam się pocałować. Ręce powędrowały mu pod moją sukienkę, pewnie i szybko, jakby kradł coś ze sklepu. Potarł po obolałym, kościstym miejscu, w którym znajdowały się moje włosy łonowe, jakby łaskotał psa, a potem szczypał mi sutki, jakby czyścił sobie marynarkę z kłaczków i supełków.

Mimo to jednak podobała mi się sesja zdjęciowa, dawała bowiem poczucie niezależnej kariery.

Potem odwrócił mnie i zaczął mi obmacywać palcami okolice tyłka, co zdecydowanie stanowiło czynność, na którą nie byłam przygotowana. Światło w pokoju nie zmieniało się. Usłyszałam samolot. Wszystko działo się bardzo wolno, jak wypadek samochodowy. Ale nie mogę powiedzieć, że bolało, choć trochę się zwijałam. Miałam czas, żeby zauważyć coś, co mogłabym wykpić, ale nie była to sytuacja, z której chciałabym się później śmiać. Obydwojgu nam dał się we znaki upał, obydwoje byliśmy więc śliscy. W oddechu pojawił mu się lekki skowyt, potem zdjął ze mnie ręce, odwrócił się i zapalił papierosa. Nie poczęstował mnie.

Zyskałam świadomość nowej części własnego ciała i wcale mi się to nie podobało.

– Byłaś bardzo dobra. Jak prawdziwa profesjonalistka.

– Niczego nie musiałam robić – powiedziałam, ciaśniej opinając wokół siebie sweter.

Czułam się otępiała. Stąpnęłam i na twarzy pojawił mi się grymas bólu. Postanowiłam, że nikomu nie powiem, nawet Tam. Nigdy. Miałam ochotę garściami wyrywać pozostałe mi jeszcze na głowie resztki włosów.

– To właśnie oznaka prawdziwej naturalności. Chciałabyś jeszcze kiedyś pracować jako modelka? – Chwilę o tym rozmawialiśmy i podał mi datę następnej sesji. – A może chcesz zobaczyć kilka artystycznych fotografii, które zrobiłem?

Prawdę mówiąc, nie chciałam, ale powiedziałam:

– Tak.

Chciałam iść do domu i wziąć kąpiel. Pokazywał mi różne zdjęcia, aż w końcu dotarł do dziewcząt, a właściwie kawałków dziewcząt. Były modelki prezentujące skarpetki, modelki prezentujące spodnie, a także inne kawałki ludzi, podzielone na odpowiednie sekcje, jak kawałki mięsa. Niektóre dziewczyny miały twarze. Różowe, zaokrąglone, miękkie, blond, niebieskawe. Twarze jak malutkie łzy.

Lindy mogłaby pozować do zdjęć twarzy. Sadie Fakenham z pewnością mogłaby do takich zdjęć pozować.

Wzięłam kilka wdechów ventolinu. Żałowałam, że nie jestem podpita.

Mówił coś, że zdjęcia są wspaniałe i jak dzięki niemu wszystkie te zwyczajne dziewczyny wyglądały na nich kobieco i cudownie. Oczywiście, to był problem pracy w charakterze modelki: wymierzony we mnie wzrok i obiektyw aparatu sprawiły, że poczułam się kobieco, jednak poczucie kobiecości sprawiło, że poczułam się zatroskana i chora.

I wciąż tak naprawdę nie wiedziałam, co znaczy kobiecość, oprócz łez i pogardy.

– A to Julie Flowerdew – powiedział w pewnej chwili, wskazując na bladoniebieską bluzkę bawełnianą.

– Gdzie? – zapytałam, choć dziwnie jakoś mnie to nie zaskoczyło. Jej nazwisko nigdy mnie nie opuszczało, jakbym zawsze czekała na jakieś nowe wiadomości o niej.

– Tutaj – odpowiedział, kładąc gruby palec na zdjęciu koszulki bawełnianej dla dziewcząt za 4,99. – To straszne. Była miłą dziewczyną. Cichą i spokojną, ale miłą. Jak uważasz, dokąd wyjechała?

– Ale jak? – wyszeptałam. Czubek jego palca, ten, który jeszcze przed chwilą znajdował się całkiem gdzie indziej, zostawił duży, tłusty odcisk na fotografii. Zobaczyłam wyraźnie, że mężczyźni to nie tylko nieudacznicy, jak wyobrażałyśmy to sobie z Tam, ale też niebezpieczne zwierzęta, które polują, mordują i ukrywają.

– Co „jak"?

– Jak ją poznałeś?

– Zauważyłem ją na ulicy. Znam jej ojca. Zapytałem, czy pozwoliłby jej pozować do moich zdjęć.

– Aha – mruknęłam, choć nie wierzyłam, że prosił o zgodę ojca Julie. Flesz miał wygląd zmarnowanego młodzieńca i seksualną desperację, której ojcowie nie mogliby ufać. Nawet jeśli podobały im się jego dowcipy.

On jest mordercą! Tak. Jest mordercą!

Nie, niemożliwe. To tylko mężczyzna. Jest przecież Ojcem.

Oddech. Oddech. Oddech.

– Więc jak uważasz, dokąd ona pojechała?

– Nie wiem – odpowiedziałam.

Chciałam przyklęknąć w cichym, chłodnym pokoju i modlić się. To tylko niebieski kształt, a jednak bez wątpienia nie żadna inna dziewczyna.

– To było mniej więcej rok temu. Pozowała dla mnie tylko kilka dni. Żeby zarobić trochę dodatkowych pieniędzy i kupić sobie tę trąbkę.

– Puzon – sprostowałam.

– Tak, puzon – zgodził się, potrząsając głową i zamykając temat. – Więc przyjdziesz jutro?

– Pewnie, że tak.

– Będę czekał, moja ty słodka piękności.

Nachylił się i pocałował mnie w rękę. W sposób, który miał według niego być zabawny, udawał, że obydwoje gramy w filmie muzycznym. Nawet mi się to podobało. Z mężczyznami o wiele łatwiej niż z kobietami spędza się czas na głupotach.

Potem na twarzy pojawił mu się ten smutny wyraz, jakby potrzebował mnie, by wyglądać szczęśliwie, żebym znów pozwoliła mu poczuć się dobrze.

Wkrótce, jak każdy inny mężczyzna w Whitehorse, będzie malował okna białą farbą i kucał przy schodach ze swoimi puszkami, żoną i dziećmi. Wszyscy musimy kochać teraz. Teraz albo nigdy!

Później, kiedy skończyły się pocałunki i wędrowanie palcami w okolicach dupy, otworzyłam drzwi i wyszłam na schody. Podniosłam pięść z ulgą.

Idź do klasztoru i tam wyszoruj swe paskudne ciało!

Schody były z zimnego betonu, jak schody, które mogą mieć w szpitalu albo w więzieniu. Chociaż płakałam (moje zdradzieckie oczy pokazywały emocje, których nie pozwoliłabym rozważać swojemu mózgowi), wyobrażałam sobie, że to romantyczna ucieczka, i że zbiegam na dół prosto w ciepłe, bezpieczne ramiona.

Zamiast ramion, na dole, na prawo od wejścia czekała na mnie maszyna do gry. Stała wyłączona, pozostając w uśpieniu, ponieważ kino było zamknięte. Jednak włączyłam ją do kontaktu i światełka zamrugały. Stary model. Skojarzył mi się z „Pionierskim Szlakiem". Plastik był porysowany, a maszyna nie miała żadnych specjalnych cech, przez co, jak to przy całkiem innej okazji stwierdzali moi nauczyciele przedmiotów zawodowych, większość moich umiejętności była „rozpaczliwie niewykorzystana". Niektóre światełka nie działały, jednak maszyna miała swój charakter i najwyraźniej podobały jej się moje pomalowane paznokcie, błyskające jaskrawo, kiedy ją gładziłam i karmiłam monetami.

To popołudnie czegoś mnie nauczyło: mężczyźni mogą być nieudacznikami, ale mimo to stanowią wielkie zagrożenie, a my o tym zapomniałyśmy, wiele ryzykując. Tam i ja musimy uważać na to zagrożenie.

W końcu, po czterech funtach, maszyna wypłaciła wygraną, powolnym klikklikklik.

sałatka

Tam postanowiła, że pojedziemy do Whitehorse i odwiedzimy kochankę jej ojca. Po małej buteleczce malibu i dużej butelce wina (ponieważ to właśnie kupiłam za swoją wygraną i pieniądze, które dał mi Flesz), pomysł ten wydawał mi się doskonały. Była sobota, miałyśmy więc spore szanse, że zastaniemy ją w domu.

– Mogę wieźć cię na ramie i pojedziemy na rowerze, Tam. Znam naprawdę krótką trasę między Goldwell i Whitehorse. W końcu jeździłam tamtędy co wieczór przez trzy lata, no nie?

Tam popatrzyła na mnie z pijaną pogardą.

– Jedziemy tam, by się mścić, a nie dowozić warzywa, Mona.

– No tak.

– I proponuję, żebyś założyła jedną ze słodziutkich sukienek Sadie, zamiast spodni do jazdy na rowerze.

Wyjęłam kolejny zwitek z pudełka na zaoszczędzone pieniądze i wezwałam taksówkę.

Po raz pierwszy od czasu wycieczki do żony Wysokiego Paula wychodziłyśmy gdzieś razem z domu. Tam rzuciła kiedyś pomysł, że któregoś wieczoru mogłybyśmy wybrać się na prawdziwą dyskotekę, ale potem nie wspomniała o tym ani razu, a ja wiedziałam już, że nagabywanie jej nie wychodzi na zdrowie. Jak Lindy. Jeśli wiedziała, że bardzo czegoś chcę, to z wielką przyjemnością mi tego odmawiała.

Suka. Nie ufałam jej i wtedy już czasem myślałam o niej w taki właśnie sposób.

Była szósta siedemnaście po południu: dla nas bardzo wczesny ranek.

– W zależności od tego, czy rozmawia się z matką, czy z ojcem, Nina Fisher jest albo „knującą intrygi, przewrotną, puszczającą się na lewo i prawo pieprzoną suką", albo „wyjątkowo inteligentną i mającą wysoką motywację młodą kobietą" – powiedziała Tam. Siedziała na samym skraju tylnej kanapy w taksówce. Założyła nogę na nogę i delikatnie oparła dłonie o kolana. – Jest spod znaku Panny – dodała.

– Przyjaciółki, aach – westchnęłam bardzo powoli kiwając głową. – Czy te kobiety w ogóle nie myślą? Najnowsza kobita mojego ojca nie potrafiłaby odróżnić dobrego mężczyzny od kupy gnoju albo rasowego kota z wyspy Man.

Nie mogłam uwierzyć, że naprawdę jedziemy spotkać się z Niną Fisher w jej własnym domu.

– Ta ma licencjat z zarządzania – oświadczyła Tam uroczyście.

– I co z tego? To w niczym nie pomaga, kiedy przychodzi fala upałów – uśmiechnęłam się szyderczo. – Wszyscy się usmażymy: kochanki, stare panny, żony, wdowy, przyjaciółki, morderczynie, cudzołożnice, zabójczynie, porywaczki. Wszystkie zostaniemy unicestwione. Bum!

– Ma własne mieszkanie. Nowiutki samochód. Peugeota. Jedną z tych nowych fryzur, równiutko podciętych nad karkiem i lśniących reprezentacyjną falą nad jednym okiem. Włosy kręcą jej się naturalnie, co znacznie ułatwia suszenie – zapewniła Tam fachowo i zademonstrowała układanie fryzury, robiąc sobie palcem kółka na głowie.

– Jak księżna Di?

– Aha. Tylko lśniąco czarne. I nosi czarne spodnie z szerokimi nogawkami, sto procent wełny, a do tego czarny bezrękawnik.

– Och!

– Sadie czesze się dokładnie tak samo.

Nie straciła rezonu. A ja nie zareagowałam. Patrzyłam przez okno i starałam się miarowo oddychać, coś jak niezależna i niczym nie przejmująca się kobieta. Może to było przejęzyczenie, może nie chciała użyć czasu teraźniejszego w odniesieniu do własnej siostry. Czasem, choć z upływem czasu coraz rzadziej, używałam czasu teraźniejszego, mówiąc o mojej mamie.

Pozwoliłam więc temu zdaniu odejść i osiedlić się w tej części mojego mózgu, w której jak w rupieciarni składowałam wszystkie niepokojące słowa, myśli i emocje.

– No i cierpi na problemy z piciem. Tak powiedziała moja matka. Mama wspominała też, że ona jest narkomanką.

– Ach, tak – powiedziałam. Oczywiście narkomania była równoznaczna z pozycją pioniera lotnictwa w kolebce jego rozwoju, albo reputacją latawicy, która rozkraczała nogi nad stolikami w nielegalnych restauracjach z alkoholem w czasach prohibicji.

Obydwie obawiałyśmy się, że Nina Fisher jest dokładnie taką niezależną, nowoczesną, ekscytującą i nieskrępowaną żadnymi więzami kobietą, jaką każda z nas chciałaby się stać.

Wyobrażałam ją sobie jako elektryzującą niewiastę, która puszcza oczko do nieznajomych mężczyzn w autobusie, po czym oczarowanych prowadzi do swojego domu, gdzie uprawiają seks jak na filmach.

Krajobraz zamazywał się za szybą. Szosą do Whitehorse jechało się krótko, a droga prowadziła obok naszego pubu.

Tam gawędziła z kierowcą, a on nagradzał ją uśmiechami i oczkami, puszczanymi do wstecznego lusterka. Nigdy wcześniej nie widziałam, jak Tam odgrywa przed mężczyzną słodziutką mądralę. Radziła sobie z tym bez zarzutu. Kierowca włączył głośno stację *Radio One*, zaczął palić i brawurowo stukać dłońmi w kierownicę, wybijając rytm. Po raz pierwszy mogłam obserwować, jak Tamsin Fakenham rzuca na mężczyzn prawdziwy czar.

Oczywiście jej sukcesy we flirtach w połączeniu z moim wczorajszym debiutem w roli modelki zasmucały mnie i wzmagały moje poczucie brzydoty. Włosy rosły mi bardziej dziko, niż oczekiwałam, stercząc do góry i na boki sprawiały, że przez cały czas wyglądałam, jakbym właśnie przed chwilą w wielkim szoku wyskoczyła z łóżka. Zresztą tak właśnie wyskakiwałam z łóżka codziennie w domu Fakenhamów (ponieważ to, jak całowała mnie i gładziła nocą, stało się już wyjątkowym narkotykiem o jeszcze nie znanych skutkach; poza tym często budziłam się na kacu i wystraszona).

– A może da nam jakieś pieniądze? Wtedy nie będziesz musiała uprawiać hazardu. Zresztą i tak najwyraźniej niczego nie wygrywasz – Tam rozmyślała głośno, zapalając papierosa i nie patrząc na mnie. – W końcu to i tak pieniądze mojego ojca.

Kierowca pozwolił Tam zapalić, chociaż w samochodzie widniał wielki znak zakazujący palenia. Prawdopodobnie pozwoliłby jej podrzeć całą taksówkę na strzępy zębami, gdyby tylko mógł się przyglądać, jak to robi.

Żadna z nas nie mówiła, co się stanie, jeśli pan Fakenham będzie w domu Niny. Próbowałam wyobrazić go sobie zwiniętego w kłębek na krześle, oglądającego sobotni program sportowy z paczką chipsów w ręku.

– O czym tak myślisz, Einsteinie? – warknęła.

Była zła, że wyszłam wczoraj z domu, i coś podejrzewała. Chciałam już nawet jej wszystko powiedzieć, ale wiedziałam, że źle to zrozumie i zacznie nazywać Flesza moim pornograficznym chłopcem, a potem powie, że jest go sobie w stanie wyobrazić: biały garnitur, wąsy i stos złotych sygnetów na włochatych palcach.

Dojeżdżaliśmy do Czarnego Potoku. Dziś mijały dwa tygodnie od dnia, kiedy jechałam z Lindy w małym powozie. Czułam, jak z tęsknoty za domem ściska mi się żołądek.

– Zobacz, Mona. To ten wasz śmieszny pub!

– Chryste Panie! – krzyknęłam, potrząsając głową. – To kurwa znaczy, że jestem wolna!

Spojrzałam na nią i uśmiechnęłam się. I patrzyłam na nią tak długo, aż pub został daleko za nami, ściskanie w żołądku wywołane tęsknotą za domem zmieniło się w zwykłe ściskanie w żołądku wywołane jazdą samochodem po alkoholu.

– Proszę się tu zatrzymać – powiedziała Tam do kierowcy. Taksówka stanęła i warczała przed domem w szeregu segmentów. Znajdowałyśmy się w starej części Whitehorse, w dość dużej odległości od naszego pubu. Mieszkali tu ludzie, którzy u nas nie pili: nauczyciele, pracownicy opieki społecznej i eleganckie sekretarki, malujące drzwi na jaskrawe kolory, doczepiające do nich mosiężne kołatki i umieszczające w oknach skrzynki z kwiatami.

– Proszę na nas poczekać za rogiem. Nie zajmie nam to wiele czasu.

Kierowca obdarzył ją szerokim uśmiechem:

– Tak, psze pani – powiedział, próbując być zabawny.

Zapukałyśmy do błyszczących, czerwonych drzwi z kołatką w kształcie delfina, po czym każda z nas zajęła się skubaniem skraju własnej spódniczki, w oczekiwaniu na rezultat. Na szczęście byłyśmy nieźle podpite.

Kiedy otworzyła drzwi, wyglądała na zmęczoną. Zrozumiałam, że została poniżona przez miłość, która jej się przytrafiła. Zastanawiałam się zarówno wtedy, jak i przez kilka następnych dni, dlaczego nigdy nie powiedziała nikomu, co jej zrobiłyśmy. Nie powiedziała policji, nie powiedziała personelowi szpitala, żadnym krewnym ani żadnym znajomym, którzy mogliby się zjawić, by pomścić nasz atak na nią. O dziwo, nie powiedziała też swojemu kochankowi, co zrobiła jej jego córka. Najwyraźniej znajdowała się na wczesnych etapach obsesyjnej i destruktywnej relacji ze starszym mężczyzną, zajmującym silniejszą pozycję. Przedziwne, ale oczekiwała w jakiś niewytłumaczalny sposób każdej osobliwej i niebezpiecznej rzeczy, która jej się przytrafiała. Była chora z miłości do pana Fakenhama. Nie myślała normalnie. Sądziła, że cokolwiek się jej zdarza, zdarza się, bo na to zasłużyła. Stanowi karę za utratę niezależności umysłu na rzecz miłości.

– Możemy wejść? – zapytała Tam.

Nina Fisher poznała ją. W jednej ręce trzymała kieliszek srebrnawego wina, wydzielającego wciąż delikatne perełki bąbelków, a w drugiej mentolowego papierosa z białym filtrem. Była to sobota poświęcona na relaks. Może próbowała wyleczyć się z miłości, przerzucając kartki czasopism, malując paznokcie albo nakładając złuszczającą maseczkę z orzeszków ziemnych i ziół.

Piersi Niny były krągłe, delikatne i naturalne, jak żagle na wietrze. Na ich widok, kłębiących się pod białą bluzką z jedwabiu, uspokoiłam się. Miała poduszki na ramionach i luźne, zwężające się ku dołowi spodnie, takie jak bluzka. Całą skórę pokrywała jej oliwkowa opalenizna, a na kształtnych rękach widać było włoski w kolorze miodu.

– Przyszłam porozmawiać o moim ojcu.

– Rozumiem. No tak. W tej sytuacji lepiej chyba, żebyście weszły – stwierdziła, patrząc ponad naszymi głowami na drugą stronę ulicy. Potem spojrzała w niebo, jakby chciała sprawdzić, czy nie będzie za chwilę padać.

Weszłyśmy do wąskiego przedpokoju jej luksusowego mieszkania na parterze. Nie było śladu pana Fakenhama, choć nie miałam wątpliwości, że Tam spodziewała się go tam zobaczyć, w odpowiedniej dla niego pozie taty: przed telewizorem, z gazetą i szklaneczką whisky w ręku: „Witajcie, dziewczynki, jakże się cieszę, że was widzę”.

Nina usiłowała mówić w sposób neutralny, bez akcentu, jak profesjonalistka. Ale ja słyszałam w jej samogłoskach zgrzyt charakterystyczny dla ludzi prostych. Zapewniała nas właśnie, że jej zdaniem byłoby o wiele mądrzej, gdybyśmy porozmawiały z panem Fakenhamem.

Głupia krowa.

Nie sądziła, żeby mogła nam pomóc.

– Nie potrzebujemy pomocy – rzuciłam jej z kpiącym uśmieszkiem.

Tam rozglądała się po imponującym wnętrzu. W głębi mieszkania znajdowała się jadalnia, widoczna przez uchylone drzwi. Nina poprowadziła nas obok tych drzwi do pokoju w tylnej części mieszkania. Zajrzałam do jadalni i dostrzegłam małe srebrne rybki ułożone na owalnym półmisku. Miskę z sałatką zdobiły malutkie pomidorki. Przygotowała nakrycie dla sześciu osób. Zapewne była to okazja, o której w gazecie można przeczytać, że „odbyło się spotkanie towarzyskie". Miała pieniądze i wspaniałe meble z drogich sklepów. A dzisiaj odbywało się u niej przyjęcie dla przyjaciół.

Nie musiała oglądać zdjęć w czasopismach, bo jej mieszkanie wyglądało jak jedno z takich zdjęć.

Ale miało się niebawem okazać, że przyjęcie trzeba odwołać, ponieważ Nina Fisher znalazła się na oddziale nagłych wypadków szpitala św. Anny. Właśnie w chwili, na którą wyznaczone zostało przybycie gości, miała odpływać po zaaplikowanej narkozie.

Ciągle jeszcze szłyśmy. Było to duże mieszkanie. Na ścianach przedpokoju wisiały radosne fotografie z wakacji, uwieczniające samotnych, ale uroczych mężczyzn i kobiety, którzy wszyscy wyglądali, jakby właśnie wycięto ich z katalogu biura podróży. Znajdowali się w barach, na plażach, na przyjęciach, albo tańczyli w ciemnościach z zimnymi ogniami. Dom wręcz pachniał wakacjami. Zrozumiałyśmy obydwie, że Nina Fisher mogłaby zostać gwiazdą w wyprodukowanym przez siebie serialu telewizyjnym: „Kochanka".

Ktoś coś mówił, może radio, a może Tam, ale nie słyszałam nic z powodu nagłego łomotania w głowie.

Ściany w pokoju obwieszone były fotografiami śmiejących się zagranicznych chłopów, kucających w oświetlonych słońcem przejściach. Dzięki temu ich śmierdząca, rolnicza bieda wyglądała pociągająco. Nie dostrzegłam żadnych śladów zbiegłego taty. Miała antyki, białą lnianą sofę i chińskie lampiony. Miała zestaw karafek z alkoholem i płaską wieżę stereo. Przypomniała mi ona o sprzęcie, który ukradłam z małego domku w dniu, który wydawał się teraz taki odległy.

Miała dwadzieścia osiem lat i mieszkała sama. Spojrzałam przez ramię i zobaczyłam mały stolik ze szklanym blatem, pośrodku którego, w dziwacznym kole, leżały kamyki z plaży. Była trzynaście lat starsza od nas.

Oparła się o ozdobny kominek, a Tam stanęła naprzeciwko niej. Ustawiłam się obok Tam. Zdawało mi się, że gramy w jakiejś sztuce, a ja muszę pamiętać swoją kwestię. Czułam mdlące przerażenie. Wiedziałam, że moja rola w tym przedstawieniu będzie oceniana jeszcze wiele lat później. Od niej miał zależeć mój przyszły sukces. Czułam, że oglądają mnie tysiące ludzi. Jestem pewna, że słyszałam bicie serca Tam. Wyprostowałam plecy i uniosłam głowę. Czekałam, aż tam powie coś ostrego jak brzytwa. Aż znokautuje tę cholerną Ninę Fisher piekielną siłą swego intelektu dziewczyny-osoby.

Ale nie. Zerkałam ukradkiem i kątem oka dostrzegałam, jak podbródek Tam trzęsie się, a jej cudowne rzęsy, te same, które zanim wyszłyśmy z domu, tak starannie wyczesała i pokryła tuszem w kolorze letniego lazuru, są mokre. Wokół miejsc, które czasopisma nazywają „delikatną okolicą oczu", zaczęły jej się pojawiać czerwone plamy.

– Zostaw mojego ojca w spokoju – wymamrotała bełkotliwie. Jej słowa były ciche i brzmiały lepko.

– Suka – powiedziałam, próbując wesprzeć Tam. Nie mogłam znieść myśli, że sytuacja doprowadziła ją do tak żałosnego stanu.

To było niewiarygodne.

Nina Fisher patrzyła w dół, na swoje buty, czarne tenisówki, na całkiem płaskiej podeszwie. Dolnymi zębami przygryzła górną wargę i kilka razy zamrugała oczami. Popiół spadł jej z papierosa prosto na elegancki czerwony dywan. Na ścianie tuż za nią wisiało oprawione w wielkie, chromowane ramy zdjęcie Murzyna grającego na trąbce.

Teraz płakała również Nina Fisher. Było to okropne. Wręcz słyszałam tę małą rzekę łez bulgocącą wśród ścian pokoju.

Wtedy ją uderzyłam. Za łzy i za wszystko inne.

Naprawdę, naprawdę nienawidziłam tych wszystkich płynów, bez końca produkowanych przez ciała kobiet. Był to tylko policzek, ale wymierzony tak niespodziewanie, że cisnął ją w kierunku Tam. Złapała jej małą głowę w swoje dłonie. Sądzę, że początkowo najzwyczajniej próbowała nie dopuścić do tego, by Nina uderzyła się o kominek. Tam patrzyła na mnie, wystraszona. Wyglądała, jak ktoś, kto znalazł się na polu i właśnie złapał piłkę, choć nie zna wcale reguł gry w krykieta.

– Suka – powiedziałam ponownie, tym razem z niecierpliwością. Przestępowałam z nogi na nogę. Naprawdę nie przychodziło mi do głowy nic lepszego, choć byłam w pełni świadoma faktu, że ten poziom repertuaru nie wystarczał. – No i co się tak gapisz? – dodałam.

Wtedy Nina zaczęła walczyć. Zdaje mi się, że powiedziała „proszę". Tam mocno trzymała się jej głowy, z palcami wczepionymi w lśniące czernią włosy. Nina była teraz wygięta jak gęś, a tyłkiem opierała się o ścianę. Wyglądało to raczej zabawnie, jak się szamocze. Przez połyskującą czerń widziałam białe plamki skóry na czaszce. Pochylona wyglądała jak krowa, z bydlęco wygiętym kręgosłupem. Pod tym nieapetycznym kątem wydawała się raczej tłusta. Kobiecy zad trząsł jej się wyraźnie, a cycki zwisały jak wymiona.

Nagle Tam zrobiła coś nadzwyczajnego. Pomyślałam, że ma zamiar pocałować Ninę. Potem przyszło mi do głowy, że będzie jej szeptać do ucha najbardziej zjadliwe groźby. Ale nie. Tam pochyliła się i ugryzła ją w ucho. Zrobiła to cicho i starannie, jak ktoś odcinający nożyczkami róg plastikowej torebki orzeszków ziemnych. Chlast i już.

Potem Tam cofnęła się chwiejnym krokiem, puszczając Ninę, jakby głowa Niny stała się nagle gorąca, jakby zaczęła ją parzyć. Nina otworzyła usta, ale nie wydobył się z nich żaden dźwięk. Wyglądała, jakby miała wyssać całe znajdujące się w pokoju powietrze. Wiem, że w swojej głowie była sama. Nas tam nie było. Oczy miała otwarte tak szeroko, że aż wyglądało to nienaturalnie. Jakby te rozwarte oczy rodziły właśnie całkowicie nowy gatunek bólu. Dłonie trzymała kilka centymetrów od uszu, jakby docierała do niej jakaś przeraźliwa muzyka. Za oknem zauważyłam wiszący kosz i patio pełne roślin doniczkowych. Pszczoła odbijała się od kwiatów.

Potem spojrzałam na Tam. Również i ona zamarła w tej całkiem nowej, krwawej i niezapomnianej chwili. Na wardze miała kawałek płatka usznego Niny Fisher. Był wielkości ziarnka grochu i koloru bladego pąka kukurydzy cukrowej. Nie, był nawet bledszy, ziemisty i dziwnie tłusty, jak kawałek chipsa. Jednak chciałam zamknąć go na chwilę w dłoni, bo wyglądał tak tkliwie i wciąż zdawał się tak pełen życia. Było mi go żal. Wokół ust Tam widniał krwawy ślad. Nie miałam ventolinu i zaczynało mi brakować oddechu.

Najspokojniej jak tylko możliwe rozejrzałam się za jakimś alkoholem. Na półce nad kominkiem zobaczyłam kieliszek Niny wciąż pełen bladego wina i pieniących się pęcherzyków powietrza. Sięgnęłam i wypiłam całą zawartość.

A wtedy Tam otarła usta wierzchem dłoni, jak starzy bywalcy knajp na Dzikim Zachodzie. Mały płatek uszny, biała perełka ciała, kawałek kobiety, upadł na podłogę.

– Chodźmy do domu i weźmy prysznic – powiedziała Tam, wyciągając ku mnie rękę.

Zobaczyłam, jak sięga ku mnie, nad głową Niny Fisher. Jej olbrzymie palce drżały, a dłoń szukała mnie po omacku, jak dłoń ślepca. Ale uśmiechała już teraz, a w dyszącym oddechu znów pojawiło się oczekiwanie, jakby zawiązano jej oczy podczas ekscytującej zabawy w ciuciubabkę, a ona miała za chwilę natknąć się na kogoś nowego i intrygującego.

I nie zawiodłam. Przyciągnęłam ją do siebie. Nie mogła złapać tchu, potem z trudem przełykała i poczerwieniałą ręką co chwilę przecierała sobie usta. Pamiętam, że usta jej się uśmiechały, ale oczy wyglądały tak, jakby przed chwilą do niej strzelano.

I wyszłyśmy, spokojnie i powoli, dokładnie w chwili, gdy zaczął się prawdziwy wrzask.

Gorliwy kierowca czekał. Po przejechaniu kilkuset metrów Tam zrobiło się niedobrze i zabrudziła mu cały tył auta.

ocet

– Trzymaj ją i wyrzucaj biodra do przodu. Rób to z przekonaniem. Bądź lubieżna! Obsceniczna! – krzyczała poirytowana Tam.

Była trzecia sześć nad ranem w niedzielę. Dla nas środek popołudnia. Uczyła mnie grać na gitarze elektrycznej, a ja nie reagowałam tak dobrze, jak powinnam była reagować. Miała trzy gitary, dwie akustyczne i elektryczną, miała też odsłuchy, wzmacniacze, kostki do grania i tamburyny.

Mogłaby zaimponować każdemu towarzystwu, a przecież nikt w szkole jej nie lubił.

Mówiła, że miała brać lekcje muzyki, ale jest zbyt gorąco, a poza tym nie chce, żebyśmy pokazywały się między ludźmi. Obiecała, że da mi pieniądze, które zaoszczędziła, nie chodząc na lekcje muzyki, żebym mogła je schować do swojego pudełka z oszczędnościami, które z dumą pokazałam jej trochę wcześniej.

Nie wspominałyśmy ani o Ninie Fisher, ani o jej oderwanym uchu.

– Jesteś dobra – wrzeszczała. – Nie poddawaj się. Próbuj dalej! Jeszcze im pokażemy!

Tej nocy doszłyśmy do wniosku, że cokolwiek robią mężczyźni, my potrafimy to zrobić lepiej. Perfekcyjne opanowanie gry na gitarze elektrycznej stanowiło nasz najnowszy plan. Popchnęłam biodra do przodu, szyderczo się uśmiechając, a ona klasnęła w dłonie. Po wielu ćwiczeniach potrafiłam popychać biodra, uśmiechać się kpiąco, tupać stopą i kiwać głową. Nie potrafiłam jedynie grać na instrumencie ani śpiewać, a od ciężaru gitary bolały mnie ręce i drętwiały ramiona. Było to zajęcie zbyt męskie, ja byłam do gitary za słaba i zdecydowanie wolałabym słuchać śpiewu udekorowanych cekinami dziewcząt, popadając przy tym w rozmarzenie.

Tej nocy przez godzinę robiłyśmy sobie nawzajem ciemne zdjęcia w różnych uwodzicielskich pozach.

Ze względów bezpieczeństwa Tam zakazała otwierania okien. Choć Wysoki Paul nie pokazał się, odkąd odwiedziłyśmy jego dom, Tam się upierała, że wciąż grozi nam wielkie niebezpieczeństwo z jego strony i ze strony Ivy, która jak sumak jadowity czaiła się w krzakach, dzień i noc śledząc nasze poczynania. Tam stwierdziła więc, że muszę pozostać w domu, dopóki sprawy się nie ułożą. Słyszała, jak służący szeleszczą w liściach niczym szczury. Kiedy tańczyła nago w wannie, krzyczała do Wysokiego Paula, który w jej przekonaniu stał gdzieś pod domem, śliniąc się na widok dziewczęcego ciała. Szanse na to, żeby nam się ułożyło, wydawały się nikłe.

Para wodna, zmieszana jak żar naszych ciał, unosiła się w całym domu nieruchomym ciepłem.

Dziewczęce ciała fermentujące jak drożdże.

Muchy nie ginęły już od lepu, dziurawiąc go jak rodzynki ciasto, tylko uderzały nam o twarze, kiedy spałyśmy razem – zmarznięte czy rozgrzane, zachwycone czy nieszczęśliwe, nie potrafiłam powiedzieć. Tylko Tam mogła wychodzić z domu, po północy, by stanąć na drabinie i malować. Obiecała mi jednak, że nawet wtedy jej stopa nie dotknie wrogiego nam gruntu i właśnie dlatego wychodziła przez okno w łazience na tyłach domu. Jak wiedźma. Stwierdziła, że musi malować trzy godziny noc w noc, jeśli ma uporać się z brudem na ścianach domu.

Miałam na sobie czerwoną spódniczkę Sadie, która uwierała mnie w talii, i jej czerwoną bluzkę na ramiączkach z mnóstwem miejsca na cycki, przez co moja cherlawa pierś wyglądała jak skrzynka na listy. Cieszyłam się, że pani

Fakenham usunęła z domu wszystkie lustra. Cieszyłam się, że tylko Tam jest świadkiem mojego dziwacznego, hienocmentarnego wyglądu.

– Jesteś cudowna! – darła się Tam. Wydawała się teraz pod większym wrażeniem mojej osoby, kiedy dowiedziała się o moim okrucieństwie. Co więcej, teraz, kiedy mogłam ją przerazić, bardziej mnie szanowała.

Wiedziałam jednak, że musimy dodać do ognia więcej paliwa, jeśli ta nasza uzależniająca pewność siebie ma trwać.

Szyby w szerokich oknach trzęsły się od dźwięków basu i mojego upiornego śpiewu.

Zaczęłyśmy zapominać o jedzeniu, nawet tych dziwnych posiłków.

Planowałyśmy ucieczkę.

Rozmawiałyśmy o ludziach, których Tam znała za granicą i którzy mogliby nas ewentualnie ukryć.

Rozmawiałyśmy o wspólnym starzeniu się.

Wszystko, co zobaczyłyśmy lub przyszło nam na myśl, wspierało nasze mroczne wizje.

Po cichu każda z nas się zastanawiała, kiedy zjawi się policja, żeby porozmawiać o uchu Niny.

Często też mówiłyśmy o tym, jak inni ludzie tak bardzo głupieją, że nie potrafią postrzegać świata z klarownością właściwą nam.

– Ta stara krowa, żona Wysokiego Paula, nigdy już się nie pokazała, no nie? – oświadczyłam z uśmiechem. Znudziłyśmy się już gitarami i niedbale rozsiadłyśmy się na stołkach w kuchni, obserwując muchy. – Miałaś absolutną rację, że poszłyśmy tam i jasno powiedziały jej, o co chodzi. Założę się, że mu dało do myślenia. Sukinsynowi jednemu.

Gdzieś w głębi ducha obawiałam się, że nasza nowa pewność siebie nawzajem opiera się wyłącznie na leniwym płomyczku skrajnej nieżyczliwości i nieuprzejmości wobec innych. I z całych sił pragnęłam, by rozwinęła się w coś więcej niż tylko ten leniwy płomyczek. Chciałam być inteligentna, mądra, podziwiana, chciałam, żebyśmy obydwie były jak bohaterowie z książek albo z telewizji. Chciałam, żeby ludzie uznawali naszą siłę i władzę, podziwiali ją i żywili przekonanie, że obydwie odniosłyśmy wspaniały, który prowokował do wyrzucania nad głowę pięści i kołysania biodrami.

Nie zniosłabym myśli, że jestem przeciętnie małostkowa i sukowata.

– Jadowita Ivy mówiła, że ta stara baba, no wiesz, jego żona, jest w szpitalu.

– Aha – więc to dlatego jego żona nie złożyła na nas skargi, a Paul nie przychodził do pracy w ogrodzie.

– Tak, ale nie wiem, czy tak jest rzeczywiście – dodała, machając dłonią wokół twarzy, jakby odganiała muchę packą. – W końcu kto wie, czy to, co mówi służba, jest prawdą.

Była znudzona i to mnie przygaszało. Chciałam ją podniecać i ekscytować. Zawsze.

Nie miałam śmiałości zapytać, dlaczego stara kobieta znalazła się w szpitalu. Nie miałam też pojęcia, czy okrutne, arystokratyczne stanowisko Tam w kwestii służby miało być żartem, czy wręcz przeciwnie. Tak się teraz porobiło, że jeśli nie udawało mi się dostrzec jej dowcipów, pochylała się, by przystawić swoją twarz bardzo blisko do mojej i powiedzieć, bardzo wolno i bardzo spokojnie: – To nazywa się ironia, Mona, kochanie. I jest zabawne.

W końcu najbardziej leniwym głosem, na jaki było mnie stać, zapytałam:

– Kiedy widziałaś Ivy?

– Jadowitą Ivy? Ach, zjawiła się tutaj. Kiedy byłaś poza domem w piątek, robiąc te swoje tajemnicze rzeczy, cokolwiek to jest.

Nie odważyłam się zapytać, po co przyszła Ivy i nie chciałam rozmawiać o piątku, więc wróciłam do picia.

Próbowałam myśleć o Ninie Fisher i znajdującej się w szpitalu żonie Wysokiego Paula, jednak ilekroć zamykałam oczy, widziałam oddział szpitalny, na którym zmarła moja mama. Tyle tylko, że zamiast mamy w łóżku leżała Nina Fisher, ale już nie w swoim długim jedwabnym stroju, tylko naga. Jej opalone, smukłe ciało zwijało się w milczącej agonii bólu na białym tle pościeli.

Później, o dziewiątej pięć rano, kiedy powinnyśmy już dawno leżeć otulone pościelą, jednak byłyśmy w środku wyjątkowo skomplikowanego tańca, odezwał się telefon. Dzwonił ojciec.

– Boże, zachowaj nas od zwykłych ludzi – wyszeptałam do Tam, kiedy się odezwał.

Jego głos brzmiał miękko i delikatnie, jak słowa wyrażone w liście. Był samotnym i smutnym tatą. Mówiąc szczerze, przechodził mnie dreszcz radości, kiedy go słyszałam. Ale mruczałam coś niewyraźnie do słuchawki, wzdychałam, pociągałam nosem, albo udawałam, że go nie słyszę, żeby musiał powtarzać to samo po kilka razy, a potem nie odpowiadałam na zadawane mi pytania.

Kiedy mówił już przez kilka minut, Tam zaszła mnie od tyłu i wsunęła mi między wargi łyżeczkę ciepłego, słodkiego sosu z mleka i jajek.

– Jak pies – wymamrotałam.

– Cóż począć – odezwał się. Wiedziałam, że chce, żebym powiedziała coś, co wprawi go w lepsze samopoczucie. Potem powiedział: – Jednak chciałbym, żebyś natychmiast wróciła do domu. Brakuje nam ciebie. Nie dałaś jeszcze Debbie żadnej szansy. Chciałbym, żebyś wróciła do domu jeszcze dziś przed wieczorem. I muszę powiedzieć, że jeśli nie wrócisz...

Tam zaczęła rozcierać mi na policzku łyżeczkę ciepłego sosu i poczułam się tak, jakby lizały mnie ciepłe języki. Zastanawiałam się, czy tatuś słyszy jej oddech, choć on dalej zapewniał, jak bardzo za mną tęskni i jak bardzo chce, bym wróciła.

– Kocham cię, Mona – powiedział tatuś cicho. – I brakuje mi twojej mamy, choć przecież później nie byliśmy już razem. Nie zawsze potrafię właściwie to wyrazić. Była dobrą, życzliwą kobietą.

Tam i ja wiedziałyśmy, iż lepiej jest zawsze myśleć, że ktoś nas słucha. Chyba nawet popadłyśmy w jakieś otępienie, bo nikomu nie zależało na tym, by nam się przeciwstawiać.

Tam odpięła zamek błyskawiczny i czerwona spódniczka osunęła się na ziemię. Słodki sos miałam już teraz rozmazany po całej klatce piersiowej. Pachniał w żółtym kolorze. Pokrywał całe moje ciało, jak słodka farba, w niektórych miejscach grubą i gęstą warstwą, a w innych cieniutko, jak werniks. Było to wyjątkowo zabawne. Tatuś mówił coś o jakiejś pracy, która się dla mnie szykuje. Tak przynajmniej słyszał. A Tam zsunęła czerwoną bluzkę na ramiączkach tak, że owinęła mi chude uda i nie mogłabym teraz odejść, nawet gdybym chciała.

Podobała mi się myśl, że zza drzew ktoś mógłby nas podglądać.

Upubliczniona prywatna perwersja!

Ha!

Chciałam szokować przez okno z siłą przelatującej przez nie cegły.

Tatuś powiedział, że na rocznicy mojej mamy on, Lindy i ja pójdziemy razem do jej grobu. Powiedział, że wie, jak ważny jest dla mnie ten dzień.

Odłożyłam ojca na wąskim, mahoniowym stoliku pod telefon i Tam zaprowadziła mnie pod prysznic. Myła mnie wyjątkowo skrupulatnie, ze względu na swoją nienawiść do brudu i przykrych zapachów. Chciała, żeby każda moja fałdka, każde załamanie zostało czyste po namydleniu. Od incydentu z uchem Niny jeszcze bardziej przejmowała się czystością. Myła mnie namydlonymi palcami, a później całą dłonią. Bez żadnych szmatek ani gąbek. Umyła mi włosy.

A ojciec był odłożony na stoliku i musiał tego wszystkiego słuchać. *Ha!*

Kiedy wyszłam z wody, wytarła mnie ręcznikiem, bardzo powoli, zaczynając od każdego palca u nogi z osobna, potem osuszała chude kostki, łydki i uda. Doszła do wniosku, że tracę na wadze i później tego dnia powiedziała mi, że będzie mnie mierzyć, żeby mieć pewność. Byłam uszczęśliwiona. Uda wycierała mi tak wolno, że plecy miałam prawie suche, kiedy kładłam się do łóżka. I zaczęła ssać mnie w środku, głęboko. Wcześniej doprowadziłyśmy do perfekcji wszystko inne, pocałunki i dotykanie się nawzajem, wszystko oprócz tego. Robiła to przez długi czas, z twarzą zatopioną we mnie. Jej usta wydawały cichutkie, szepcące dźwięki. Na chwilę pomyślałam o tym, jak odgryzła kawałek ucha Niny. Miałam przed oczami ten mały kawałek ciała na wargach Tamsin. Wsysała się we mnie jak ktoś bez najmniejszego poczucia winy objadający się przepysznym posiłkiem. Czułam, jakby moja skóra słyszała, widziała i czuła zapachy. Miałam zamknięte oczy, a jedyne dźwięki dobywały się z gardeł ptaków śpiewających w ogrodzie.

– Niechby przyszły tu popatrzeć sowieckie siły specjalne – zachichotała.

– Och, kochanie. Taka miłość powstrzymałaby wojnę.

– Kochanie, bez wątpienia żołnierze wszystkich formacji świata byliby zbyt zaskoczeni, aby walczyć.

Trwało to całą wieczność. Potem byłyśmy gotowe, by rozpocząć kolejną wieczność i ja zaprowadziłam ją do łazienki, by zacząć wszystko od nowa. Na niej.

Później, wciąż jeszcze w niedzielę, ale już popołudniem, rozległo się wyraźne pukanie do drzwi. Przepełniona szczęściem, ignorowałam natrętny dźwięk tak długo, jak tylko mogłam. Obie leżałyśmy w łóżku. Była trzecia czternaście po południu, a więc dla nas środek nocy. Jednak pukanie stawało się coraz głośniejsze i coraz bardziej natarczywe, więc wyśliznęłam z łóżka, zostawiając Tam we śnie. Gdyby pukającym okazał się Wysoki Paul, pewnie poradziłabym sobie z nim sama. Gdyby do drzwi dobijała się Jadowita Ivy, na pewno pamiętałaby czas, kiedy byłyśmy przyjaciółkami. Gdyby zaś miała to być gruba ciotka, udałabym zwykłą dziewczynę służebną i zaklinałabym się, że nie słyszałam o jej szalonej bratanicy.

A gdyby to była Nina Fisher, chwyciłabym w dłonie jej zranioną głowę i ukoiła ból. Na płaczące usta położyłabym jej warstwę szminki, może w jakimś prostym i szlachetnym kolorze, a na pokiereszowane ucho założyła złoty kolczyk, być może uzdrawiający krucyfiks.

Kiedy się budziłam, czasem trzeba mi było kilku minut, by sobie przypomnieć, że przecież jestem okrutną i złą przestępczynią. Niekiedy o tym zapominałam i gdy otwierałam oczy, przychodziły do mnie czułe myśli.

Najpierw schowałam się za ciężką zasłoną w sypialni Tam i ostrożnie wyglądałam przez okno. Poniżej, na schodach, stał ktoś z postawionymi do góry, czarnymi, błyszczącymi włosami i w ażurowej koszulce. Nie był to Wysoki Paul. Nie była to Jadowita Ivy, ani Nina Fisher, ani stara ciotka. Stojąca na schodach osoba miała ten sam kształt i wymiary, co mój monstrualny przyrodni brat. Baleron. Trzymał paczkę chipsów, jakby były one jego jedynym na świecie przyjacielem. Wyglądał ponuro. Zakłopotany rozglądał się po podwórzu, potem cofnął się kilka kroków i wstrząśnięty przyglądał się zniszczonemu, na wpół różowemu domostwu. Miał na sobie jakiś naszyjnik, a na twarzy jakiś brud, który wyglądał jak makijaż.

Poczułam dreszcz radości. Nareszcie miałyśmy godnego przeciwnika.

Zeszłam na dół cicho jak pająk. W domu było aż gęsto od popołudniowego upału. Stanęłam cicho przy drewnianym stojaku na parasole i słuchałam, czy nie ma wokół policji, czy nie tupią buciory i nie szczękają odbezpieczane spusty broni. Teraz już wiedziałam, że mężczyźni to nie tylko nieudacznicy, ale też szaleńcy. Nawet ten tłusty Baleron wydawał się zagrożeniem.

– Przyniosłem ci coś, Mona – odezwał się spokojnym głosem, wsuwając palec pod klapkę skrzynki na listy, żeby go było słychać. Byłam chora z zażenowania, wywołanego jego osobą. Ze smutkiem pomyślałam, że nigdy nie zazna siostrzeństwa i wielu radości, które zeń wynikają.

– Przyniosłem ci coś – powtórzyłam, przedrzeźniając jego jękliwy głos, po czym upadłam na brązową terakotę podłogi, ukrywając twarz w dłoniach. Być z mocy prawa spokrewnionym z czymś takim! Wyobrażałam sobie, że słyszę oddech Tam.

Gwałtownie pomyślałam o śmierci.

– Mogę wejść? – zapytał jak gruby chłopczyk, który nie dostał zaproszenia na przyjęcie. W dziennym świetle wyglądał okropnie, taki tłusty i podpity, i taki niezgrabny. Nigdy nie mógłby być moim kochankiem. Usiadłam w przedpokoju i czekałam, aż sobie pójdzie.

Był nieudacznikiem, nawet jako wróg.

– To kartka na twoje urodziny! – wrzasnął nagle. – Masz dzisiaj urodziny. Wszystkiego najlepszego, Mona!

Podniosłam się i musiałam mocno przycisnąć biodro do drewna, aby odsunąć sztywną zasuwę.

– Co ci się stało? – uśmiechnęłam się znacząco. Miał grube kreski tuszu, które marszczyły mu się na górnych powiekach. Czarne paćki pokrywały mu też brwi. Purpurowy róż na policzkach i czerwone strupy szminki na wargach wyglądały, jakby ktoś przed chwilą dał mu w pysk. Wyglądał jak wersja Lindy przygotowana na potrzeby horroru. A kawałek niego wyglądał jak biedna, stracona Cleo, co wywoływało u mnie chęć do płaczu, a tym samym chęć, aby mu przywalić.

Skurwiel.

– Skąd wiedziałeś, że tu jestem? – wyszeptałam. Jego obecność zmieniła ten dom. Wniósł ze sobą radosny świat dziejący się w ciągu dnia i poczułam pewność, że nic już odtąd nie wyda mi się takie samo.

– Oczywiście tatuś mi powiedział. Wszyscy to wiedzą.

On bardzo się martwi. Wszyscy wiemy, gdzie teraz jesteś. I co robisz. Że żyjesz tutaj z wytworną dziewczyną.

– I co z tego? – syknęłam. – To koleżanka. Uczymy się do egzaminów. Powiedz to tatusiowi.

– A po naszym pubie krąży całkiem inna wersja.

– Jaka mianowicie wersja krąży po naszym pubie?

Mój szept był przeraźliwy i pełen jadu, jego szept przekorny i żartobliwy. Mój pochodził z prywatnego, pokrwawionego świata dziewcząt budujących wspólne życie, jego szept z wesołego i publicznego świata barowych pijaczków.

– Wersja raczej tylko dla dorosłych – odparł i zaczął chrząkać ze śmiechem. – Podobno uczycie się całkiem czegoś innego. Można powiedzieć, że języków. Ale własnych, na pocałunkach z języczkiem i pieszczotach.

– Zaskakuje mnie, że wiesz, co to pieszczoty i pocałunki – skomentowałam sarkastycznie, co stanowiło moją nową i jakże cudowną umiejętność.

Pewne wszystkiego, okrutne dziewczyny mogą pozwolić sobie na całe mnóstwo sarkazmu.

– Wiem, co to jest – powiedział miękko. Odkąd odeszłam z domu, utył jeszcze bardziej i teraz brzuch wisiał mu w dwóch wielkich fałdach. Przecisnął się obok mnie i wszedł do przedpokoju. W głębi duszy byłam raczej szczęśliwa, że mogę tym samym pochwalić się splendorem mojego nowego domu.

– Pocałunki i pieszczoty w prawdziwym życiu różnią się od tych w piosenkach – szydziłam. – A w ogóle to czego chcesz?

– Niczego – odparł. Stał naprzeciw mnie w drzwiach, a kochana Tam spała na górze.

Zauważyłam, jak tęsknie patrzy na fortepian, a potem na olejne obrazy, wazy, kryształowe wazony i ornamenty. Uśmiechnęłam się. Żadne z nas się nie odezwało. Nie byliśmy ze sobą dość blisko – wiązało nas tylko prawo – by wyrządzać sobie nawzajem tak intymne okrucieństwa. I wtedy dostrzegłam, że jest bardziej pijany niż my z Tam. Ale od piwa, a to inny rodzaj nietrzeźwości.

Obok siebie, ja chuda jak patyk, a on gruby jak balon, stanowiliśmy niezły komediowy duet.

Drzwi wciąż stały otworem.

– Robiłaś jeszcze jakieś inne włamania? – zainteresował się z nerwowym uśmiechem.

– Wyglądasz jak prawdziwy głupek – poinformowałam go, całkowicie ignorując pytanie. Nauczyłam się od Tam, że okrucieństwo jest skuteczną bronią do walki ze smutkiem. Odkąd ją poznałam, płakałam o wiele mniej. – Gdzie ty w ogóle byłeś? – zainteresowałam się, kierując pełen szyderstwa wzrok na jego spodnie.

– W klubie. W Leeds. Wróciłem dopiero dzisiaj na obiad.

– Jezu! – westchnęłam.

Nastąpiła chwila ciszy i czułam wyraźnie, że okrucieństwo ogarnia mnie całą jak promienie słońca:

– Napisałeś ostatnio jakieś piosenki, Eltonie? – rzuciłam, uśmiechając się od ucha do ucha. – A ten fortepian pewnie byłby dla ciebie niezłą gratką, no nie?

– Ej, zamknij się, dobra? – poprosił miękko, chmura odpłynęła i poczułam na twarzy rumieniec własnej nieuprzejmości.

– Masz jakieś cynki na derby, Steve? – zmieniłam temat. Po raz pierwszy w życiu zwróciłam się do niego po imieniu. Spojrzał podejrzliwie, pokiwał przecząco głową, a potem powiedział:

– Ale dam ci znać, jak coś do mnie dotrze.

– Nie zapomnij – poprosiłam, choć nie miałam już pewności, czy obstawimy zakłady, czy nie, czy taka możliwość jest realna. Wtedy się odezwał:

– Lepiej już chodźmy. Twój tatuś czeka.

I zanim zdążyłam poderżnąć mu gardło leżącym w zasięgu ręki srebrnym nożem do otwierania listów, zjawił się ojciec.

– Wynocha! – wrzeszczałam, próbując zamknąć drzwi. Ale otworzył je siłą. Widziałam, że ma w ręku skrzynkę na narzędzia, jakby zamierzał odkręcić zamek w drzwiach, żeby mnie dostać. Teraz i on znalazł się w przedpokoju. Odebrało mi mowę, tak bardzo byłam przerażona i wstrząśnięta. Powinnam była wiedzieć, że jeśli kiedykolwiek po mnie przyjdzie, to właśnie w niedzielę po obiedzie, kiedy zamknie pub.

A potem zaczęły mnie kusić chipsy Balerona, niby małe tłuste demony. Jak oszalała wpychałam je sobie do ust, a cudowny smak tłuszczu wzmagał jeszcze obecny na moich palcach ślad dziewczęcej intymności. Baleron chwycił mnie za przegub mojej maleńkiej dłoni. Ścisnął i pociągnął mnie do góry. Opierałam się teraz o jego wielkie cielsko.

I stało się jasne. To była najprawdziwsza prawda. Wszystko, co kiedykolwiek myślałyśmy o mężczyznach, spełniło się w tej jednej chwili.

Mężczyźni są źli i niebezpieczni.

– Taaaam! Pomóż mi. Pomóż mi, kochanie. Pomooocyyy! – krzyknęłam i wybuchłam prawdziwą burzą łez.

Pojawiła się, snując się przepięknie, pijana i zaspana. Płynęła w dół po wielkich schodach. Najpierw spojrzała na mnie z rozdrażnieniem, ale to nie była ironia. To była rzeczywistość. Krzyknęłam i szarpnęłam się ponownie. Podbiegła. I sięgnęłam ku niej. Wszystko wydawało się prawdziwą tragedią i najczystszą niesprawiedliwością.

Było takie romantyczne.

Obydwie krzyczałyśmy i młóciłyśmy na oślep rękami.

Przewrócił się drewniany stojak na parasole. Rozprysła chińska waza. Bukiet suszonych kwiatów eksplodował ciemnym confetti.

Podobało nam się to.

Baleron strząsnął ją z siebie. Rąbnęła na wyłożoną kafelkami podłogę i dramatycznie złapała się za ramię.

– Zaatakował mnie – pisnęła. – Ten tłusty sukinsyn mnie zaatakował!

– Nie pozwól mu, kochanie! Nie pozwól mu mnie zabrać! – darłam się wniebogłosy.

W rzeczywistości ten połączony potok łez przyniósł nam wielką ulgę: przypomniał, że jesteśmy małymi dziewczynkami.

Od tej chwili nie czułyśmy już, że ciąży na nas jakakolwiek dorosła odpowiedzialność.

– Kocham cię! Będę tu na ciebie czekać! – dyszała, ja kopałam i płakałam, a oni wynosili mnie z domu Fakenhamów.

Nie muszę chyba dodawać, że rozstanie jest dla romansu tym, czym szampan dla przyjęć.

lody

Pierwszej nocy, w niedzielę, Tam przyszła mnie szukać. Lubiłam sobie wyobrażać, że przeszła ten szmat drogi z Goldwell boso, płacząc. Przez całą noc czuwała, od strony Czarnego Potoku. Z okna mojej sypialni krzyczałam jej imię, rzucałam się na ściany i groziłam, że wyskoczę przez okno. Debbie chciała wezwać policję, a kiedy ojciec się na to nie zgodził, zaproponowała, żeby przywiązać mnie bandażem do łóżka. Powiedziałam im wszystkim, że budzą we mnie głęboką odrazę, choć, prawdę mówiąc, wszelkie moje emocje trwały nie dłużej niż kilka minut i natychmiast ich miejsce zajmowały emocje całkowicie przeciwne.

Ojciec musiał przyjść i mnie powstrzymać, kiedy usiłowałam wyskoczyć przez okno.

Krzyczałam. Nie chciałam, żeby którekolwiek z nich mnie dotykało. Przyjęłam nową pozycję, która miała w zamierzeniu pokazywać, iż moje ciało zostało oplątane drutem kolczastym i że dotykają mnie wyłącznie na własne ryzyko.

Cały dom aż huczał od mojej dzikiej siły, jak w dawnych czasach, kiedy całe królestwa wstrząsane były szaleństwem bogiń.

Ojciec siłował się ze mną, po czym o świcie w poniedziałek wyszedł na zewnątrz i poprosił Tam, żeby sobie poszła. Widziałam, jak rozmawiają, moja cudowna Tamsin z moim ohydnym ojcem. W końcu Tam odeszła, cały czas idąc tyłem i machając do mnie.

Płacząc, położyłam się na łóżku z atłasowym pudełkiem, tym samym, które moja mama kupiła mi na ósme urodziny. Małym, złotym kluczykiem otworzyłam pudełeczko, odezwała się brzękliwa melodia, po czym malutka balerina, która większość swojego życia spędzała uwięziona w ciemnościach, wyskoczyła i zaczęła artretyczne piruety na szkarłatnych pointach. Miała pięć centymetrów wzrostu, była bardzo chuda, miała srebrną spódniczkę i czarne, upięte w kok włosy. Na pomalowanej, plastikowej twarzy prezentowała ledwo widoczne niezadowolenie.

Później, kiedy tatuś przyszedł ze mną porozmawiać, wyprostowałam się tylko powoli, jak baletnica, podniosłam dumnie głowę i odwróciłam do niego plecami.

Rano Debbie zwyzywała mnie, a potem sama zaczęła płakać.

Podobało mi się jej cierpienie.

Czułam się zdecydowanie lepsza od innych, pokrzywdzona, niezrozumiana i, co najważniejsze, cudownie uwięziona: z pewnością dorównywałam stylem najlepszym rewolucjonistom.

I, ku własnemu zachwytowi, odkryłam, że o wiele łatwiej jest być heroicznym bojownikiem o wolność, kiedy jest się w areszcie domowym ze swoją śmierdzącą rodziną, niż gdy ma się pełną swobodę i żyje w luksusach z własną dziewczyną.

W sumie było raczej cudownie znaleźć się z powrotem w domu.

Chociaż zabronili mi wychodzić z domu i schodzić na dół do baru, kiedy był otwarty, pozwolono mi żałośnie kręcić się po kuchni i całą noc mogłam grać na mojej ukochanej maszynie.

Często łapałam tatusia na tym, że mi się przygląda. Czasem też próbował ze mną rozmawiać. Kiedy wróciłam do domu zaraz po uprowadzeniu, pierwszą rzeczą, jaką zauważyłam, był turkusowy damski sweter przewieszony przez oparcie krzesła z tyłu baru. Miałam poczucie, jakby z dnia na dzień zmienili aktora w jednej z moich ulubionych oper mydlanych: przychodzi wtedy fala smutku, potem na fali protestu przeciwko takiej sztuczce ma się ochotę wyłączyć telewizor, ale też przez cały czas towarzyszy nam świadomość, że już za chwilę nikt nie będzie pamiętał, iż kiedykolwiek tę rolę grał ktoś zupełnie inny.

Podczas gdy ja czułam do Debbie odrazę, ojciec ją ubóstwiał. Często widziałam, jak rzucał jej zaciekawione spojrzenie. A ze spojrzeniem robił ten wdech pełen zaskoczenia. Jak radość dziecka, które rozrywa papier na prezencie. O, jejku! Wprost nie mógł uwierzyć. Miał dokładnie to, czego chciał. Debbie była nowa. I on ją kochał.

Jedno było w Debbie rzeczywiście dobre: potrafiła na piątkę prowadzić dom. Czerpała prawdziwą przyjemność z czyszczenia, prasowania, prania i gotowania tego tłustego świństwa, które mężczyźni i złe dziewczęta wprost uwielbiają jeść.

I używała mocnego płynu do płukania tkanin, więc zasnęłam z moją primabaleriną na pełnej kwiatów łące. Po sześciu nocnych dniach z Tam byłam wyczerpana.

Ojciec nie musiał montować zamków w drzwiach ani zakładać krat na okna, ponieważ z radością poddałam się orzeźwiającej chwili odpoczynku od Tam w tym, raczej znajomym, rodzinnym hotelu.

I chociaż nigdy bym się do tego nie przyznała, bo za nic w świecie nie potrafiłabym tego zrobić, było nawet miło znaleźć się znów pod jednym dachem z tatusiem i Baleronem.

Wreszcie, jak znużona gwiazda filmowa, która udaje się do szwajcarskiego kurortu, „odpoczywałam na wyjeździe”.

Miło było mieć ubrania świeżo uprane, uprasowane i ułożone w stosik na własnym łóżku.

I choć oczywiście odmawiałam jedzenia czegokolwiek w obecności rodziny, nieoficjalnie, jako osoba prywatna, po sześciu dniach głodu nie posiadałam się z radości, że mogę do woli zajadać się czekoladą, chrupkami, skwarkami wieprzowymi, bekonem, chipsami oraz ciastem i łakociami, które Debbie upakowała do lodówki w plastikowych pudełkach.

We wtorek Debbie mnie uderzyła. Weszła do mojego matecznika z talerzem gorącej jajecznicy i kubkiem ciepłego napoju. Usiadła ostrożnie na łóżku i z pełnym zrozumienia uniesieniem brwi oraz spiętym uśmiechem powiedziała:

– Wiem, przez co przechodzisz.

– Debbie – zaczęłam, zamykając z trzaskiem moje atłasowe pudełeczko, z postanowieniem zastosowania na niej ironii po raz pierwszy. – Wydaje mi się, że ty i ja jesteśmy jakby trochę różne, kochanie.

Uderzyła mnie. Pozwoliłam jej na to. I podobało mi się. Tygodnie praktykowania obłędu odniosły swój skutek. Nie byłam już po prostu dziewczyną, ani matką i żoną jak Lindy lub Debbie, lecz wyłącznie i przede wszystkim sobą. Moja rodzina dostrzegła we mnie siłę. Kobietę z ciemną tajemnicą, w towarzystwie której trzeba być wyjątkowo ostrożnym. Zanim otworzy się usta, trzeba pomyśleć, co chce się powiedzieć. Trzeba rozważyć wszystkie swoje działania, by tej kobiety nie obrazić. Manipulacyjne techniki ekskluzywnej nastolatki, których nauczyłam się od Tamsin, tworzyły wokół mnie pulsującą siłę, która po zaprezentowaniu szerszej populacji bez wątpienia miała się zmienić w powab, pożądanie i nieodparty urok.

Tatuś zapewniał, że mnie kocha i powiedział, że jestem wszystkim, co zostało mu z dawnych czasów.

Brałam długie, gorące kąpiele w pianie i całymi godzinami nikt mi nie przeszkadzał.

Debbie przyniosła wielkie mnóstwo czasopism dla kobiet. Zwinięta w kłębek na swoim łóżku czytałam i czytałam, zasysając całymi paczkami tanie papierosy Debbie. Regularnie też krzyczałam, żeby przynieśli mi z dołu herbatę.

Popołudniami układałam poduszki na kanapie i mając za towarzystwo jedynie moją balerinę oraz wielkie pudełko lodów czekoladowych leżałam wpatrzona w ekran naszego olbrzymiego telewizora.

Dźwięki z baru dochodziły do mnie na górę jak kołysanka.

Natychmiast mogłabym uciec i natychmiast wrócić do mojej kochanej Tam. Mogłybyśmy uciec przez kanał La Manche w wannie i urządzić sobie dom w paryskim lesie.

Teraz, kiedy nas od siebie oderwano, znów zaczęłam ją namiętnie kochać i nieustannie bałam się, że jest teraz ze starą, grubą ciotką, je pieczeń wołową i wyznaje swoje winy.

W rzeczywistości jednak rozłąka chyba tylko umacniała jej miłość do mnie.

W kieszeni miałam list od Tam. Moja pokojówka, znaczy Baleron, odkryła go w czwartkowej poczcie i przyniosła mi. Dziwacznie pochylonymi gryzmołami, napisała:

Najdroższa Mona Liso!

Tylko się nie smuć! Nie wiedzą, co myślisz, więc nie masz się czego bać. Wkrótce znów będziesz ze mną. Uśmiechaj się więc i myśl o chwili, kiedy będziemy razem. Ukrywaj przed NIMI swoje prawdziwe pragnienia, zachowaj swoje ciemne serce dla MNIE. Czekam na dzień, kiedy będziesz mogła do mnie wrócić. Będę czekać choćby całe życie, aż unieśmiertelni mnie legenda. Nie wyjdę z domu, dopóki TY nie wrócisz. Urosną mi włosy, pajęczyny pokryją to samotne siedlisko, drozdy będą mi śpiewać smutne piosenki, pszczoły uczynią sobie gniazdo z mego serca, a NASZA miłość zmieni się w baśń.

Ale jeśli wrócisz, pokażemy im, jak silne i jak prawdziwe się stałyśmy i jak wytrwale potrafimy dążyć do celu. TY wiesz, co mam na myśli.

Z wyrazami niekończącej się miłości,

Tamsin Ruby Fakenham

Płakałam, kiedy czytałam jej list mojej balerinie.

– To dopiero jest poezja! – niebawem miałam szydzić z Flesza.

Nad swoim listem do niej pracowałam wiele godzin. Zapełniłam pięć stron, opisując każdą myśl, jaka przyszła mi do głowy, odkąd się rozstałyśmy. Jednak w końcu napisałam po prostu:

Najdroższa Panno T.

Chcę ukłuć się w palec i spać przez tysiąc lat, dopóki TY nie obudzisz MNIE pocałunkiem.
Pełna najczulszej miłości,

Panna Mona Lisa.

Byłam z tego listu bardzo zadowolona. Napisałam go nawet lewą ręką, w nadziei, że dzięki temu charakter pisma zyska trochę stylowego drżenia.

Po zamknięciu pubu zwieszałam się z mojego balkonu, płacząc i słuchając smutnych melodii. Tłum pijanych mężczyzn zebrał się pod oknem i gapił się na moją wieżę. Śmiali się, gwizdali, rzucali obelgi i czułe słówka.

Nigdy wcześniej tak bardzo nie skupiałam na sobie uwagi mężczyzn.

O czwartej piętnaście po południu znalazłam lornetkę. Skierowałam ją na Czarny Potok. Najpierw szukałam Tam, a potem przez długi czas szukałam martwych ciał.

Byłam przekonana, że gdzieś tam leży ktoś martwy. Ale gdzie?

I rzeczywiście. W niespełna tydzień później odkryto w Czarnym Potoku ciało. Wyjął je spomiędzy wodorostów pewien uprzejmy mężczyzna. Ciało było już białe, niebieskie i sine, jak marmurowy posąg. Ale to dopiero miało się wydarzyć.

Oczywiście moja pięciodniowa przerwa na odpoczynek skończyła się. I to równie szybko, jak się zaczęła.

W piątek po południu, kiedy odpoczywałam z moją baleriną w czekoladowym półśnie, usłyszałam, jak tatuś mówi do Debbie:

– Nie martw się. Ona już się uspokaja. Jest już prawie całkiem normalna. Jako nastolatka Lindy też sprawiała kłopoty, nawet trochę podobne, ale się uspokoiła i wyszła na ludzi. Z Moną też wszystko skończy się dobrze. Zobaczysz!

Właśnie zaczynałam sądzić, że się nie zjawi, kiedy zobaczyłam światła jego samochodu. Sportowy model, ale stary i pordzewiały, z pomarańczowymi łatami z jednej strony na dole. „Ha! Ołowiany żołnierzyk przyjechał samochodzikiem na resorach" – powiedziałaby Anne-Marie. (Wciąż jeszcze o niej myślałam, choć byłam całkiem kim innym, kiedy trwała nasza znajomość). Zaparkował tak, że samochód wystawał trochę z cienia, oznaczającego wjazd do opuszczonej fabryki. Siedzenie miał tak niskie, że ledwie widać mu było twarz. Silnik świszczał niecierpliwie.

Wszystko wyglądało cudownie przestępczo.

Naszemu domowi daleko było do Alcatraz i mogłam bez kłopotu ześliznąć się na dół i otworzyć drzwi. Jednak wolałam niczym Houdini przecisnąć się przez malutkie okno w toalecie, żeby swojej ucieczce dodać emocji.

Niewątpliwie byłam teraz kobietą, która potrafi urzec każdego dorosłego osobnika płci męskiej. Przypominałam Ninę Fisher, kiedy usidliła pana Fakenhama, albo nawet, jak mi się zdaje, Debbie, kiedy złowiła mojego tatę.

Nareszcie moja nowa, okrutna siła miała przejść test na mężczyznach.

Nie na żonie Wysokiego Paula albo na Ninie Fisher, albo na smutnej Debbie, tylko na mężczyznach.

Poprzedniej nocy dałam Baleronowi zapieczętowany list, który kazałam przekazać Fleszowi, kiedy ten wpadnie do pubu na drinka. Zagroziłam, że jeśli mnie nie posłucha, poderżnę mu to tłuste gardło. Był to list miłosny. Albo coś, co można nazwać listem miłosnym, jeśli nie ma się żadnej wiedzy na temat prawdziwej miłości. Napisałam w nim same pochlebstwa, błagania i kłamstwa. Błagałam o pomoc, prosiłam, żeby się ze mną spotkał i choć nie wspomniałam szczegółów własnego planu, to przecież napisałam wiele o jego zaletach jako mężczyzny i jako poety. Chwycił przynętę i pocztą zwrotną przez Balerona przesłał mi kupon zakładów losowych, z napisanymi na odwrocie słowami:

„Ależ tak, Mona! Ależ tak!". Więc ponownie wysłałam na dół swoją pokojówkę, Balerona, z zapieczętowanym listem, w którym kazałam mu czekać na siebie przed opuszczoną fabryką nitów metalowych o dwunastej trzydzieści w nocy.

Miałam zamiar tak zabawić Flesza swoim towarzystwem, że zatka go ze zdumienia, jak wielką mam teraz charyzmę. Wtedy nie odmówi i zawiezie mnie do Goldwell. Mój spisek był cudowny.

Flesz zakrył twarz wieczorną gazetą, którą obniżył trochę, usłyszawszy, jak biegnę po żwirze.

Pobiegłam prosto do drzwi auta, przez które wydobyła się ciepława eksplozja dymu i potu. Wewnątrz znajdowało się dość paczek po papierosach, paragonów, opakowań po słodyczach i gazet, żeby otworzyć całkiem spory kiosk. Nie mogłam się doczekać, kiedy zamknę się w tym zaduchu. Uderzyło mnie, że on wygląda wyjątkowo szpetnie i że najwyraźniej ma zamiar się rozmnażać. Nie darzyłam go ani odrobiną miłości. Miał na sobie wyjątkowo tatusiowaty, akrylowy sweter, jasnoniebieski z rzędem rombów nachodzących na siebie na przedzie. Cały jego strój trącił taniochą – od błyszczących, szarych spodni, po plastikowe klapki, popękane w miejscach, gdzie zginają się palce. Miałam nadzieję, że nikt mnie z nim nie zobaczy. Potem przyszło mi do głowy, że być może musiał ubrać się tak, jakby nie szedł na randkę, żeby zmylić żonę i dziecko.

Przyniósł mi miseczkę lodów.

– Wsiadaj, ślicznotko – odezwał się chrypiąco, jakby bolało go gardło. – Specjalnie dla ciebie wziąłem z lodówki przed wyjściem. Dla ochłody. I żebyś się ucieszyła.

– Jeju. Dziękuję. Czuję się jak pięciolatka.

Przyniósł mi dwie gałki różowych lodów w zielonej miseczce. Dodał do nich wafel w kształcie latawca i srebrną łyżeczkę.

– I mam dla ciebie jeszcze jeden prezent. Ale na ten będziesz musiała poczekać.

Potem zgasił papierosa tak nerwowo, że popiół upadł mi na gołą nogę i musiał przepraszać. Pogładził mnie po udzie. Jak niespodziewanie przyłożony lód, jego dłonie na skórze przeszyły mnie aż do kości. Kiedy przejeżdżaliśmy koło pubu, ja zapamiętale pożerałam lody, a on wciąż trzymał gazetę z boku głowy, niczym uciekająca przed fotoreporterami znakomitość.

Obejrzałam się i dostrzegłam w oknie pubu błysk światła zza odchylanej na chwilę zasłony.

Z zachwytem myślałam sobie, jak to wszyscy są moją osobą tak bardzo zafascynowani, że nieustannie obserwują każde moje nowe posunięcie. Czułam się, jakbym należała do dynastii Windsorów. Jakże to było różne od starych czasów, kiedy nikt mnie nie zauważał i nikomu nie zależało, co robię! Jakże dawno minęły dni, kiedy musiałam żyć w cieniu smutnego życia mojej siostry!

Dramatyzm całej sytuacji budził we mnie olbrzymie emocje. Ale on żadnych emocji nie budził.

Kochałam tylko Tam. Tak, tak! I to na zawsze. Do końca letnich upałów i jeszcze dłużej.

Jakaś otępiała mucha zaczęła mi spacerować po wargach. Próbowałam ją odgonić i jednocześnie wyglądać, jakbym się nie przejmowała. Pewnie była to jedna z tych much, które niebieskim rojem podążały za ciężarówkami z fabryki Hogginsa, zwabione zgnilizną.

– Jesteś za górnikami? – zapytał.

– Byłabym, ale nie lubię marszów i manifestacji. W tłumie staję się samotna – prychnęłam.

– No cóż, będziemy musieli zrobić rewolucję albo kilka rewolucji, młoda damo – zapewnił i uśmiechnął się jak morderca.

Naprawdę miałam nadzieję, że to on jest mordercą. Czasem myślałam, że jest, a czasem dochodziłam do wniosku, że musi być niewinny. Chwilami bardzo chciałam, żeby mnie wtedy zabił, bo potem oni wszyscy na zawsze zostaliby z wyrzutami sumienia.

Patrzyłam przez okno na odległe światła, które wyglądały jak wiszące nisko gwiazdy. Czułam zawroty głowy od znikającego pędem mojego starego życia.

– Popatrz na tylne siedzenie, Mona!

Obejrzałam się i dostrzegłam paczkę zapakowaną w brązowy papier.

– Co to?

– No właśnie to, na co będziesz musiała poczekać. Powiedzmy, że to dowód mojej namiętności.

Wzdrygnęłam się. Zaczęłam się zastanawiać, co Flesz może wiedzieć o namiętności.

Ja i Tam dopiero pokazałybyśmy mu prawdziwą namiętność.

Zapomniałam już o starej ciotce i teraz święcie wierzyłam, że Tam jest zrozpaczona i cały czas na mnie czeka. Serce mi pękało na myśl, że siedzi w tym wielkim domu beze mnie.

– Nosiłem długą, tęczową szarfę. Ale ożeniłem się w sześćdziesiątym ósmym roku. Miałem osiemnaście lat. Byłem bardzo wojowniczo usposobiony. Podejmuję ryzyko, to mój osobisty protest – wyjaśniał Flesz, jakbym zadała mu pytanie.

Jęczał o tym, jak to wpadł w pułapkę małżeństwa, jak to miał zamiar przeprowadzić się do Londynu, kiedy dowiedział się, że jego dziewczyna, obecnie jego brzydka żona, jest w ciąży. Jego życie stanowiło klasyczną wręcz tragedię zmarnowanych szans i udaremnionego talentu.

Mój dar do emocji, gorących łez i wielkiej tęsknoty oznaczał, że czułam się bezdyskusyjnie lepsza od każdego mężczyzny, którego znałam.

Płaczę, więc jestem lepsza.

Jakim to sposobem mężczyźni mieliby kiedykolwiek dorównać kobietom w romansach?

Jego miłość była oślizła i biedna, jak brązowa łata wilgoci na ścianie w sypialni.

Moja miłość była wodospadem, lecącym w dół górskim strumieniem.

Zwiększył nawiew zimnego powietrza i wokół stóp podniosły mi się żółte paski kuponów.

– W pracy staram się robić rzeczy niekonwencjonalne. W proteście przeciwko ludziom małostkowym – oświadczył bardzo poważnie. – Można powiedzieć, że to sztuka, a nie polityka.

– Jak na przykład zdjęcia ślubne, prawda? – uśmiechnęłam się szyderczo.

– Nie, nie to. Moje inne zdjęcia. Moja praca artystyczna. To ona kwestionuje *status quo* – powiedział bez cienia żartu w głosie.

– Nikt poniżej trzydziestki nie mówi *status quo*.

– Wiesz, co mam na myśli, Mona. Sztukę.

– Chyba porno – rzuciłam i odwróciłam się, by na niego spojrzeć. Teraz byłam już śmielsza w kontaktach z nim.

– Niektórzy tak by to nazwali – stwierdził delikatnie. Uśmiechnął się i pogłaskał mnie po twarzy. – Ja myślę o tym raczej jako o wyzwalającej sztuce fotograficznej.

– Jakie to radykalne!

– Jesteś radykalna, Mona? Chcesz, żebym ci pokazał, co znaczy być radykalnym?

Męski ton wyższości nie był wcale groźny. Był śmieszny.

Urosną mi włosy, pajęczyny pokryją to samotne siedlisko, drozdy będą mi śpiewać smutne piosenki.

Zaproponowałam, żeby skręcił w prawo, w kierunku Goldwell.

Dziwny, zapakowany prezent przewrócił się ciężko na tylnym siedzeniu.

Pszczoły uczynią sobie gniazdo z mego serca, a nasza miłość zmieni się w baśń.

Zjechał na parking ukryty za drzewami. Miałam wrażenie, że znał ten parking doskonale i od początku właśnie tu chciał dojechać. Patrzył na mnie w ciemnościach, jakbym miała na skórze wyrżnięte imiona koni, które wygrają najbliższą gonitwę. Powiedział, że mnie kocha. Nie, oczywiście że nie. Zdawało mi się. A jednak tak, powiedział to znowu. Chciało mi się śmiać.

Byłam uszczęśliwiona!

Byłam przerażona!

Pomyślałam o Tam, głodnej i samotnej w walącym się domu, ze słowikami sadowiącymi się jej na koniuszkach palców.

– Spójrz, Mona. To dla ciebie – odezwał się, przerywając mi marzenia. Podniósł prezent z tylnego siedzenia. Uśmiechał się. – Chciałem, żebyś pamiętała to lato. Żebyś zawsze miała coś, co przypomni ci o miłości.

Kiedy odsłonił papier, zawyłam.

Była to olbrzymia, monstrualnych rozmiarów, oprawiona w złote ramy, moja kolorowa fotografia w stroju topless.

– Podoba ci się?

Nie była to sztuka. Nie było to nawet umiejętne rzemiosło. Ale robiło duże wrażenie. We fluorescencyjnym oświetleniu każda plamka na skórze wyglądała jak siniak. Moje na wpół otwarte oczy sprawiały wrażenie, że jestem naćpana i jakaś dziwaczna. Miałam zaokrąglone ramiona, a ręce zwisały mi jak u małpy, jakby ktoś powiesił mnie za haczyk na plecach. Wydawało się, że nie noszę makijażu, tylko maskę ponurych cieni. Ale najgorsze ze wszystkiego były moje sutki: wskutek wcześniejszych uszczypnięć, wyglądały jak dwie czerwone dziury po kulach, które ktoś wpakował mi w pierś.

– Wyglądasz seksownie – uśmiechnął się.

– Wyglądam jak prostytutka bez pracy – sprostowałam. Wciąż się uśmiechał.

– Naprawdę podoba mi się to zdjęcie. Możesz powiesić je sobie w sypialni.

Odwróciłam się. Nie mogłam już dłużej na nie patrzeć. Przez chwilę siedzieliśmy po ciemku w milczeniu.

Nie był to powabny urok, o jakim marzyłam.

– Jeśli położysz się na plecach i spojrzysz w niebo, zobaczysz gwiazdy – odezwał się wreszcie, machając ręką w taki sposób, jakby gwiazdy były całkiem nowym pojęciem, z którym właśnie mnie zapoznaje. – Dobrze je widać o tej porze roku. Popatrz tylko!

– Coś takiego! – kpiłam, choć on tego nie zauważył.

Idź do klasztoru i spotkaj tam ludzi!

Od środka dach był wykonany z białego plastiku, upstrzonego brązowymi kropkami. Znów powiedział, że mnie kocha. Za każdym razem mnie to zaskakiwało. Jakby był w samochodzie ktoś jeszcze, jakiś inny, niewidoczny kochanek, skulony gdzieś na tylnym siedzeniu. Kiedy zdjęłam koszulkę, skórę miałam w niebieskie plamki, z powodu nocy, jakbym właśnie wyszła spod lodu. Postanowiłam, że nie będę zadawać sobie trudu, by opowiadać jakieś dowcipy o moich cyckach. Znów powiedział, że mnie kocha. Kiedy przekręciłam się na brzuch, tapicerka na fotelu drapała mnie w skórę. W zagłówku była dziura wypalona papierosem i skubałam palcem wystającą z niej płową piankę, a później odwróciłam wzrok, gdy zdejmował marynarkę. Potem, między moimi nogami włożył rękę pod siedzenie i odsunął fotel do tyłu.

Potem wspinał się nad dźwignią zmiany biegów i hamulcem ręcznym, żeby wcisnąć się między deskę rozdzielczą a fotel.

– Nie przejmuj się. Kiedy będziemy już ze sobą na zawsze, nie zabraknie nam miejsca w wielkim łóżku w sypialni. Wyobraź to sobie.

Niedługo już miałam znaleźć się bezpieczna w sypialni Tam. Musiałam tylko to zrobić. Tę jedną rzecz.

Miał ciężki oddech, przypominający raczej chrząkanie. Słyszałam, jak podwija rękawy i pociąga nosem. Pomyślałam sobie, że znów zacznie jeździć mi palcami po dupie i właśnie wtedy obrócił się gwałtownie, wsadził rękę do przedniej kieszeni, wyjął z niej jakieś pieniądze i powiedział:

– To dla ciebie, Mona. Za to, że jesteś taką dobrą modelką. Za to, że mi pomagasz. Powinienem był zabrać jakiś olejek.

Zaczął szorować mi po skórze swoimi suchymi dłońmi. Pieniądze włożył mi do ręki i ściskałam je tak mocno, że aż stały się wilgotne. Myślałam o panu Fakenham, o Ninie Fisher, o dziewczynie z agencji pomocy domowych i o tym, że uprawianie seksu z mężczyzną, który płaci nam pensję, stało się całkiem powszechne.

Miał duże dłonie, mógł objąć nimi moją klatkę piersiową, niemal wyciskając ze mnie powietrze. Nos miałam teraz wciśnięty głęboko w oparcie fotela i czułam tłusty zapach wszystkich lakierów do włosów, żeli i perfum, które razem z brudem zmieszały się w jeden obrzydliwy odór. Z pewnością nie byłam pierwszą dziewczyną, która przyjęła tę pozycję. Pocieszałam się jednak, że bez wątpienia jestem w tej pozycji pierwszą szaloną kryminalistką.

Powinien był bać się przebywać ze mną.

Kiedy wystawiałam język, nylon smakował dezodorantem.

– Odwróć się – powiedział po kilku zaledwie chwilach masowania mi pleców. Odwróciłam się więc, uda trzymając ściśnięte jedno przy drugim, a palce ręki ściśnięte na pieniądzach. Poczułam na brzuchu jego twarz. Wydała się obwisła. Znów powiedział, że niedługo będziemy razem. Na zawsze. Noc zdawała się bardzo spokojna. Nawet ptaki się uciszyły wydając jedynie zawstydzony szept.

Gdyby tak natknął się na nas teraz morderca?

Gdybym spojrzała za siebie, dostrzegłabym na tylnym siedzeniu nachmurzoną fotografię.

Zaczął seks.

Było inaczej niż z młodszym facetem. I zdecydowanie inaczej niż z dziewczyną. Jak zupełnie inna technologia składania kupionych w sklepie półek. Flesz rozpakował wszystko i teraz sprawnie montował, doskonale wiedząc, co gdzie wetknąć. Niewątpliwie regał zaczynał już nabierać kształtów i niebawem będzie po wszystkim.

Wcześniej przecież robił już młode dziewczyny.

Zdążyłam tylko to pomyśleć, a jego oddech stał się szybki, zmieniając w płytkie stęknięcia. W tym samym momencie na parking wjechał z wielką prędkością drugi samochód osobowy.

– Zostawię ją dla ciebie. Tylko my! – stękał Flesz. – Tylko my. Odejdź. Tylko my.

Trzymałam się go kurczowo, jak dryfującego drewna. Słyszałam jakieś głosy i jakieś piski. Ukryłam twarz głęboko w jego niemłodym już ciele. Dał się słyszeć stukot nóg i trzaskanie drzwi.

Wdychałam jego letnie piżmo jak słodki narkotyk.

Usłyszałam krzyk, a potem zobaczyłam ludzi zaglądających do samochodu: ojca, Debbie, Balerona i dwóch małych chłopców.

ciasto

Słyszałam, jak tatuś chrapie na zewnątrz, na podeście schodów. Ale z chlewa nie dochodziły żadne odgłosy. Byłam naga i lekka: od małej rybki akwariowej, wijącej się na linoleum w łazience, deski podłogowe skrzypiałyby bardziej niż od maleńkiej mnie.

Nacisnęłam klamkę i weszłam do środka. Było ciemnawo, a jednak księżycowe niebo zaczynało z wolna rumienić się brzaskiem. Pokój był zabagniony męskimi pierdołami i czuło się w nim kwaśny, słonawy smród. Przycisnęłam dłoń do ust, mimo to jednak zakrztusiłam się.

Stałam naga, ponieważ po powrocie do pubu, kilka godzin wcześniej, Debbie zabrała cały mój dobytek. Położyła łapę na wszystkim: ubraniach, butach, kosmetykach, ventolinie, papierosach, płytach, plakatach, wsuwkach do włosów, dezodorancie i mojej małej balerinie. Wszystko to leżało w jej pokoju w czarnych torbach na śmieci, „dopóki się nie uspokoję". Zostałam odarta nawet z najcenniejszej spośród posiadanych przeze mnie rzeczy, listu od Tam, który zresztą zmienił się już w miękki, mocno sfatygowany kawałek papieru.

Jedynym kosmetykiem, jaki udało mi się znaleźć, było zakurzone, pozbawione pokrywki pudełeczko z fioletowobrązową pastą do butów, które całe wieki temu zaginęło między dywanem a listwą przypodłogową. Nałożyłam ją na powieki, policzki i wargi.

– Baleron – wyszeptałam.

Dywan był sztywny od plam i drapał mnie w delikatną skórę stóp. Przede mną stała ciemna szafa, której drzwi pokrywały wiszące, olbrzymie koszule grubasa. Koszule tak wielkie, że na letnie wakacje pod namiotem trzeba by do nich dołożyć tylko stelaż. Drewniane krzesło skrzypiące pod ciężarem błazeńskich spodni. Na toaletce stała konstrukcja z rozpaćkanych kosmetyków, talerza ze skórką po toście, pełnej popielniczki i kupki splątanych ze sobą majtek. Nad łóżkiem wisiały trzy plakaty: czerwony samochód, piłkarz i stado nosorożców kąpiących się w kałuży.

– To ja, Mona – syknęłam.

Leżał na plecach z rękami odrzuconymi na boki, jakby z głośnym plaśnięciem wylądował tam z jakiegoś wysokiego budynku. Cicho uniosłam ciemny koc i wśliznęłam się obok niego. Łóżko zapadało się i było ciepłe. Śniło mu się na pewno, że pali papierosa: wydawał z siebie delikatny dźwięk wciąganego powietrza, a później słychać było wypuszczany przez złączone usta kłąb.

Przez kilka minut kąpałam się w świetle księżyca. W brzuchu burczało mu jak w starych rurach kanalizacyjnych. Kiedy już usadowiłam się przy jego boku, zsunęłam prześcieradła i koc, żeby w całości zobaczyć tę przeolbrzymią masę. Przejechałam mu po ramieniu kostkami zaciśniętej dłoni. Naprawdę delikatnie, jakby siadła mucha. Obydwa nasze ciała były białe i grzeszne, tylko jego ogromne, moje mikroskopijne, jakby solę złowioną w Cieśninie Kaletańskiej położyć obok robaka.

Nogi miał okrągłe, silne i grube, raczej wielkie wałki niż kończyny, słupy nadające się bardziej do tego, by podtrzymywać klatkę schodową niż ludzką postać. Nie zdradzały żadnych umiejętności sportowych. Nie zapowiadały tańca, podskoków ani kołysania się.

Na stoliku przy łóżku oprócz półlitrowej szklanki wody i zgniecionej puszki po piwie leżał otwarty kołonotatnik, a na nim długopis, zostawiony w poprzek zapisanych wersów. Przyszedł mi na myśl list do świętego Mikołaja.

Wtedy dostrzegłam jego pępek. Nie był schludny i dyskretny, jak u Tam czy u mnie. Jego pępek był przeraźliwie nabrzmiały, wypchnięty do góry twardym okręgiem. Coś podobnego można czasem zobaczyć w dużych, twardych pomarańczach, które muskularną siłą przywierają do białego rdzenia. Polizałam palec i przejechałam mu po pępku. Pomyślałam o moich magicznych rękach i o tym, jak pozwalam iść na marne swoim umiejętnościom gry na automatach i że będę musiała ciężko pracować, by wrócić do poprzedniego poziomu wprawy i biegłości.

Miauknął coś w alkoholowym widzie.

– To zabawne, że gadka o krągłych kształtach dotyczy kobiet – syknęłam, wbijając mu pięść w kawał słoniny, zalegającej wokół biodra. – Przecież to ty jesteś zaokrąglony, a nie ja.

Panika takiej masy cielska wywołała głośne skrzypienie łóżka, prześcieradła poleciały w górę jak duchy i nastąpiła seria zasapanych jęków. Baleron próbował wygrzebać się z łóżka, ale ja trzymałam mocno, jak wściekły mały piesek. Jedną ręką złapałam go za ramię, a drugą oplotłam mu wokół okrągłego kolana.

– Czego chcesz? Tylko nie rób mi nic złego. Przykro mi, no wiesz. Ja im nic nie powiedziałem. Tato zobaczył cię w samochodzie Flesza. I pojechał za tobą. Ja nie powiedziałem ani słowa.

Mógł mnie uderzyć albo złapać za rękę, ale z jakiegoś powodu tego nie zrobił. Walczył ze mną tak, jakby był moich rozmiarów.

– Uspokój się, Baleron. Widywałam już wcześniej nagich mężczyzn.

Wziął z podłogi brudny, żółty ręcznik i owinął sobie wokół bioder.

– Kurwa mać.

– Choć niewątpliwie żaden z nich nie był tak hojnie obdarzony tłuszczem.

– Nic nie powiedziałem. To twój ojciec zobaczył samochód.

– Zapomnij. To już historia.

– Możesz już sobie pójść?

– Ale tu mi się podoba. Takie śmierdzące, męskie gniazdko.

– Zawołam twojego ojca.

– Nie radziłabym ci. Bo mogę mu powiedzieć, że zwabiłeś mnie tu do siebie. Że właśnie przez ciebie tak mi odbijało. A wtedy...

Konspiracja z Fleszem okazała się żenującą klapą. Nie miałam zamiaru sprawiać kolejnego zawodu mojej nowej osobowości. Musiałam osiągnąć stan, w którym mężczyźni traktują poważnie wszystko, co mówię.

– Dlaczego masz to coś na twarzy?

– I nawet, jeśli kompletnie mi odbiło, to nadal jestem jego ukochaną córeczką. A ty? No cóż, jesteś zwykłą kupą tłuszczu, pozostałością po kobiecie, z którą kiedyś był. Niczym więcej.

– Wygląda jak krew.

– To makijaż.

– Wygląda, jakby pies nadgryzł ci głowę – zaśmiał się, a ja nachmurzyłam, niezadowolona.

– Tylko tego mi nie zabrali – wyjaśniłam ze smutkiem. – Co to? – zapytałam po chwili, wskazując na kołonotatnik.

– Nic.

– Noooo, Elton. Daj poczytać.

Wyszarpnęłam mu notatnik spod rąk, którymi przycisnął go do piersi.

– Nie czytaj tego. Słyszysz? Nie czytaj – poprosił i zakrył głowę rękami.

– Miłość jest automobilem – odczytałam. – Oto tekst Balerona. Wszyscy gotowi?

Potem odchrząknęłam i pociągnęłam nosem, jakbym miała się rozpłakać:

Miłość to podróż w dal automobilem
Którego kierowca jest imbecylem
Miłość przytulna jest jak nocne w rzeźni chwile
La la la

211

Czysta jak kawior na ziemi mieszany badylem
La la la
Bezpieczna jak na parkingu zabawa trotylem
La la la
Spokojna jak naćpany artysta nad grillem
La la la la la
Jakże zabawna ta podróż miłości automobilem
Jeśli cię nie zabije.

Wyczekałam dłuższą chwilę, a potem westchnęłam:
– Ach, Baleron!
– Nienawidzę cię.
– No tak. Cóż mogę ci poradzić. Nie rzucaj pracy eta-
towej, Balerciu, bo z tego się nie utrzymasz. Och, przepra-
szam! Zapomniałam! Ty nie masz pracy.
– To ty byłaś inspiracją tej piosenki. Napisałem ją dzisiaj
w nocy, po tym, jak zobaczyłem cię w samochodzie Flesza.
– Ale ja go nie kocham!
Spieraliśmy się o to przez chwilę.
– Nigdy nie będę szukała miłości, która jest przytulna,
czysta, bezpieczna i spokojna. Więc całkiem z tym nie trafi-
łeś. Prawdę mówiąc, wiem już teraz, że chcę miłości, która
jest niebezpieczna, brudna, ryzykowna i dzika.
– Czy dlatego kochasz tę zwariowaną dziewczynę?
Tego się nie spodziewałam, ale przecież nie mogłam
wyprzeć się Tam. Baleron wyjaśnił mi kiedyś, że są tylko
cztery tematy tekstów piosenek. Pierwszy: Kocham cię.
Drugi: Nie kocham cię. Trzeci: Odchodzisz ode mnie.
Czwarty: Wracasz do mnie. Moja piosenka zawsze musi być
tematem numer jeden.
– Tak. Kocham ją.
Leżeliśmy obok siebie w różowiejącym świcie, dziwnie
połączeni wezgłowiem łóżka, on ściskając swój żółty ręcznik,
a ja bez niczego. Obydwoje patrzyliśmy w kierunku okna, na
szybę, która powoli wypełniała się nadchodzącą Niedzielą.

Musiałam coś zrobić, żeby nie stać się senna, nadal być silna i dynamiczna.

Musiałam wymagać, żeby traktowano mnie poważnie.

– Chcesz uprawiać ze mną seks? – zapytałam ociężale, tonem kobiety stukającej czerwonymi szpilkami o siedzenie własnej limuzyny.

– Eeeee… chyba nie.

– Niektóre dziewczyny potraktowałyby to jako zniewagę, Baleron.

– To nie miała być zniewaga.

– Pomyślałam sobie, że mógłbyś uprawiać ze mną seks, a później w zamian wyświadczyć mi przysługę.

– Wolałbym ograniczyć się do wyświadczenia ci przysługi.

– A co, według ciebie nie jestem atrakcyjna?

– Eeeee… Nie, raczej nie. Przepraszam.

Przez dłuższą chwilę siedzieliśmy w milczeniu. Zgarbił się trochę i spuścił głowę, nieśmiało zwijając się w pulchną kulkę. Jego cielsko działało pocieszająco. Dodawało otuchy. Z powodu kłującej w oczy małymi kawałeczkami bezsenności zrobiłam się szorstka. Byłoby mi naprawdę miło, gdyby wziął mnie wtedy w ramiona, żeby wygładzić moje pomięte kości, gdyby przyciągnął mnie do mięsistego materaca swojego ciała.

– Jestem pewien, że pewnego dnia ktoś uzna, iż jesteś atrakcyjna – powiedział niepewnie.

Nadszedł czas, żebym odeszła.

– Przysługa jest następująca. Powiesz wszystkim, że pojechałam na kilka dni do Cleo. Powiesz też, że to był świetny pomysł, bo kontakt z Cleo pomoże mi uporać się z moimi problemami. I powiesz jeszcze, że rozmawiałeś ze swoją mamą i ona się na to zgodziła.

Mój plan nie był tak świetny jak przekręt ze starą ciotką, ale niewiele mu brakowało.

– Dlaczego?

– Nie mogę tu być. Czuję się… Bardzo mi jej brakuje.

Tatuś wpatruje się teraz w tę starą wiedźmę, a Cleo już nie ma. Niczego już nie ma.

– Wiem. Ta Debbie jest okropna. Nie mogę uwierzyć, że ukradła ci wszystkie rzeczy.

– Od ślubu Lindy minęły już trzy tygodnie. Jeśli tu zostanę, będę jak chwast, wiecznie plączący się w jej kwiecistym życiu.

Popatrzył na mnie ze smutkiem.

– Jesteś naprawdę chuda – odezwał się. – Może chcesz coś do jedzenia? Mam trochę ciasta.

Sięgnął na dół i wyjął spod łóżka sfatygowane pudełko kartonowe. Otworzył je kciukiem i wysunął kawałek ciasta imbirowego.

– Jeszcze się nie zeschło – zapewnił, ściskając ciasto między kciukiem a palcem wskazującym.

– Myślisz, że tak wygląda życie w szkole z internatem? – zapytałam między łapczywymi kęsami. – W sensie co noc uczta.

– Może i tak. Zapytaj swoją wytworną koleżankę.

– Ma na imię Tamsin i nigdy nie wspominała o ucztach w środku nocy. Wydaje mi się, że niezbyt dobrze się bawiła w szkole z internatem.

– Co ona, jakaś dziwna?

– Umarła jej siostra. Przez to zrobiła się trochę nietypowa.

– Umarła? Na co?

– Nie chciała jeść.

– Że co?

– Nie oczekuję, że to zrozumiesz, Baleron. Coś takiego raczej nie stanie się problemem kogoś, kto trzyma pod łóżkiem kopiastą porcję ciasta imbirowego. Mało to prawdopodobne.

Spieraliśmy się jeszcze przez chwilę, po czym powiedziałam, że na mnie już czas.

– Nie wyjdziesz przez drzwi. Twój ojciec nie chce już ryzykować i trzyma klucz przy dupie. Gdyby wybuchł pożar, wszyscy byśmy się usmażyli.

– Wiem. Dlatego jestem tutaj, głupi ty jeden. I dlatego zrobisz linę z tych prześcieradeł, a ja zejdę po niej z balkonu.

Uśmiechnął się, pełen podziwu.

– Masz. Załóż koszulkę i szorty – zaproponował i zaczął wyjmować spod łóżka jakieś utytłane stare koce. – Nie możesz biec przez Whitehorse nago. Wiem, że za szerokie. Zawiążesz supeł. Rękawiczki do schodzenia po linie. A ten kapelusz, żeby cię nikt nie poznał.

– Jaja sobie robisz?

Uśmiechnął się i wstał z łóżka. Nieśmiało i starannie zasłaniając się żółtym ręcznikiem, założył swoje wielkie spodnie.

– Proponowałabym, żebyś skorzystał z szokujących jakością usług pralniczych Debbie. Twoje ciuchy śmierdzą.

Baleron zrobił węzły. Sprawdzał ich trwałość, szeroko rozstawiając ramiona i ciągnąc z całych sił, aż spurpurowiał na twarzy.

– Czuję się, jakbym była postacią w komiksie dla dziewcząt – śmiałam się rozemocjonowana. Byłam prawie wolna! – Skradanie się z pokoju do pokoju. Nocne uczty. Szaleńcze ucieczki.

Baleron pokiwał głową, nie mogąc się nadziwić i ostrożnie otworzył okno. Przywiązał węża do balustrady. Pomyślałam, że mężczyźni naprawdę potrafią być użyteczni. I gdyby zapewnić im porządną promocję, to każdy chciałby sobie jednego sprawić.

Potem przyglądał się, jak zakładam na siebie olbrzymią koszulkę i szorty.

– A tak przy okazji, jeśli z jakiegoś powodu zapomnisz dochować tajemnicy, to możesz któregoś pięknego dnia odkryć z zaskoczeniem, że wszyscy w naszym pubie ściskają w garści egzemplarz twojego wiersza „Miłość jest automobilem" i śpiewają go chórem. Mam doskonałą pamięć do wpadających w ucho melodii.

– No wiesz, Mona – odparł ze smutkiem, potrząsając swoją tłustą głową.

Pomógł mi wyjść przez okno na balkon. Poniżej lśnił Czarny Potok. Wyszedł za mną i obiema rękami złapał za prześcieradło. Szeroko rozstawił swoje silne, nie nadające się do tańca nogi. Czułam się bezpieczna, mając go na drugim końcu liny.

Po chwili dyndałam na zewnątrz. Dotarłam na dół i rzuciłam się w wolne powietrze świtu.

Idź do klasztoru i pokochaj raz jeszcze!

jajecznica

Kiedy dotarłam na miejsce, była siódma piętnaście. Przyrządzała sobie właśnie niedzielne śniadanie. Chowając się za drzewem obserwowałam, jak kręci się po kuchni. Założyła fartuszek w kratkę, a swoje szalone włosy schowała starannie pod chustką. Oczywiście przestraszyłam się, że po tygodniu spędzonym beze mnie odzyskała zdrowy rozsądek. Obeszłam dom. Tylne drzwi stały otworem, z całkowitym pominięciem względów bezpieczeństwa. Z radia dobiegała muzyka pop. Jeszcze przez kilka minut obserwowałam ją z ukrycia. Czułam zapach całkowicie normalnego śniadania. Czegoś smakowitego. Miałam wrażenie, jakby jajka na bekonie.

Potem powoli, sztywnym krokiem przeszłam przez tylne drzwi i skradałam się w kierunku kuchni, ukrywając w przedpokoju. Następnie strasznym, męskim głosem wrzasnęłam przerażająco:

– Witaj, kochanie! Jestem już w domu.

Odwróciła się, przerażona, chwytając z deski do krojenia wielki nóż. Nastąpiło kilka okrzyków, rzucanie przedmiotami, ogólny chaos, panika i radość, kiedy pokazałam twarz i rzuciłam się na nią.

Mogłabym wtedy umrzeć. Byłoby mi wszystko jedno.

– Odkąd odeszłaś, codziennie piłam tylko jedną szklankę gorącej słonej wody – powiedziała, szlochając. Obejmowała mnie, głaskała i lizała mi twarz. – Żeby przypominać sobie o naszych łzach.

Choć była to najbardziej romantyczna scena w moim życiu, całkiem pozbawiona tchu deklaracja, którą mógłby wygłosić książę z bajki, zauważyłam, że jej twarz jest dziwnie podzielona: oczy wyrażają emocje całkiem przeciwne do ust. Uśmiechała się, ale jej oczy były przerażone. Nie nosiła już żółtych rękawiczek. No i całkiem wbrew temu, co powiedziała o gorącej wodzie, wyraźnie czułam wspaniały zapach boczku.

– Dlaczego trwało tak długo, zanim wróciłaś? – zapytała ze złością. – I co ty do cholery włożyłaś na siebie? Boże! Śmierdzisz jak kloszard.

– Więzili mnie – skłamałam. – Założyli kraty w oknach i rygle na wszystkich drzwiach.

– Jak śmieli uwięzić moje kochanie!

– A potem zabrali mi wszystkie ubrania. To jedyne, co udało mi się znaleźć.

– Moje ty biedne kochanie!

– Każdy, kogo widziałam, odkąd nas rozdzielono, przypominał tylko, że cały świat jest od ciebie gorszy – zapewniłam ją.

Potem polała wybielaczem usmażone produkty, przyniosła mi stertę ubrań Sadie i zaczęła przygotowywać uroczystą zapiekankę z ciastek i fasoli w sosie pomidorowym. Podała zwykłej wielkości porcje, choć każda z nas zjadła tylko po pół łyżki. Resztę polała wybielaczem.

– Co się z tobą działo, kochanie? – zapytała, przypalając dla mnie cygaro i sadowiąc się na stole kuchennym.

Przez chwilę rozmawiałyśmy o okrucieństwie mojej rodziny, po czym powiedziała:

– Telefonowałam do ojca do pracy.

– Coś ty!

– Ten głupi mężczyzna niczego nie podejrzewał. Dowiedziałam się, że nie jest już z tą kobietą. Teraz mieszka w hotelu.

– Dlaczego? I co ci powiedział?

– Zalecił, żebym rzetelnie się uczyła i nie rozpraszała zbytnio, oddając przyjemnościom.

– Jak on śmie!

– No właśnie, do cholery. Przecież to facet, który dostaje wzwodu, ilekroć sekretarka przynosi mu herbatę.

– Moja kochana! Tak się cieszę, że znów jestem z tobą! Wszyscy inni są tacy słabi i tacy tolerancyjni!

– I naprawdę brzmiał tragicznie – odparła. – Ględził coś o szczęśliwych latach, które spędziliśmy jako rodzina.

– A to jebana okropność! – oburzyłam się. – Co za hipokryta!

– A ja mu na to: „A może napiszesz o tym książkę?"

Wstała, zamknęła okna i tylne drzwi wejściowe, po czym poinformowała uroczyście:

– Mona, być może będziemy musiały podjąć kroki, żeby unikać ojca.

– No tak. Przecież nie zamieszka w hotelu na stałe.

– Jestem pewna, że myśli o powrocie do domu. Pewnie tylko musi najpierw załatwić sprawę z mamą.

– Boże, zachowaj nas od płaczących ojców! – krzyknęłam ze śmiechem. – Znowu jesteśmy razem. I tylko to się liczy – dodałam. Chwyciłam ją za rękę, ale wyrwała ją i przez kilka minut nerwowo chodziła po kuchni.

– Jak sobie poradziłaś z tą wielką kupą tłuszczu? Wiesz, że on mnie popchnął? Porządnie się poobijałam, kiedy rzucił mną o podłogę. Możemy wnieść za to przeciwko niemu oskarżenie.

– Wiem – stwierdziłam oględnie. Nie miałam odwagi powiedzieć jej, że to Baleron pomógł mi w ucieczce.

– Nie spodobał mi się – dodała złowrogo. – Naprawdę nie. Ten tłuszcz napawał mnie obrzydzeniem. Czułam prawdziwą odrazę. Jak on mógł doprowadzić się do takiego stanu? I jak śmiał wtargnąć do mojego domu? Mogłam wezwać policję. Gdyby mój ojciec się o tym dowiedział...

– Wiem – mruknęłam.

– Mona, kochanie. Tak bardzo chcę z tobą być. Ale boję się, że wróci ojciec.

Później dotarło do mnie, że choć powiedziała mi o ojcu, nie wspomniała ani słowem o tym, co robiła, kiedy mnie nie było. Gdy naciskałam, stwierdziła jedynie, że przez cały ten czas płakała i spała, ponieważ chciała śnić o moim szczęśliwym powrocie. Nie malowała domu, bowiem doszła do wniosku, że to ciężka praca, więc straciła nią zainteresowanie.

– Malowanie to zajęcie, które bardziej pasuje mężczyznom niż kobietom – oświadczyła.

Sama myśl o mężczyznach wydawała mi się dziwaczna. Już po godzinie spędzonej z Tam ledwie potrafiłam przypomnieć sobie, jakie jest ich zastosowanie.

– Czułam się taka samotna – powiedziała.

– Ja też. Też czułam się bardzo samotna.

Samotność była teraz bardziej jeszcze wyjątkowa, ponieważ każda z nas miała teraz drugą, by się z nią tą samotnością dzielić.

Nad naszymi głowami z brzękiem eksplodowały malutkie serduszka, jak nad głowami bohaterów komiksów.

Podryfowałyśmy do salonu, gdzie rozwaliłyśmy się na sofach. Tam przyrządziła kilka śniadaniowych drinków i oglądałyśmy małe ptaszki za drzwiami balkonowymi. Płakałyśmy i całowałyśmy się. Moja ręka leżała luźno na jej brzuchu, który cudownie wklęsłym łukiem zwieszał się jak hamak, rozciągnięty między kośćmi biodrowymi. Splecione nogi układały się w kratownicę, przypominając fantazyjny lukrowy wzór na wierzchu ciasta. Jęczałyśmy, szlochałyśmy, łkałyśmy i wychwalałyśmy się nawzajem, w pokoju zalanym światłem i zielenią poranka. Chwyciłam w palce mniej więcej centymetrowej grubości wałek tłuszczyku na brzuchu i wykrzyknęłam:

– Do diabła. Powinnam iść do szpitala!

– Błyskawicznie przywrócimy cię do formy.

Popatrzyłam na lśniące piękno letniego ogrodu.

– Powinnyśmy pomalować szyby w oknach – powiedziałam. – Poważnie. Białą farbą. Nie tylko z powodu fali uderzeniowej w razie wybuchu, ale dla zachowania prywatności. Na wypadek gdyby wrócił twój ojciec, albo ten zboczeniec Wysoki Paul znów chciał nas szpiegować.

– Albo Nina Fisher, gdyby zalała ją krew z krwawiącego ucha! – dodała Tam, śmiejąc się. Wstała z sofy i zaczęła kuśtykać po pokoju, trzymając się za ucho, z oczami szeroko rozwartymi z bólu. Dokładnie tak samo, jak niezależna Nina Fisher tydzień wcześniej.

– Olśniewający występ, kochanie! – krzyczałam, klaszcząc w dłonie, po czym pociągnęłam kolejny łyk koktajlu. – Tak właśnie wyglądała!

– Pomalujemy okna. Nie mam białej farby, ale zostało mi trochę różowej. Jutro wejdę na drabinę i to zrobię.

– Będziemy o wiele bezpieczniejsze.

– I wydaje mi się, że powinnyśmy przenieść się wyżej. Pomyśl tylko, jak bezbronne byłyśmy na pierwszym piętrze, kiedy zaatakował nas ten twój słoniowaty brat.

– Przyrodni brat.

– Powinnyśmy usunąć się z widoku natychmiast! Przeniesiemy się na samą górę. Stamtąd możemy obserwować okolicę. Na wypadek powrotu ojca, oczywiście. Musimy zachowywać się tak, by nikomu nawet na chwilę nie przyszło do głowy, że tu jesteśmy. Możemy ufać tylko sobie nawzajem, kochanie.

– O, tak, kochanie.

Zauważyłam, że skórę na plecach i ramionach pokrywa jej świeży, czerwonawy pas.

Jakby się niedawno opalała.

Następnej nocy, w poniedziałek, Tam dotrzymała obietnicy. Wspięła się na drabinę i przez trzy jakże wyczerpujące godziny ochlapała różową emulsją niemal wszystkie okna w domu. Te, do których nie sięgała, malowałam ja, wychylając się z wewnątrz domu i uderzając o szybę umoczoną w farbie szmatą. Skuteczność naszych działań była różna w przypadku poszczególnych okien, ponieważ niektóre zostały pomalowane staranniej od reszty. W przypadku kilku okien na najwyższym poziomie, zadowoliłyśmy się umieszczoną pośrodku szyby różową broszką w kształcie słońca, od którego cienką strużką odchodziły promienie.

Poczułyśmy się wiele bezpieczniej. Byłyśmy ojcoodporne.

Kiedy usłyszysz ostrzeżenie o zbliżającym się ataku, musisz natychmiast kryć się wraz ze swoją dziewczyną.

Kochana Tam stanowiła teraz moją jedyną rodzinę. Zawsze już tak miało pozostać.

We wtorek postąpiłyśmy zgodnie z sugestią Tam i przeprowadziłyśmy się do rupieciarni na strychu. Pomieszczenie było ciemne i zalatywało stęchlizną. Przetrzymywano w nim dekoracje do przedstawień z wczesnego okresu amatorskiej kariery dramatycznej pani Fakenham. W jednym rogu stał pomalowany na złoto tron z płyty pilśniowej, a w drugim pocięta przez mole kanapa, na której piętrzyły się stosy ponuro wyglądających książek i stojak ze szmatławymi kostiumami, jak dla przebierańców. Gdzieś pod ścianą leżała powyginana zbroja z plastiku. Były też flagi, świeczniki, chusteczki i pęki plastikowych kwiatów.

Kurz sprawiał, że nieustannie świszczał mi oddech.

W ciągu dnia szczelnie zaciągałyśmy ciężkie zasłony, a nocą miałyśmy świece. Dużo płakałyśmy i ta mokra radość wzajemnego pocieszania się najwyraźniej nam odpowiadała. Nie reagowałyśmy na pukanie do drzwi ani na telefon. Nie brałyśmy długich kąpieli. Obydwie miałyśmy straszliwe potówki, które zajmowały nam sporo czasu swoim swędzeniem. Przeszkadzało to w uprawianiu seksu, do którego obydwie byłyśmy tak skore.

Nie puszczałyśmy muzyki dyskotekowej. Nie było też *Wild Thing* ani grania na gitarze. Od czasu do czasu słyszałyśmy odległe głosy w ogrodzie. Raz, może dwa razy ktoś zastukał do drzwi i okien, my jednak pozostawałyśmy schowane na górze, gdzie bełkotali nasi telewizyjni przyjaciele i cienkim płomykiem mrugały do nas świece.

– Chciałabym być aktorką – wyznałam, gładząc dłonią skórzaną tunikę.

– Ależ ty jesteś aktorką, Mona – odparła złośliwie.

– Jak to?

– Przecież nikt nie mógłby być tak zabawny i tak dziwaczny jak ty, pozostając jednocześnie normalnym.

Zignorowałam ją.

– Być aktorką, to na pewno tak, jak ponownie stać się dzieckiem – ciągnęłam. – Już sobie wyobrażam tę nieprzerwaną zabawę i ciągłe przebieranie się. No i wszyscy na ciebie zwracają uwagę.

– Daj spokój. Aktorzy tylko wrzeszczą, błagają i szepczą. Wciąż od nowa wyznają sobie miłość, jak naćpani idioci. Zupełnie jak my tego lata.

– Nieprawda. Nie. My nie gramy!

– Skoro tak mówisz, Mona – powiedziała, wyraźnie znudzona.

Byłam zaskoczona i wstrząśnięta, ale ona była chyba równie przygnębiona. Od mojego powrotu stała się niewątpliwie cichsza i bardziej ponura. Kilka razy budziłam się w środku dnia/nocy i wdziałam, jak siedzi na łóżku, gładzi pusty brzuch i szeroko otwartymi oczami gapi się na różowe okno. Patrzenie na plamy farby przez dłuższy czas bez zamykania oczu pozwalało dopatrzyć się w nich dziwacznych, różowych kształtów, otoczonych błękitem nieba. Widziało się zwierzęta i twarze.

Była środa. Minęły trzy dni od mojego powrotu, ale zdawało się, że minął miesiąc. Właśnie skończyłyśmy jeść kotleta z suchych tostów i oglądać film telewizyjny i postanowiłyśmy, co dalej.

Co dzień/noc, w naszym pokoju na górze, otoczone niebieskawym światłem telewizora, oglądałyśmy filmy nakręcone dla telewizji w latach siedemdziesiątych, powszechnie uznawane obecnie za tak kiepskie, że mogli je puszczać tylko nocą. Oglądałyśmy telewizję, ponieważ tak naprawdę nie miałyśmy sobie nic do powiedzenia.

Stojący między nami stolik zastawiony był cały stertami pustych butelek, filiżanek z winem, na powierzchni którego unosiły się potopione muchy, oraz niejadalnych resztek dziwnej żywności. Tam znalazła na strychu paczkę miętowych czekoladek *After Eight*, ze starości rozmiękłych jak mokra tektura i pokrytych szarymi kropkami. Zanurzone w jedynym alkoholu, jaki posiadałyśmy, to znaczy w winie z zielonych pomidorów, zmieniały się nam w ustach w kleiste kuleczki i kręciło nam się od nich w głowie.

Chociaż wino z pomidorów smakowało tak, że nie chciałby go pić nawet zrozpaczony pies, ją najwyraźniej rozweselało.

Siedziałam na pomalowanym złotą farbą sztucznym tronie, obserwując ją i zastanawiając się.

– Popatrz na nią! – wrzasnęła Tam do telewizora, pociągając spory łyk obrzydliwego wina. Zaraz potem, po staremu naśladując stałych bywalców knajp na Dzikim Zachodzie, otarła usta wierzchem dłoni. – Wreszcie jakaś ładniejsza. Ma tyłek jędrny, ale przystępny. W ogóle jest taka niewymuszenie jędrna. Chuda, ale nie koścista. Szczupła, ale zaokrąglona. Ideał kobiety.

– I zwróć uwagę, jak pali tego swojego białego papierosa. Jakby był magiczną różdżką – dodałam. Zeskoczyłam z mojego tronu i walnęłam sobie kwaśnego wina dokładnie w taki sam sposób jak ona. Żebyśmy obydwie piły jak kowboje. Podskakiwałam, odbijając się od kanapy.

Zanim spotkałam Tamsin, widok pięknych kobiet na ekranie telewizora lub w kolorowych czasopismach denerwował mnie i smucił. Ich ciała, piersi i włosy wywoływały u mnie ból głowy i nudności. Ale teraz, kiedy byłam z Tam, po raz pierwszy w życiu nie miałam takich odczuć. I to mimo mojej własnej otyłości. Byłam pewna, że żyjemy w specjalnym miejscu, gdzie świat nas nie dotyczy.

Miejscu, w którym wszystkie istoty płci żeńskiej były w tak oczywisty sposób lepsze od mężczyzn, że wszystkie kobiety, bez względu na wygląd i osobowość, klasyfikowane były jako istoty wyższego rzędu.

Nawet tłuste i brzydkie kobiety okazywały się lepsze od szczupłych i przystojnych mężczyzn. Kto by przypuszczał?

– Przecież powinna się przewracać, chodząc z tak olbrzymimi piersiami! – szydziła okrutnie Tam, układając usta w grymas wielkiej kalifornijskiej piękności. Dotknęłam wypchanej miseczki satynowego biustonosza, który pożyczyła mi Tam. Biustonosza zmarłej siostry. I wyobraziłam sobie piersi, obwisłe jak zamszowe kieszenie, choć pompowane tłuszczem przez rozjuszonych lekarzy za pomocą kroplówek z glukozy.

– Dlatego właśnie wszędzie jeździ samochodem męża – rozwinęłam wątek. – No i właśnie dlatego samochód marki Chevrolet jest tak kluczową kwestią jej małżeństwa.

– Chociaż oczywiście gdyby kiedykolwiek się przewróciła podczas spaceru, to i tak wylądowałaby bezpiecznie na tych swoich długich rzęsach.

Jak myśmy się śmiały!

Podobały nam się filmy z kobietami lepszymi od mężczyzn, które miały szczupłe biodra i których loki podskakiwały w rytm biustu, gdy po ścieżce w ogrodzie biegły truchcikiem do swoich cadillaców. Szczególnie gustowałyśmy w alkoholiczkach, maltretowanych żonach, ciemnych interesach i niesfornych córkach. Podobały nam się modne portki, mężowie i domy. I podobało nam się, kiedy bohaterki od czasu do czasu wchodziły do czyściutko wysprzątanych, słonecznych kuchni, żeby przygotować sobie szklankę świeżo wyciśniętego soku z owoców. Nie podobało nam się wcale, kiedy kobiety jadły, chyba że szły na obiad do restauracji, żeby się pokłócić. Wtedy mogły zjeść kilka kęsów, zanim ze złością odsunęły od siebie talerz. Mogły oczywiście pić różne drinki z lodem i bez lodu, piwo oraz czyste martini, same albo w towarzystwie. Podobały nam się stresujące zawody, wykonywane w biurach górujących nad ruchliwymi miastami.

– Kocham cię – szlochałam. – Jesteś tak piękna, jak te kobiety!

– Ja też cię kocham – szlochała Tam, rzucając się na mnie. Wino z zielonych pomidorów sprawiło, że miała oddech oślizły jak język mężczyzny i zabarwiło jej zęby upiornymi, zielonymi smugami. – My też zrobimy coś ekscytującego, kochanie. Już niedługo.

Kiedy tamtej nocy oglądałyśmy telewizję, myślałam o tym, że Julie Flowerdew jest teraz jak prawie kompletnie zapomniany film obyczajowy nakręcony w latach siedemdziesiątych na potrzeby telewizji. Nieudany serial, zdjęty z naszych ekranów o kilka odcinków wcześniej.

Ja o niej nie zapomniałam. Nie mogłabym. Jednak teraz pamiętałam ją raczej jako spacerującego, nastoletniego trupa niż rzeczywistą dziewczynę. W moim umyśle zyskiwała ten sam fikcyjny status co rodzina Fakenhamów. Często, kiedy noc miała się już ku końcowi, a my jeszcze oglądałyśmy telewizję, myślałam, jak Julie idzie do szkoły w niemodnej spódniczce, a futerał na trąbkę obija się o żywopłoty, kiedy ona pokonuje chodniki. Była szara, miała zakurzone włosy i niebieskie paznokcie. To była trąbka czy puzon? Wełniane rajstopy marszczyły jej się nad kostkami. Pajęczynowate włosy wciąż miała kpiąco tłustawe.

Nigdy nie oglądałyśmy wiadomości, więc nawet gdyby ją już odnaleziono, martwą lub żywą, nie miałybyśmy o tym pojęcia.

– Że też ktoś chciał skrzywdzić taką piękność – powiedziała Tam, czytając w moich myślach.

Palcem u nogi wyłączyła telewizor.

Bez włączonego telewizora byłyśmy po prostu dwiema dziewczynkami, otoczonymi dekoracją z rekwizytów teatralnych, którym w ciemnym i zatęchłym pomieszczeniu towarzyszyła jedynie ich własna samotność i oddechy zalatujące zielonymi pomidorami.

Odór wymiocin i rozwolnienia dobiegał do nas z dołu, gdzie panoszył się w ubikacji i na korytarzu.

– Naprawdę powinnyśmy spróbować odnaleźć Julie – stwierdziłam ospale. – Kiedy widzę te silne kobiety w telewizji, zawsze myślę o niej. Ona nie ma nikogo, kto by o nią zadbał.

Dopiero niedawno powiedziałam Tam o Julie. Zrobiłam to późno w nocy, kiedy skończyły się filmy w telewizji. Opowiedziałam jej historię Julie tak, jak opowiada się historie o duchach. Wspomniałam o rozmoczonych książkach do kolorowania, jej malutkim domku, jej wychudzonej mamusi ubranej jak ostatnie nieszczęście i torbie z niechcianymi ubraniami. Opowiadałam, jak najpewniej szła na dno w zabłoconym nurcie Czarnego Potoku i jak pływała z węgorzami. Potem zmyślałam szczegółowo cechy jej charakteru. Mówiłam o słabości i samotności, o tym, jak jej nie lubiano i zastraszano. Zrobiłam z niej osobę, która nie budziłaby w Tam poczucia zagrożenia. Musiałam powiedzieć o Julie, żeby utrzymać zainteresowanie Tam moją osobą. Kończył nam się bowiem repertuar zwyczajnych, codziennych sytuacji.

– Jak się ubierała?

– Nic nadzwyczajnego. Taniocha.

– No tak. Ale przecież za to na pewno jej nie zabili.

– O, nie. Na pewno nie.

– Przyznaję, że raczej zazdroszczę biednym dziewczynom. Bo jak mają tak beznadziejnie, to może być już tylko lepiej. A dla nas, bogatych dziewczyn, jedyna droga prowadzi w dół. Chodzi mi o to, że ty i Julie możecie mieć w życiu tylko lepiej niż wasze rodziny. A w moim przypadku nie jest to takie łatwe. Naprawdę macie w życiu szczęście.

Wezwałyśmy więc naszą drugą wspólną taksówkę i, po raz pierwszy odkąd wróciłam cztery dni wcześniej, przygotowałyśmy się do wyjścia z domu.

– Chcesz zobaczyć, gdzie można by znaleźć ciało? – zapytałam.

Niebo lśniło odpowiednią do sytuacji purpurą, a most garbił się w oddali jak przyczajone zwierzę. O betonowe nabrzeże obijała się niespokojnie mała łódka, strasząca wypaczonym drewnem i wyblakłym kolorem farby. Wszystkie okna przy tej ulicy stały otworem, jednak w żadnym nie migotał telewizor, bo na oglądanie telewizji było zbyt późno i zbyt gorąco. Żałowałam, że nie towarzyszy nam muzyka skrzypiec, dzięki której mogłybyśmy jakoś zachować wierność zmarłej Julie, która dałaby nam siłę i dzięki której dźwięki z zewnątrz by do nas nie docierały. Noc jest lepsza z muzyką, bo kiedy gra muzyka, można uwierzyć w rzeczy, które inaczej trudno zaakceptować.

– Według mnie porzucili zwłoki właśnie tutaj – powiedziałam.

– Jeśli w ogóle są zwłoki – odparła.

– Muszą być. Ludzie nie znikają tak po prostu.

– Uciekają. Umierają. Biorą rozwody. Odchodzą, żeby zamieszkać ze swoimi sekretarkami. Są mordowani. Stają się zbyt tłuści, żeby wyjść z domu. Ale tak po prostu nie znikają. Masz rację, Mona.

– Właśnie tak, kochanie moje.

Kilku pijanych przeszło obok w powrotnej drodze z imprez. Przejechała jakaś taksówka. Wszystkie żywopłoty były martwe, trawa wypalona słońcem, a stojące na brązowych łodygach kwiaty upstrzone insektami. Z butami w ręku skradałyśmy się po zbrodniczym szlaku, nie odzywając nawet słowem. Ja wyznaczałam trasę, ponieważ wiedziałam, dokąd zmierzamy, i Tam po raz pierwszy musiała iść moim śladem. Byłyśmy czujne i pełne życia, ze względu na zamianę dnia z nocą (druga osiem nad ranem była dla nas wczesnym popołudniem) i ze względu na cudowny przypływ węglowodanów po zjedzeniu chleba z sosem cukrowym. Jak w naszych ulubionych filmach telewizyjnych.

– Tam mógł ją ukryć. Chodź tu do mnie – wyszeptałam, wyciągając rękę w jej kierunku.

Miałam spoconą dłoń i zalatywało mi spod pach. Z powodu miesiączki śmierdziałam, jakbym była chodzącą fabryką przerabiającą niewyprawione skóry. Okresu nie miałam już od ładnych kilku miesięcy. Więc czułam się przerażona. Dziwaczna krew zdawała się objawem niepokoju i zmartwień, jak astma.

Z odrazą myślałam o płynach ustrojowych wydzielanych przez ciało dziewczyny-osoby. I bardziej wściekle niż kiedykolwiek przedtem nienawidziłam łez, krwi menstruacyjnej, wydzielin pochwowych, śliny i potu.

– Phi – prychnęła, bez wątpienia niezadowolona z faktu, że na ponurej powierzchni wody nie unosi się zapuchnięta twarz.

– Oczywiście już jej tu nie ma. Ale to jest miejsce, w którym prawdopodobnie została zatopiona.

– Jak było u niej z urokiem osobistym i urodą? – zainteresowała się.

– Żadna piękność. Ale nie jakoś najgorzej.

– Gruba czy chuda?

– Grubawa. No i pamiętajmy, że kradła wszystkie te czerwone podręczniki, żeby wyłożyć nimi swój schron.

– Miała chłopaka?

– Nie sądzę. Ale trzymała z chłopakami. Była pijaczką. A to należało do niej – powiedziałam, wyciągając z kieszeni czarny, plastikowy worek na śmiecie.

Rozwijałam go wolno i starannie. Worek, który przeleżał dwa tygodnie schowany na dnie mojej walizki w kratkę, szeleścił w nocnej ciszy. Potem podałam jej niebieską koszulkę bawełnianą, tę wyjętą z torby używanych rzeczy, przekazanych przez mamę Julie dla Cleo.

– Dostałam to od jej mamy. Przypadkowo oddała ją z używanymi rzeczami.

– Chcesz powiedzieć, że chciała ją wyrzucić? Suka!

– Boże, Tam. Chyba tak. Chyba chciała ją wyrzucić!

– Co za pieprzona suka! – oburzyła się Tam i potarła niebieską bawełną o swój gładziutki policzek. – Jestem taka zadowolona, że ją ocaliłaś, kochanie!

Twarz zrobiła jej się szara, a w nocnym świetle wystające kości policzkowe i pojaśniałe w słońcu włosy nadawały jej głodny, wilczy wyraz. Ktoś powinien nakręcić o nas film dokumentalny i w ten sposób zaapelować do ludzi, by przysyłali nam paczki z pomocą i gotówkę.

– Wiem też, że Julie Flowerdew pozowała kiedyś do zdjęć jako modelka. Dla takiego jednego faceta. Znam go.

Kiedy wypowiadałam te słowa, przez chwilę zastanawiałam się, czy przy tej okazji nie powiedzieć też o sobie i o Fleszu, ale wyraz, który pojawił jej się na twarzy sugerował, że nie byłoby to rozsądne.

– Nie mów! Ale zdzira!

– Aha – mruknęłam. – Nazywają go Flesz. Pije w naszym pubie.

– Obrzydliwość! Jak ona mogła? Pozować jakiemuś staremu, obleśnemu pijakowi! To po prostu obrzydliwe.

– Masz rację. Straszna zdzira!

Rzeka płynęła niżej niż zwykle. Spiekota wypompowała część wody, pozostawiając liście, by z trudem pluskały o brzeg.

– Nie bądź taka przerażona, Mona – powiedziała, dotykając mojej twarzy obydwiema dłońmi. Wcześniej robiła mi makijaż. Cudownie było czuć, jak jej zimne dłonie ocierają się o moje kości policzkowe. Z powodu braku luster nie wiedziałam już, jak wyglądam. Wiedziałam tylko, jak wygląda ona. Zupełnie tak samo, jak w moich najdawniejszych wspomnieniach o czasie spędzanym z Lindy. – Co cię tak przeraża? Kiedy moja siostra była w szpitalu, też jej to robili. Fotografowali ją. Jakby szkielet robił za modelkę.

Od dawna nie wspominała nawet słowem o swojej siostrze. Nie rozmawiałyśmy już o Sadie.

Kiedy zbierałam się, by jej odpowiedzieć, z wielką siłą cisnęła cegłą, która z pluskiem rozchlapując wodę, opadła pośrodku rzeki.

– Zaginiona! – krzyknęła i kolejną cegłą wycelowała w słabowitą, małą łódkę. – Nie mogę tego zrozumieć. Może miała piękne ciało. – Podniosła kolejną cegłę i rzuciła po raz kolejny. Wiedziałam, że rozwścieczyła się tak na myśl o innej dziewczynie pozującej do zdjęć. – Każdy musi jakoś zarabiać na życie – dodała, choć przecież nie było to prawdą, bo ona nie musiała zarabiać pieniędzy. – Skoro dysponowała beztłuszczowym korpusem i porywającymi cyckami, to dlaczego nie miałaby ich wykorzystać? Wiele dziewcząt marzy, by zostać modelką, ale nie jest im to dane. Na przykład ja nigdy nie mogłabym zostać modelką z powodu sadła.

– Nie masz sadła – zapewniłam cicho.

– Mam – warknęła, po czym zaraz odwróciła się i poszła wolno wzdłuż brzegu. – A ty zachowujesz się tak jak moja cholerna siostra. Zawsze podkreślasz, że jesteś szczuplejsza i bardziej atrakcyjna.

Znikała w ciemnościach.

– Chcesz zobaczyć więcej miejsc związanych ze zbrodnią?! – krzyknęłam za nią.

– Zabierz mnie na wspaniałą, zbrodniczą wycieczkę! – odkrzyknęła, przeskakując jeszcze dalej w przód, tak że teraz nie widziałam jej prawie wcale.

Nagle odkryłam, że o wiele trudniej kochać kogoś, kiedy jest się razem z nim, niż kiedy dzieli nas rozłąka.

Przeszłyśmy do rowu, żeby rzucić okiem na miejsce, w którym znaleziono kapiące na czerwono książki. Potem na górę, na szczyt mostu, żeby popatrzeć na wodę z góry. Podniosłam z ziemi jakiś patyk i wskazywałam nim na dachy domów, majaczące na tle ciemnego nieba.

– Wysoki Paul jest typem, który mógłby popełnić taką zbrodnię – zawyrokowała Tam poważnie, jakby odpowiadała na pytanie nauczyciela w szkole dla wytwornych dziewcząt.

– Rzeczywiście – przytaknęłam, kiwając głową jak prawdziwy telewizyjny dziennikarz śledczy.

– Albo twój odrażający brat.

– Hmmm. Szczera prawda. Obydwaj są bardzo niestabilni. I żaden z nich nie potrafi powstrzymać swoich urojeń i wymysłów.

– I obydwaj są tak bardzo nieatrakcyjni w oczach kobiet, że chowają w sobie pewnie głęboką urazę.

– Celna uwaga.

– Może też mężczyzna, któremu pozowała do zdjęć.

– Flesz! Pewnie że tak. Już o nim myślałam. Bardzo prawdopodobne, że to on.

Kiedy znalazłyśmy się pod domem Julie, przystanęłyśmy na chwilę i gapiłyśmy się, jak na obraz albo szkolny wiersz z wieloma ukrytymi znaczeniami. Starannie przyglądałyśmy się budynkowi, w którym Julie się wychowała. Stanowił on ostatni punkt naszej zbrodniczej wycieczki.

Ktoś był w środku. Czułam to po tym, jak ściskało mi żołądek. Brukowane ścieżki w ogródku przed domem były białe i suche. Jak kości.

Tam patrzyła na mnie, jakby czekała, co zrobię dalej. Ponieważ spodziewała się, że coś zrobię, przeszłam na drugą stronę ulicy. Ona została w tym samym miejscu i udając, że nic nie czuje, podnosiła małe, czarne kuleczki asfaltu spod swoich stóp, bardzo cicho przy tym mrucząc jakąś starą, dyskotekową melodię o miłości.

Za jej plecami rozciągała się z brzękiem blacha falista na dachu fabryki nitów metalowych.

Przyszedł mi do głowy Flesz i pomyślałam, że o wiele łatwiej jest być z tępym mężczyzną niż z inteligentną kobietą. Chodzenie z chłopakiem to naprawdę mały pikuś w porównaniu z chodzeniem z dziewczyną.

Potem odwróciłam się do niej i podniosłam ręce. Trzymałam je wysoko nad głową i szeroko rozcapierzyłam palce, więc wyglądałam, jakbym chciała się poddać.

Popatrzyła na moje ręce i skinęła głową. Wtedy odwróciłam się i zapukałam do drzwi.

Pukanie rozniosło się echem po ciemnym domu. Zerknęłam na wyświetlacz swojego cyfrowego zegarka i dowiedziałam się, że jest trzecia pięćdziesiąt sześć. Włóczyłyśmy się w ciemnościach przez ponad dwie godziny.

Usłyszałam stukot nóg na schodach.

Ktoś biegł. Potem drzwi otworzyły się szybko i ochoczo. Była to jej mama. Otworzyłam oczy równie szeroko jak ona i szurając nogami powtarzałam, że bardzo mi przykro, bardzo przykro, a jej mama patrzyła nade mną, gdzieś w dal, zmęczona i upiorna od niespokojnych snów.

Nie pachniała ani mydłem, ani płynem do płukania tkanin, tylko jakoś nieczysto, papierosami i kwaśnym snem, pełnym niespełnionych marzeń. Mimo to jednak byłam bardzo zadowolona, że widzę jakąś matkę. Chciałam paść ze zmęczenia u jej stóp. Pachniała też jedzeniem. W jej włosach czuć było jakąś hamburgerową nutę, więc zapragnęłam ją uderzyć. Szybki cios kości pięści w kości policzkowe.

Ale przecież za mną, po drugiej stronie ulicy widziała spowitą cieniami nocy dziewczynę i jej skręcone w loczki włosy. I nagle zaczęła wydawać z siebie takie krótkie, skamlące dźwięki, jak skowyt przydeptanego zwierzęcia.

Nie mogłam znieść cierpienia na matczynej twarzy. Lubiłam wszystkie matki. Nic na to nie mogłam poradzić.

– Już dobrze – odezwałam się, dotykając jej ramienia. – Chcemy pani pomóc. Przyszłyśmy pani powiedzieć, kto zabrał Julie.

miód

– Muszę ci coś powiedzieć, Mona.

Tam rozsmarowywała właśnie błyszczącą warstwę złotej szminki. Potem zatrzepotała pędzlem, nakładając róż na policzki. Łokieć trzymała przy tym pod takim kątem, jakby grała na skrzypcach, a zwariowanym wzrokiem wpatrywała się w jakiś punkt pośrodku pokoju. Był czwartek po południu, dzień po nocy, kiedy wybrałyśmy się do pani Flowerdew. Siedziałyśmy na strychu, w naszym małym, zatęchłym lokum. Na zewnątrz świeciło słońce, jednak tu było ponuro i śmierdząco, jak w klatce chomika. Nie miałam niczego do jedzenia ani do picia. Byłam głodna i spragniona.

– Jak w twoich oczach wyglądała Sadie? To znaczy, jak Sadie pojawia się w twoich wspomnieniach? – zapytałam, zmieniając temat.

Nie odpowiedziała. Na podłodze, pośród walających się upaćkanych, jednorazowych maszynek do golenia leżała srebrna miseczka, której używałyśmy jako popielniczki. Nabrałam na palec trochę popiołu i nałożyłam go sobie na powieki.

Tamsin straciła już zainteresowanie rozmową o Sadie. Nie było sposobu, żeby namówić ją, by na naszą morderczą wyprawę założyła dziwaczny koronkowy strój swojej siostry. Zaczęła z całą powagą starać się o należyty wygląd w stylu disco, więc nałożyła obcisłe dżinsy i podkreślającą piersi, obcisłą koszulkę z połyskliwego materiału. Tego ranka wyszła z domu bardzo wcześnie, kiedy jeszcze spałam, i poszła do fryzjera. Obcięła włosy. Pozostawało tajemnicą, skąd wzięła na to pieniądze. Zafundowała sobie krótką, ładną fryzurę, dzięki której wyglądała zdrowiutko, jak prezenterka w telewizji dla dzieci. Taka sama korzystna mieszanka radości i seksu.

– I jak ci się podoba? – zapytała, obracając się naprzeciwko mnie.

– Och, jestem pewna, że jakiś policjant będzie chciał cię zgwałcić.

– Mam nadzieję.

– Nie zapomnij go zapytać, czy ma jakiegoś kolegę, który mógłby zgwałcić także mnie.

– Muszę ci coś powiedzieć.

Uciekłam wzrokiem. Pokoik stanowił zagrożenie dla zdrowia. Istna jama! Przypomniało mi się, jak Lindy krzyczała do Balerona: – Hej, prosiaku! Wywiózłbyś łajno ze swojego chlewa!

– Mona! Muszę przekazać ci pewną wiadomość.

Obserwowałam kurz na szafce nocnej. Pierwsza warstwa brudu pojawiła się nagle, jak popioły wulkaniczne. Teraz tworzyła się powoli kolejna warstwa, poważniejszego już brudu. Fakenhamowie mieli rację. Trzeba posiadać personel. Nie można żadną miarą oczekiwać, by dwie dziewczyny bez niczyjej pomocy zapanowały nad brudem i cielesnym smrodem w całym tym wielkim domu.

– Mona! Ty mnie nie słuchasz!

To idiotyczne, że trzeba ścierać kurze codziennie, a czasem nawet dwa razy dziennie, jeśli życie danego dnia stało się wyjątkowo brudne.

– Brud jest jak jedzenie, seks i pieniądze. Żebyś nie wiem jak bardzo chciała, nie uciekniesz przed nim – oświadczyłam.

– I mężczyźni – dodała. – Przed mężczyznami też nie ma ucieczki.

– Ależ skąd! Można uciec od mężczyzn, pewnie że można. O to właśnie chodzi. Taki jest sens cytatu „idź do klasztoru", że możesz uniknąć poniżenia. Jeśli nie brak ci odwagi.

– Co ty opowiadasz? A w ogóle, to posłuchaj wreszcie, co mam ci do powiedzenia – zażądała stanowczo, nie przerywając nakładania tuszu spiralą do rzęs. – Otóż, kochanie, będziemy miały dziecko.

Gwałtownie zatrzepotała rzęsami, po czym nałożyła odrobinę lazurowego błękitu.

Prysnęła wokół siebie mgiełką perfum.

Sięgnęłam do jej eleganckiej kosmetyczki, znalazłam kredkę, będącą odpowiednią mieszanką fioletu i różu, po czym zaczęłam nakładać ją na popiół.

– Nie mogę się doczekać, kiedy pójdziemy na policję – zachichotałam. Mój dawny pociąg do funkcjonariuszy policji osłabł tylko trochę, odkąd poznałam Tam. Na myśl o opalonych, muskularnych sierżantach moje hormony wciąż tańczyły pogo.

– Cieszysz się, kochanie? – pytała.

Śmiała się i machała do mnie z dziobu statku, odpływającego właśnie ku słońcu. Czułam się jak Kanada: byłam wielkim miejscem, którym wszyscy są znudzeni i które opuściliby natychmiast, choć masowo udają, że im się podoba.

– Mona? Czy ty mnie słuchasz?

– Cudownie, kochanie! – powiedziałam z uśmieszkiem. Oczywiście żartowała. Na pewno. – Ale musisz uważać. No wiesz, choroby weneryczne i wszy łonowe. Chłopcy w okolicy mają tego więcej niż szczury w ściekach. Są przekonani, że Choroby Weneryczne to nazwa pisemka z gołymi panienkami.

– Czyś ty zgłupiała? Nie może być mowy o chłopaku z okolicy. Nie schodzę poniżej pewnego poziomu – spojrzała na mnie ze złością.

Usiadła na złotym tronie i patrzyła na mnie wyjątkowo poważnie. Sięgnęła do popielniczki po nie więcej niż trzycentymetrowy niedopałek cygara i zapaliła go, omal nie upalając sobie przy tym rzęs. Potem zwiesiła głowę do tyłu i zaczęła puszczać kółeczka z dymu. Była to umiejętność, którą ćwiczyłyśmy, gdy straszliwie nam się nudziło. Po kilku chwilach wypuściła idealnie dokładne, drżące kółko. Uniosło jej się nad głową w szerokiej aureoli.

– To niby kim jesteś? Może w ogóle się nie pieprzyłaś, tak jak Matka Boska?

– A kto to jest Bosek? I dlaczego jego matka się nie pieprzyła? – zapytała, podnosząc oczy na rozszerzającą się coraz bardziej i w końcu znikającą aureolę.

– Co się stało, Tam? Powiedz, proszę – wyjęczałam, próbując podejścia z repertuaru uczniów szkoły z internatem. – Po prostu umieram z ciekawości, kochanie.

– Zobaczysz z czasem – odpowiedziała, schodząc z tronu i maszerując w kierunku swojej szkatułki na biżuterię. Przypięła sobie kolczyki.

Po raz pierwszy obdarzyłam ją spojrzeniem pełnym pogardliwego współczucia, bardzo wolno kręcąc głową w lewo i w prawo. Ale ona tylko westchnęła i powiedziała:

– Ciągle tylko myślę o tym malutkim zalążku, który ma już mózg. I rączki.

Westchnęła raz jeszcze i uśmiechnęła się zadowolona z siebie. Jakby należała jej się główna nagroda za to, że w ogóle ruszyła dupę na wyścigi.

Była zapłodniona. Może drogą rozmnażania wyprodukować sobie najlepszego przyjaciela. A mój brzuch był opuchnięty i nabrzmiały. Jedwabisty, naprężony, tłusty i pusty jak gardło ropuchy. Wewnątrz mnie były tylko banieczki powietrza, aż dziwne, że nie unosiłam się kilka centymetrów nad ziemią.

Tam wróciła na tron, gdzie wypuściła kolejne kółko dymu, tym razem w moim kierunku. Chciała mnie złapać na lasso. Nałożyć mi pętlę na szyję.

– U nas w szkole była dziewczyna, która zaszła i wzięli ją do ośrodka. Nie pozwalali jej tam pić ani palić. Niczego! – powiedziałam. Wypatrzyłam kroplę sosu pomidorowego, zaschniętą na obrzeżu brudnego talerza, starłam ją palcem i zaczęłam rozsmarowywać na policzku. – Skarżyła się potem, że to było gorsze niż mieszkanie w domu z rodzicami.

– Ależ Mona, kochanie. Chyba zauważyłaś, że trochę różnię się od dziewczyn z twojej szkoły, prawda? – odparła miażdżąco.

Wyobraziłam sobie dziecko, będące mieszanką mnie i jej: miało brutalny makijaż i zgrzytało lisią szczęką. Laktacja, owulacja, menstruacja. Cóż dobrego mogły przynieść?

– No cóż – zaczęłam najsmutniejszym możliwym i najbardziej współczującym głosem, jaki tylko potrafiłam z siebie wydobyć. Jakbym ze współczuciem patrzyła na nią i jej zrujnowane życie. – Więc teraz pewnie wychodzisz za mąż?

– Mona! – krzyknęła, śmiejąc się tak, że aż cały tron zadrżał. – Jaka ty jesteś zabawna! Oczywiście że nie, idiotko. Wiesz dobrze, że jeszcze się nie poddałam.

Wtedy uderzyła mnie myśl, że Tam ma zamiar zrobić coś niezwykłego i ekscytującego z powszechnie przyjętym sposobem rozumienia pojęcia macierzyństwa. Pasowała mi na matkę, która da dziecku imię tybetańskiej bogini, ubierze je w lamparcią skórę i sprowadzi prasę, żeby zrobiła zdjęcia. Miałam równie nagłe, co okropne poczucie, że to odmieni jej życie, żeby nie wiem co. Na lepsze.

– Przecież to prawdziwy cud!

– Taaaak. A ty jesteś tam w górze, razem z Jezusem, Mojżeszem i wszystkimi innymi wymuskanymi lalusiami – szydziłam.

– Oczywiście będę musiała zadbać o odpowiedni poziom niezależności. Przecież potrzebuję życia, potrzebuję towarzystwa – rozmyślała głośno.

– A pewnie. Raczej chyba odpowiedniego towarzystwa opieki – mruknęłam.

Nie odważyłam się zapytać, z kim zaszła w ciążę, ale wyobrażałam sobie chłopaka o ujmującej kombinacji brutalności i beznadziei.

– W tej sytuacji Dzień Wyścigów staje się jeszcze ważniejszy – oświadczyła, wydmuchując jeszcze jedną, malutką aureolę. – A kiedy będziemy już gotowe, powiemy wszystkim. Twojej rodzinie i mojej rodzinie.

Spróbowałam wyobrazić sobie, jak mówię ojcu, że będę miała dziecko z inną dziewczyną: „Cóż, zepsułaś sobie całe życie. Chyba nie zdajesz sobie z tego sprawy. Czy ciebie to w ogóle obchodzi?". Prawdę mówiąc, tęskniłam za ojcem. Za gotowaniem, praniem i prasowaniem Debbie też. Zaczęłam myśleć o domu rodzinnym w różowych barwach, podobnie jak kiedyś myślałam o domach innych ludzi: wyobrażałam sobie, że na pewno są ciepłe, przytulne i bezpieczne.

– Teraz musimy zadać cios wszystkim kobietom, zarówno w przeszłości, jak i w przyszłości – oświadczyła, po czym zgasiła cygaro, rozciągnęła wargi w napięty owal do szminkowania i nałożyła kolejną warstwę złotego koloru.

Tylko że nie było przyszłości. Ani dla planety Ziemi, ani dla Tamsin, ani dla mnie.

– Pić mi się chce – zakwiliłam.

– Proszę bardzo! Chcesz, to masz! – odpowiedziała.

Zrobiła kilka kroków po obrzydliwie brudnym pokoju, podniosła swoją butelkę wybielacza, sięgnęła po brudną szklankę i z wściekłością napełniła ją bulgocącym płynem.

– Napij się, proszę – powiedziała z furią, podając mi szklankę wybielacza. – No, wypij!

– Och, dziękuję ci bardzo, kochanie. Będzie z ciebie taka dobra matka!

Przez chwilę się nie odzywałyśmy.

– Więc jesteś pewna? – zapytała w końcu, oblizując wargi i potrząsając głową do tyłu, co powodowało falowanie jej nowej fryzury. Popatrzyłam na nią speszona. Jej brzuch wyglądał dokładnie tak samo jak przedtem. – No, w sprawie tego Flesza, głuptasie.

– Niestety. Już ci mówiłam. On fotografował Julie.

Głos brzmiał mi płasko i matowo.

– Głupia jesteś! Lepiej by było, gdybyś mogła przedstawić więcej dowodów. Znaczy coś konkretnego. Może na przykład powinnaś powiedzieć, że znalazłaś tę niebieską koszulkę, tę, którą chciała wyrzucić jej matka, w kieszeni jego płaszcza. Albo coś podobnego. Bo jak na razie to cała historia jest trochę wątpliwa.

– Tak. To świetny pomysł. Mogę przecież powiedzieć, że znalazłam ją w jego atelier. Byłam tam kiedyś.

– Świetnie – podsumowała pewnym głosem, z trzaskiem zamykając kosmetyczkę. – Przygotowałam ci więcej ubrań, Mona. No, szybciutko. Przecież nie możesz składać takiego oświadczenia, mając na sobie te obszarpane ciuchy. Pani Flowerdew dozna wielkiej ulgi. Cóż to znaczy, być matką! A już być matką i stracić dziecko... – westchnęła, potrząsając głową. Cicho przeszła przez drzwi i stanęła przy stromych schodach na strych.

Zeszłam na dół dziesięć minut później. Zastałam ją siedzącą na fortepianie. Machała nogami i czekała na mnie. Lewą rękę maczała w słoju z miodem i z uwielbieniem oblizywała palce.

– Chcesz zobaczyć coś naprawdę przerażającego? – zapytała, zlizując miód z kciuka.

– Dość już miałam wstrząsów jak na jeden dzień.

– Jeszcze tylko jeden.

Odkąd pomalowałyśmy okna na różowo, korytarz świecił dziwacznym, fioletowym światłem. Trzymała w ręku coś, co wydawało mi się srebrną ramką. Przycisnęła ją do piersi, jak jakąś świętość. Widać było, że hamuje śmiech.

– Przygotuj się więc na wstrząs twojego życia, Mona!

Teraz była matką, więc mogło się wydarzyć wszystko.

– No, to już. Chcesz zobaczyć, jak naprawdę wyglądała Sadie? – zapytała, odrywając od piersi ramkę i przesuwając ją w kierunku mojej twarzy. – To proszę bardzo.

Potem wszystko działo się bardzo szybko. Wyobrażałam sobie, jak jej serce bije w całym domu, ponieważ również i ja, tak samo jak dziecko, byłam głęboko wewnątrz niej. Twarz w ramce wyglądała na wymarniałą i zmęczoną. Naprawdę nie stanowiło to niespodzianki. Oczy były stojącą sadzawką, dziewczęca skóra napięta i zaczerwieniona, prawdopodobnie z powodu napięcia wywołanego kośćmi czaszki, naciskającymi na wyrazisty nos, podbródek i wystające kości policzkowe.

Mały migdał zgnił i stał się trujący. A mimo to w kanciastych kościach i rzucającym się w oczy zmęczeniu było coś niepokojąco szykownego. Niewątpliwie jeszcze w niedawnej przeszłości mężczyźni popatrzyliby z zainteresowaniem, a może nawet przeszli na drugą stronę ulicy, żeby lepiej się przyjrzeć. Teraz jednak już na pewno nie.

To byłam ja.

Ha. Ha. Ha.

Obejrzawszy tę twarz omal nie zemdlałam. Uczucie było tak dziwne, jak uświadomienie sobie, że wskazówki stojącego przed nami zegara poruszają się do tyłu. Było o wiele gorsze niż to po obejrzeniu mojej fotografii zrobionej przez Flesza. Przycisnęłam palce do skóry, żeby na smutnej twarzy poczuć pryszcze, fałdy i linię brwi. Tam wybuchła śmiechem, kiedy to zrobiłam.

– Cholera. Jeśli zobaczysz swoje odbicie w lustrze i chcesz przerażona schować się za sofą, to chyba coś się musi zmienić, no nie? – stwierdziłam tonem ofiary losu, który lubiła u mnie najbardziej.

– Przecież wszystko się niebawem zmieni, głupia ty jedna – powiedziała stanowczo, zeskoczyła z fortepianu i przemaszerowała przez frontowe drzwi.

Pani Flowerdew stała w holu z trzema przyjaciółkami. Miała na sobie ciężki płaszcz i kapelusz, choć przecież był czerwiec. Kiedy usiadła, schowała głowę w rękach i przygarbiła plecy, pomyślałam o mojej mamie. Potem przyszła mi na myśl Nina Fisher i jej krowia walka. Obydwie były chore i słabe, a ja nie lubiłam chorych i słabych kobiet. Pani Flowerdew była cała czerwona na twarzy, ściskała w dłoniach białe chusteczki i mówiła głosem słabym, jak najdelikatniejsze kreski postawione ołówkiem. Włosy miała skołtunione, jak pacjenci cierpiący na raka albo jak zwłoki.

– Więc kiedy uzyskałaś tę informację? – zapytał policjant. Niestety, nie był ani opalony, ani młody. Był stary, różowy, obwisły i przypominał najbardziej aseksualną rzecz na świecie: podstarzałego nauczyciela matematyki.

– Widziała zdjęcia Julie Flowerdew w jego atelier – odpowiedziała Tam. Rękę miała ułożoną delikatnie na brzuchu, co nadawało jej wygląd uprzejmy, bezbronny i bezradny. Dotychczas odzywała się tylko ona, utrzymując, że ja jestem zbyt wstrząśnięta, by mówić, choć nawet nie próbowała mnie zapytać, czy tego chcę. Cudownie było oglądać, jak jej kłamstwa plenią się niczym chwasty.

Policjant wydawał się zafascynowany jej pełnymi, niebawem przecież mlecznymi, piersiami i uroczą, nową fryzurą. Piersi i fryzura niewątpliwie dodawały naszej historii wiarygodności większej, niż gdybym opowiadała ją od początku sama.

Mężczyźni są niespecjalnie wrażliwi na dziwność u kobiet. Chociaż wyglądałam jak ofiary wypadków, prezentowane na plakatach w holu, nikt nie wziął mnie na stronę i nie przyglądał mi się uważnie.

Było późne popołudnie w czwartek, prawie miesiąc po ślubie Lindy. W domach w całym Whitehorse matki właśnie prały albo prasowały. Mogłam teraz odejść, zostawiając ją tu samą w ciąży. Mogłam wrócić do życia małych domków, filiżanek i telewizji.

– Jakie zdjęcia?

– Zdjęcia bez ubrania, proszę pana – odpowiedziała Tam nieśmiało. To, co powiedziała przed chwilą, akurat było prawdą, ale nie wiadomo dlaczego nawet prawdziwe słowa w jej ustach potrafiły wydawać mi się kłamstwem.

– Zdjęcia topless?

– Tak. Niestety tak.

– A kiedy zrobiono te zdjęcia?

– Zanim umarła.

– Nie wiemy, czy ona umarła – oświadczył policjant uprzejmie.

Zaskoczyło mnie to, więc przestałam skubać paznokcie i podniosłam wzrok. Miał obrączkę ślubną, wciśniętą na różowy tłuszcz serdecznego palca. Oczywiście miał rację. Nie wiedzieliśmy, że umarła, choć w moim umyśle Julie była tak samo martwa, jak Sadie Fakenham. Pani Flowerdew też tak myślała. Ilekroć zamykała oczy, widziała świeżo wykopane groby i puste trumny, a we śnie córka jawiła jej się jako maleńki rysunek, wykonany długopisem na białej, bawełnianej poduszce. Na pewno tak było.

– Przepraszam. To tak okropna myśl, że nie potrafię... – opuściła głowę i westchnęła. Policjant musiał przerwać robienie notatek i położyć rękę na jej nagim ramieniu, na pewno wykorzystując tę okazję, by rzucić śliniące się spojrzenie na to, co w dole pod koszulką.

Dudniły we mnie czarno-białe uczucia. Czułam się ignorowana i zazdrosna. Chociaż nie. Nie można było tego rzetelnie nazwać uczuciem. Dawno już wtedy przestałam mieć uczucia. Po prostu raz na jakiś czas dochodziło mnie ukłucie bólu.

– Chcesz powiedzieć, że zdjęcia zrobiono, zanim zaginęła, prawda, Tamsin?

– Tak proszę pana. To prawda.

– A jakie inne informacje masz dla nas?

– Żadnych innych informacji, proszę pana. Mam nadzieję, że nie zabieramy panu czasu na darmo. Bardzo się denerwowałyśmy przychodząc tutaj, ale w końcu okazało się to najlepsze, co mogłyśmy zrobić w ramach siostrzanej, kobiecej solidarności.

Udało jej się sprawić, że nawet słowo „siostrzany" zabrzmiało niewinnie, choć dla mnie słowo „siostra" było tak samo naładowane emocjonalnie, jak „terrorysta", „złodziej" albo „morderca".

Uśmiechnął się, zapisał nazwę szkoły Tam i powiedział, że musi na chwilę wyjść.

Jak doszło do tego, że Tam uprawiała seks z chłopakiem? I kiedy? Te właśnie pytania stary policjant powinien był zadać! Czy poszła do pubu i śmiejąc się, samotnie zbliżyła do baru? A może kręciła się po ciemnych uliczkach, złowieszczo przypominając wyglądem seksualną maniaczkę?

Oczywiście zawsze jest aborcja, ale nie pamiętam, żebyśmy o tym wspominały. Wyobraziłam sobie, jak ginekolog przeprowadza aborcję, wyciągając dziecko ze śliskiej macicy za pomocą harpuna, tak samo jak za pomocą plastikowego harpuna wyciąga się ze styropianowego pojemniczka małża. Potem przypomniałam sobie szybką eksplozję octu, kiedy małż pęka między zębami. I to wszystko.

Komisariat był zatłoczony i cierpiał na niedobór personelu, ponieważ większość policjantów poszła gdzieś na patrole. Nikt nie zaproponował nam filiżanki kawy, chociaż czekałyśmy kilka godzin. A przecież mimo kartoflanych twarzy wszystkich tamtejszych policjantów byłam zadowolona z pobytu. Czułam, że Tam także. W komisariacie panowały czystość i ład. Podobała mi się nieustanna krzątanina i przyszło mi do głowy, że może pewnego dnia zdecyduję się na karierę w policji. Zachwyciło mnie, jak się mną przejęli, złożyli moją sukienkę, kiedy ją z siebie zdjęłam, i gładzili moje plecy, obolałe po zdjęciach. Pomyślałam sobie, że z przyjemnością zostałabym pielęgniarką zamężną z policjantem. Szczególnie podobało mi się używanie rąk w obydwu tych zawodach: żeby pomóc, żeby ulżyć, żeby okazać troskę i żeby powstrzymywać. Sposób, w jaki pracują na odciskach palców. I to, że te cholerne odciski palców nigdy nie tyją, żeby się nie wiem ile jadło.

– Podoba mi się tutaj! Powinni rozważyć, czy nie zorganizować tutaj weekendowych pobytów dla ludzi samotnych i pozbawionych środków do życia – wyszeptałam do Tam ironicznie. Popatrzyła na mnie zimno. Po raz pierwszy wydawała się zmartwiona i zaniepokojona.

– Zamknij się, Mona. Nie sądzisz, że i bez tego mamy dość kłopotów?

Policjant wrócił z jakąś kobietą. Tam ciągnęła swoją opowieść. Robiła wrażenie. Patrzyła w dół, na swoje stopy, albo w górę, na goły sufit i mówiła niskim, dziewczęcym głosem, bardzo wykształconym i bardzo wytwornym.

– Pan Rush kilka razy groził mojej koleżance. Prawda, Mona?

– Noo… tak.

Kłamała całkowicie profesjonalnie. Tak przynajmniej to wyglądało. Zdałam sobie sprawę z faktu, że kiedy kłamała, jej twarz wcale nie wyglądała inaczej niż kiedykolwiek indziej.

O dwudziestej pierwszej trzydzieści pięć policjant był w niej zakochany i gdyby powiedziała mu, że Julie została połknięta przez olbrzymią, cętkowaną rybę, coś na kształt Jonasza, niewątpliwie rozkazałby, aby dziesięć tysięcy nurków przeczesało Morze Północne.

Spojrzałam na niego najbardziej lubieżnym i zalotnym spojrzeniem. Jakbym przed chwilą wstała i oświadczyła: „Proszę! Jesteśmy tylko dziewczynkami. Proszę nam uwierzyć na własne ryzyko".

Potem wzięłam dawkę ventolinu, który dała mi policjantka, i spojrzałam na niego tak bardzo bezpośrednio, surowo i uczciwie, jak tylko zdołałam. Oczywiście wykładając przed nim wszystkie moje kłamstwa. Wystarczyło, żeby pociągnął nosem, postukał palcami po szarym stole, spojrzał na nocne niebo i pokiwał głową z dezaprobatą. To by wystarczyło na pewno.

Ale policjant nie zrobił niczego takiego. Uśmiechał się tylko, więc najwyraźniej podobała mu się myśl o ubabranych błotem uczennicach. W końcu też dano nam talerz ciastek. Słodowe ciasteczka z obrazkami ludzi uprawiających różne sporty. I słabiutką herbatę.

Właśnie miałam zacząć objadać się ciastkami, kiedy Tam uśmiechnęła się uprzejmie do policjantki, powiedziała, że jesteśmy zbyt zdenerwowane, żeby cokolwiek jeść i odsunęła talerz. Dotknęła kołnierzyka mojej koronkowej sukienki i powiedziała policjantce, że bardzo źle znoszę to wszystko, więc straciłam apetyt. Potem popatrzyła na mnie prawdziwie czule i poklepała mnie delikatnie po ramieniu. Jakby była działaczką na rzecz zachowania dzikiej przyrody, poproszoną o przyprowadzenie, tak dla przykładu, jakiegoś trochę głupawego zwierzątka, które chce otaczać ochroną.

Rzeczywiście czułam się bardzo chora. Czułam ból w każdej kości i byłam słaba, jakby w żyłach zamiast krwi płynęła mi woda. Zastanawiałam się przez chwilę, czy tak właśnie wygląda rak. Tam miała swoje dziecko, a ja miałam swojego raka. Tak. To było oczywiste.

W końcu wręczyłyśmy nasz dowód rzeczowy w postaci niebieskiej koszulki, którą pani Flowerdew dała mi przypadkiem, kiedy zabierałam z jej domu stare ciuchy dla biednych. Tam opowiedziała, jak to koszulka została znaleziona w atelier fotograficznym. Policjant włożył ją do przejrzystej, plastikowej torby. W ustach miałam sucho i słono, jakby mój język był chodnikiem, świeżo posypanym solą i piaskiem, by zapobiec oblodzeniu.

I wreszcie nadszedł czas, żebym to ja stała się główną atrakcją wieczoru, kiedy powiedziałam szczerą prawdę o ostrych pieszczotach na perwersyjnym parkingu. Tam przyjęła, że wszystko to cudowne kłamstwa, upichcone naprędce w saganie mojej wyobraźni. Patrzyła więc na mnie zachwycona. Nigdy wcześniej nie widziałam jej pod takim wrażeniem mojej osoby.

Policjant nie uśmiechał się do mnie jak do Tam, ani nie gładził mnie po ramieniu. Tylko szybko ruszał długopisem, dziurawiąc nim papier.

jagnięcina

Nad nami wielkie, niczym na dziecięcym rysunku, pomarańczowe słońce wysyłało promienie błyszczącego światła. Przyczepy kempingowe, biele, szarości i beże dryfowały po betonowych podjazdach jak porażone gorącem wieloryby. Trawniki zdawały się kawałkami materiału, jasnozielonymi chusteczkami na głowę, które ktoś grzecznie ułożył przed każdym domem. Na ich brązowym obrzeżu stały sztywne, nylonowe kwiaty. Troje dzieci, radosnych i rozbrykanych, kręciło się wokół. U ich stóp szczekały dwa białe psy, tak musujące i słodkie, że również i one wydawały się pić lemoniadę.

Było to raczej nowe osiedle, dwadzieścia minut od naszego pubu, w północnej części Whitehorse. Zbudowano je z klocków lego, każdy dom taki sam jak inne, z czerwonej cegły. Wszystkie tutejsze mamusie odlano z tej samej formy i zmontowano w tej samej fabryce i wszystkie namierzały przechodniów tak samo szklanymi oczami. Nawet ptakom płacono tutaj, by ćwierkały wyjątkowo melodyjnie.

Kiedy dochodziłam do jego domu, wyczułam dziwny zapach. Uliczka leżała dość daleko od fabryki Hogginsa i nie docierał tu pełnokrwisty smród flaków, ale na tyle blisko, by delikatne echo odoru chemikaliów mieszało się z zapachem dalii, przez co cała okolica sprawiała wrażenie spryskanej kiepskim odświeżaczem powietrza. Dochodzący skądś dźwięk piły łańcuchowej, mordującej całą rodzinę, buczał zupełnie jak kosiarka do trawy, jeżdżąca tam i z powrotem.

Prawdopodobnie jedynymi, których ta okolica mogłaby ekscytować, byli moja mama (święcie przekonana, że dom na tym osiedlu stanowi główne życiowe osiągnięcie) i morderczy właściciele furgonetek z lodami, którzy z radością wmieszaliby małe dziewczynki do lodów miętowych z kawałkami czekolady.

Całkiem możliwe, że policja już go zatrzymała, postawiła zarzut i osadziła w areszcie jako podejrzanego o popełnienie morderstwa. A już jeśli nasza dziewczęca furia była cokolwiek warta, to na pewno wezwali go na przesłuchanie. Liczyłam się z tym, że zobaczę, jak jego wstrętna żona płacze na ulicy, otoczona wianuszkiem zdumionych sąsiadek. I kamery, śledzące go swoim okiem od drzwi aż do policyjnej furgonetki z przyciemnionymi szybami. Na strychu odkryją jego poezję. Całe ryzy ód, które napisał do mnie i wiersze wysławiające moją piękność wydrukują w wieczornej gazecie. Jego obwołają poetyckim geniuszem, a mnie tragiczną muzą.

To by dopiero była prasowa wiadomość!

I wtedy zobaczyłam, jak biegnie ku mnie przez słońce. Był tak blady, jakby przed chwilą zanurzyli go w kuble z pyłem: niewątpliwie miłość, rozpoznałem objawy. Na obiad miał mieloną jagnięcinę. Czułam słodkawe mięso na jego wargach, kiedy podszedł. Złapał mnie za rękę i poprowadził z powrotem tą samą ulicą. Dziewczynka na rowerze zatrzymała się i zaczęła nas obserwować.

– Miałem twoje zdjęcie na strychu – powiedział z zadyszką.

– Cóż za wyróżnienie!

– Policja je znalazła.

– Ty idioto!

Zanim tego ranka wyszłam z domu, Tam uświadamiała mi, że kobiety muszą odrzucać uczucie strachu, które chcą zaszczepić im mężczyźni. Że muszą rzucać im ten strach z powrotem, odrzucać im go prosto w twarz. Pewnym, silnym ciosem.

No to masz! Prosto w zęby! To za dziewczynę, która teraz siedzi z nogami wysoko na sofie obitej cielęcą skórą i przegląda katalog, oferujący wszystko dla małego dziecka.

– To. Było jedyne. Miejsce. Do którego. Mogłem iść. Z latarką. I patrzeć. Na ciebie.

– Co się właściwie stało?

Zważywszy na całkowitą konsternację, malującą mu się na twarzy, równie dobrze mogłam oczekiwać relacji, jak to właśnie przed chwilą nawiedził go złoty archanioł Gabriel, w związku z czym, całkiem niespodziewanie, oczekuje dziecka. Ale powiedział tylko jedno zdanie:

– Jutro mam się stawić na przesłuchanie.

Kiedy doszliśmy do końca uliczki, odezwał się ponownie:

– Wyglądasz okropnie. Nic ci nie jest?

Rozejrzałam się. Uliczka kończyła się na wzgórzu, więc mieliśmy nad sobą więcej nieba niż to absolutnie niezbędne. Potrząsnęłam głową.

– Boże! Flesz! Jak to się stało, że skończyłeś w takim miejscu?

– Cicho tutaj. I nikt mi nie przeszkadza. Jest bezpiecznie i raczej niedrogo.

– Przecież tak samo jest na cmentarzu w Whitehorse.

– Mona! – powiedział tylko, a ja zauważyłam, że jedną gałkę oczną ma wodnistą i z różowymi smużkami, jakby ktoś wplótł mu w nią pasemka szynki.

– Czas się zahartować, Romeo! – uśmiechnęłam się z wyższością. Poklepałam go po sztywnych włosach. – Cholera! Chyba grozi nam światowy niedobór żelu do włosów, zważywszy na ilość, jaką sobie nałożyłeś.

– Co zamierzasz, Mona?

– Potrzebuję pieniędzy. Tysiąc funtów.

– Ale przecież ja cię kocham!

Ha! Myślał, że potrzebuję jego miłości, a ja chciałam tylko jego pieniędzy. A niech mnie! Mężczyźni ciągle popełniają ten właśnie błąd. Ględził coś dalej, że mnie bardzo kocha i że tego wcale nie rozumie. Powiedział, że ma depresję, że interesy nie idą mu dobrze, że musi utrzymywać rodzinę i spłacać hipotekę. Na końcu oświadczył:

– Na Boga, Mona! Przecież mamy lata osiemdziesiąte! – Jakby miała to być dla mnie bardzo ważna wiadomość.

– Dzięki ci, mądry człowieku. Naucz mnie o świecie czegoś jeszcze! – drwiłam.

– Chciałbym dać ci te pieniądze, ale...

– Żadnych ale, Romeo. Pieniądze oddam ci jutro. To pożyczka. Po prostu organizujesz mi pożyczkę. Jasne?

– Nie mogę.

– Nikt się nigdy nie dowie. Pójdę na policję i dam ci alibi. Zeznam, że robiłam te zdjęcia z własnej woli, bo chciałam zrobić... – tu spuściłam wzrok i westchnęłam – bo chciałam zrobić karierę modelki.

– Ale...

– Nic z tego – przerwałam, odwracając go w przeciwną stronę i prowadząc z powrotem po ulicy. – Po prostu spójrz na to jak na chwilowy dowód twojego uczucia do mnie.

Dziewczynka na rowerze jeździła teraz wokół nas. Kilka mumii, ponuro atakujących nas uśmiechem z miętowej pasty do zębów, pojawiło się w szerokich, cholernie szerokich oknach.

To Tam wpadła na pomysł szantażu, choć tak tego nie nazwała:

– To nie żaden szantaż. To tylko żądanie pieniędzy od mordercy, który powinien zapłacić za swoje przestępstwa – oświadczyła, a potem wrzasnęła na mnie: – Czy ty jesteś tak tępa, że do ciebie nie dociera? Przecież będziemy miały dziecko!

Prawie doszliśmy już z powrotem do początku uliczki, w okolice jego domu. Za nami mumie zaczęły wylewać się na chodnik, krążąc w oczekiwaniu na poniżenie Flesza, jak rekiny w poszukiwaniu krwi. Jego różowe oczy wciąż miały w sobie ten nadrealny wygląd przerażenia.

– Przyjechali tutaj. Nie na sygnale. Ale przecież równie dobrze mogli włączyć koguty. Wszyscy by się przyglądali. Wierzysz mi, Mona, że nie zrobiłem niczego złego?

– Oczywiście.

Przez chwilę mamrotał, jakie to wszystko przerażające.

Pogładziłam łysą plamkę, która lśniła jak różowa kałuża pośrodku jego sztywnych włosów.

– Chodźmy do banku – zaproponowałam. – Potrzebujemy tylko tysiąca funtów. Na jutro. Potem porozmawiamy o alibi.

Spojrzał na mnie, jakbym dopiero co wyraziła wyjątkowo dziewczęcą i szczególnie niewłaściwie sformułowaną opinię: z pogardą i naśmiewaniem się. Uderzyłam go w twarz na odlew.

Nastąpiła wielka eksplozja elektryczności, kiedy plastikowe mumie wybuchły po trzasku uderzenia. Odrzuciłam mu prosto w twarz cały strach jak cios i czułam, że w żyłach pulsuje mi rytm zwycięstwa.

– Zaczekaj. Pójdę do domu po dokumenty i kluczyki do samochodu.

– Możesz wziąć też dla mnie butelkę czegoś do picia? Może być wódka albo gin. Albo coś podobnego.

Wrócił z butelką ginu. Zanim dotarliśmy do samochodu, dyszał tak gwałtownie, że ledwie był w stanie prowadzić. Musiałam zmieniać za niego biegi i policzkować go co chwilę, żeby głowa nie opadła mu na kierownicę. Mężczyźni podobno potrafią prowadzić najlepiej, a jemu wychodziło to mniej więcej jak nerwowej babuni. Męskość. He, he. Wierni ojcowie, męska przyjaźń i szczęśliwe rodziny. Wszystko to pierdolone mity.

Spoconymi dłońmi zostawiał mokre ślady na kierownicy.

Mimo to cała sytuacja miała w sobie taką cudowną, komiksową groteskę. To, jak jedną ręką trzymałam butelkę, a drugą policzkowałam go co chwilę: gul, gul, gul i chlast! To, jak jechaliśmy zygzakami po jego uliczce, aż dzieciaki musiały z wrzaskiem rozpierzchnąć się na boki, bąbelkowate szczeniaki skamlały o życie, a mumie z wyciem wbiegały na chodniki. To, że ja miałam na sobie koronkową sukienkę Sadie od Laury Ashley, a on pognieciony anorak. To, że przekazywaliśmy sobie z ręki do ręki butelkę ginu i wrzeszczeliśmy wniebogłosy, gdy trunek uderzał nam o tylną ścianę gardła.

Prawdą byłoby też stwierdzenie, jak to o wiele później przypomniała mi policja, że przez całą drogę do banku śmialiśmy się do rozpuku.

W zasadzie, to połowę pieniędzy planowałam postawić na charta w barze Perry'ego w Birmingham, ale przypomniałam sobie, że musimy teraz być odważniejsze i w ostatniej chwili postanowiłam postawić wszystko na psa w wyścigach za zającem.

Niebawem przecież miałyśmy postawić zakłady podczas gonitwy trzylatków.

Potem miałyśmy uciec razem i przeżyć ostatnie kilka tygodni Planety Ziemi za naszą wygraną. Ja miałam prać pieluszki i doglądać kóz, a Tam karmić piersią i polować na dzikie świnie.

W Wiedniu, we Francji albo w Hartlepool.

Miałyśmy cieszyć się miłością i mnóstwem śmiechu, zanim przyjdzie wielki, gorący wybuch.

Miałyśmy grać na dudach, wyplatać kosze, łowić szczury i projektować damskie torebki.

Szłam bardzo szybko, z prostymi plecami i sztywnymi rękami, co musiało wyglądać podejrzanie w tym przeraźliwym upale, bo ludzie zatrzymywali się i przyglądali. Było tak gorąco, że ledwie dawało się dotknąć rozpalonych do granic możliwości klamek i poopuszczano pomarańczowożółte żaluzje w witrynach sklepowych, żeby od słońca nie blakły towary na wystawie. Podobała mi się myśl, że metal przypieka moje ciało.

Wyobraziłam sobie człowieka z rożna, dochodząc do wniosku, że taka właśnie będzie eksplozja jądrowa.

Racja była przecież po mojej stronie. Jak mogłabym nie wytypować zwycięzcy?

Przy kasie siedziała dziewczyna, najwyraźniej mocno stuknięta, z włosami spiętymi do góry w palmę i pomalowanymi na srebrno, stalowymi paznokciami. Nikt nie powinien mnie tam znać, ale niektórzy faceci patrzyli na mnie dziwnie. Oblizując wargi. Szybko cmokając swoimi kwaśnymi, zielonkawymi jęzorami.

Stojąc w kolejce patrzyłam przez drzwi, którym nie pozwalał się zamknąć metalowy odważnik: targowe miasteczko z farmerami w czapeczkach i matkami w letnich sukienkach, które same sobie uszyły na maszynach do szycia. Szły z dzieciakami do lekarzy albo z koszykami na targ, albo w drodze na pocztę ciągnęły za sobą torby na kółkach. Ciągle jeszcze trwała zbiórka dla górników. Posępna kobieta reprezentująca Partię Pracy przyklejała nalepki do bawełnianych koszulek i damskich torebek, a mężczyźni grzechotali puszkami.

Być może pewnego dnia wszyscy oni zrozumieją, że wcale nie są zwyczajni. Że prawdziwe życie jest wybiegiem, w którym można żyć, jak owce żyją w zagrodzie. Do którego wraca się, gdy ma się już dość romansów.

Ja wiedziałam już teraz, że jest także inny świat, w którym można żyć. Świat, w którym tylko własna wyobraźnia dyktuje, co ma się wydarzyć następnego dnia.

Świat, w którym gorący wybuch będzie wyzwoleniem.

Grzechocące puszki przywołały myśli o załzawionych utrapieniach, którym pomagać miała dobroczynność. Bieda. Jak wielka łza, pochlipująca na ulicach.

Palmowa dziewczyna najpierw nie chciała mnie obsłużyć, jeździła językiem po górnej wardze i oglądała mnie od góry do dołu. Może myślała o przerażającym upale, a może wydawało jej się, że jestem marą, przywidzeniem w rezultacie kaca. A może zastanawiała się, czy przypadkiem gdzieś już nie wybuchła wojna, bo wtedy niebawem wszyscy usmażymy się jak frytki w głębokim oleju.

Wtedy jej pokazałam pieniądze i jak tylko zobaczyła zwitek banknotów, upakowanych ciasno w mojej dłoni, zaczęła z entuzjazmem przebierać palcami po blacie. Gotówkę wzięła z największą ochotą. Najwyraźniej dręczyło ją pragnienie pieniędzy. Ale na razie była tylko pieprzoną kasjerką.

Tam powtarzała, że zaznaczymy swój autorytet, obnosząc się z naszym nowym bogactwem. Pieniędzmi osiągniętymi wyłącznie dzięki naszym własnym zdolnościom i sprytowi. Niebawem zobaczą, że stanowimy siłę, z którą trzeba się poważnie liczyć.

Dan. Cztery do jednego. Siedemnasta czterdzieści w Shelbourne Park. Podniecony komentarz, jak oddech. Dan zaczął świetnie. Wygłodzony. Pierwszy zakręt wziął na prowadzeniu i zęby ułożyły mu się do warknięcia. Mnie też, tylko zakryłam je wargami, ściągniętymi ciasno w oczekiwaniu. Jak odbyt. Oczy miał wlepione w zająca, który w rzeczywistości był gumową rękawiczką w jakimś jaskrawym kolorze. Trzepotała mu derka z numerem. Żołądek kurczył mi się w żelaznych okowach, ściskając wszystkie wnętrzności, które, byłam pewna, za chwilę wyskoczą ze mnie z radości, kiedy tylko Dan przypędzi pierwszy do mety. Ale potem, nie wiem w jaki sposób, bo byłam zbyt zdenerwowana, Dan odpadł. Na drugim zakręcie. Czułam, że skóra robi mi się oślizła i zimna. Czwarty pies, ten z wielkim brzuchem, który najpierw wyglądał, jakby przed chwilą zeżarł trzydaniowy posiłek. Ten sam czwarty pies wygrał! To musiało być ustawione. Musiało. Potem ten wybuch kurzu przy rolce. Dan się wystraszył. Zgłupiał. I przybiegł drugi od końca.

Dziewczyna z kasy przyglądała mi się uważnie. Naprawdę chciałam, żeby do mnie doszła, objęła mnie i przytuliła mi głowę do ramienia. Ale to nie było w jej stylu. Mogła być opętana żądzą pieniędzy, to tak. Ale dodawanie komuś otuchy stanowczo nie leżało w jej charakterze.

Nie miałam nawet jednej, choćby najdrobniejszej monety, żeby zagrać na automatach.

Ponieważ osunęłam się na podłogę, mężczyźni patrzyli na mnie. Niektórzy pochylali swoje siwe głowy i śmiali się głośno. Słyszałam, jak ktoś mówi, żeby wezwać policję.

Ktoś inny mnie pytał, czy nie trzeba zadzwonić na pogoto-
wie. Podniosłam pełne smutku oczy i potrząsnęłam głową.

Włożyłam do ust plastikowy lejek ventolinu i ssałam.
Ssałam z całych sił, aż w pojemniczku nie zostało nic, co
mogłabym z niego wycisnąć.

– I co tam u Cleo? – warknęła Lindy, kiedy o osiemna-stej osiem weszłam jakby nigdy nic do pokoju dziennego w naszym mieszkaniu nad pubem. – To dziwne, że zaprosiła ciebie, a do mnie nie odezwała się przez cały ten czas ani słowem.

– U Cleo wszystko dobrze.

Na stole stały trzy talerze po zupie. Pomarańczowy Saturn tłustego kożucha otaczał brzeg każdego z nich.

– Co tu robisz, Lindy? – zapytałam.

– Otóż gdybyś nie wiedziała, to kiedyś tu mieszkałam – odpowiedziała, nie patrząc na mnie, tylko koncentrując całą uwagę na ekranie telewizora.

Tatuś też siedział w pokoju.

– Dobrze widzieć cię z powrotem w domu, kochanie – po-wiedział i kilka razy mrugnął powiekami, co znaczyło, że odczuwa głębokie wzruszenie. Razem z Baleronem oglądali wiadomości o osiemnastej. Niewątpliwie ktoś im poradził, by w kontaktach ze mną zachowywali się całkowicie zwyczajnie.

Popatrzyłam na puste talerze. Kręciło mi się w głowie z głodu, ale od zupy pomidorowej gardło boli bardziej niż po wypaleniu dwudziestu Benson & Hedges. Poza tym zupa to jedzenie w postaci płynnej, chociaż nie raz próbowali już ludziom wmawiać, że to odchudzający koktajl.

Ale ja nie miałam zamiaru dać się zrobić w konia.

Przez chwilę rozglądałam się po pokoju. Przez ułamek sekundy miałam wrażenie, że widzę w nim Tamsin, że jej jasne włosy rozłożyły się na oparciu naszej sofy, a ona sama sączy brandy i rozmawia z tatusiem o komunizmie.

– To zwyczajny monomaniak – mówi tatuś.

– Zwyczajny kto? – dopytuje się Baleron.

– Wariat.

Lindy siedziała z rękami założonymi na piersiach, jakby tylko te ręce utrzymywały jeszcze na krześle drzemiący w niej wulkan. Miała na sobie domowej roboty poliestrową ciążową sukienkę bez rękawów, nałożoną na białą bluzkę. Włosy związała z tyłu ładną klamerką, a na nogi założyła luźne, wygodne klapki. Tymi swoimi upierścienionymi palcami przesuwała po sporym stosiku białej, miękkiej wełny. Myślałby kto, że księżniczka Anna wróciła z prywatnych lekcji robienia na drutach.

Nie chciałam pytać Lindy, czy Tam może wziąć od niej ubrania ciążowe, kiedy jej samej nie będą już potrzebne. Wydało mi się to dziwaczne. Jak większość rzeczy związanych z Tam, kiedy nie byłam u jej boku.

Jakaś wielka siła czaiła się w tym, że wszyscy udawali, iż kompletnie mnie ignorują, bo pochłonęła ich telewizja.

We łbie zamiast mózgu ma dwa ziarenka grochu. Albo nie. Tłuczone kartofle. Albo bananową papkę.

– Jesteś głodny, tato? – zapytała Lindy błyskotliwie. Tatuś popatrzył na nią zdezorientowany, a potem, po chwili milczenia, zrozumiał dowcip. Zdecydowanie nie jest Einsteinem, ale i tak cieszyłam się, że go widzę.

– To świr, kompletny szaleniec. Spójrzcie tylko na te jego paciorkowate oczy! No, tylko spójrzcie, dzieci.

Nigdy wcześniej nie nazywał nas dziećmi. Wyglądało mi na to, iż postanowił tak nas nazwać dlatego, że znów byliśmy wszyscy razem. Jakbyśmy od dziś mieli znów założyć ubranka w kratkę, przykleić do twarzy szerokie uśmiechy i aksamitnymi pupami zjeżdżać z olbrzymiego stogu siana.

Odwróciłam się od telewizora i powiedziałam do Lindy:

– Więc co w końcu tu robisz?

– Jakbyś chciała wiedzieć, to nie jestem pod nadzorem policji ani kuratora! – warknęła. – Więc mogę chodzić tam, dokąd mi się podoba. Nie twój interes.

Zwróciłam się do Balerona i zapytałam:

– Co ona tu robi?

– Przyszła zabrać rzeczy, które Cleo zrobiła na drutach dla dziecka – odpowiedział Baleron, nie odrywając wzroku od telewizora. Potem mrugnął do mnie i dodał: – Cleo powiedziała. że chciała podać je przez ciebie, ale zapomniała, więc po prostu wysłała pocztą.

– No tak – uśmiechnęłam się. – To miło ze strony Cleo, że chce jej się jeszcze robić na drutach, kiedy jest taka zajęta tyloma innymi rzeczami.

Tatuś spojrzał na mnie ze złością, a ja posłałam mu słodki uśmiech.

– To miło z jej strony, że trzymała tyle czasu ciebie, kiedy jest zajęta tyloma innymi rzeczami – warknęła Lindy.

– Idę na dół do baru – oznajmiłam znużonym głosem. Teraz byłam o wiele starsza niż miesiąc temu i Lindy już mnie nie przerażała. Chciałam zobaczyć jedyną rzecz, którą naprawdę kochałam. I która naprawdę kochała mnie. Maszynę do gry.

– O nie, nigdzie nie pójdziesz! – ryknęła Lindy na cały głos, obracając się i jednocześnie podnosząc, jak cyklon. – Chcę się dowiedzieć, co tu się w ogóle dzieje. Bo ludzie mówili mi bardzo różne rzeczy.

Tatuś i Baleron udawali zawzięcie, że zachowanie Lindy po prostu wcale nie miało miejsca.

Oglądali Scargilla na ekranie wiadomości telewizyjnych.

– A moja mama sądzi, że on ma swoje zasady – wymamrotał Baleron.

– Zasady! Dzieci, czy w ogóle rozumiecie coś z tego, co on gada? Kogoś zabiją. Albo zamordują. Ale nie sądzę, żeby to miało kogokolwiek z was obchodzić.

Kilka tygodni temu powiedziałabym coś o okrucieństwie względem policyjnych koni, kroczących wokół robotniczych pikiet. Ale teraz było mi już wszystko jedno.

Potem Baleron wypowiedział na głos myśl, która w ciągu ostatnich kilku tygodni przyszła też do głowy każdemu innemu:

– Czy według was on wpadł w oko mojej mamie? W sensie jako facet?

Wszyscy braliśmy to pod uwagę. Tatuś też, ponieważ powiedział ni stąd, ni zowąd:

– No dobrze. Wiem, że praca jest w dzisiejszych czasach niepopularna i wszyscy powinniśmy razem z nimi walczyć za rewolucję robotniczą, ale mimo to ja schodzę na dół, bo mam zamiar otworzyć bar.

Jednak nie ruszył się z miejsca. Bardzo uważnie patrzył w telewizor, a na twarzy pojawił mu się cień złości.

– A jeśli chcecie znać moje zdanie, to powinni po niego przyjechać silni mężczyźni w białych fartuchach – dodał.

– Chyba jednak spodobał jej się – zakonkludował Baleron w zadumie.

Zaczęłam się zastanawiać, czy Scargill i mój tatuś mają ze sobą cokolwiek wspólnego. Nie byli do siebie podobni z wyglądu: tatuś był szczuplejszy, niższy i miał ciemniejszą karnację. Ale obydwaj skrywali w sobie jakieś szaleństwo, które Cleo najwyraźniej lubiła w mężczyznach.

Tatuś skierował się do wyjścia. Kiedy zamknął drzwi, w pokoju wybuchło, jakby zamykając drzwi tatuś wrzucił za siebie fajerwerki.

– Tak bardzo się o ciebie martwiłam! – krzyknęła Lindy, wymawiając słowo „ciebie" z wyraźną złością.

– Moje życie nie składa się wyłącznie z troski o to, co czujesz – mruknęłam, rzucając rzucając się na fotel i wbijając wzrok w telewizor.

– Ludzie mówili mi różne rzeczy – ciągnęła, ignorując mnie kompletnie. – Czy chcesz, żeby twoja nowa siostrzenica wychowywała się, mając za ciotkę zapijaczoną wariatkę?

Powiedziawszy to, wypadła z pokoju jak bomba. Baleron natychmiast podskoczył i podwędził jej z paczki papierosa.

– Jezu! Co się z nią dzieje? – westchnęłam.

– Nie powiedziałem nikomu – oświadczył Baleron z dumą. – Wszyscy są przekonani, że spędziłaś sześć dni z Cleo. Ale też nie bez znaczenia był fakt, że Debbie zagroziła ojcu, iż odejdzie, jeśli on spróbuje znowu sprowadzać cię do domu.

– Dzięki. Ja też nie powiedziałam nikomu o twoim wierszu.

– Dzięki. A nią się nie przejmuj. Po prostu chce, żebyś była dobrą ciotką dla jej kolejnego dziecka. To tyle.

– No wiesz. Jak się ma karłowatego katolika za ojca i plastikową kurę domową za matkę, to ciotka w postaci zwariowanej kryminalistki może oferować pożądaną równowagę.

– Wiesz, Lindy chyba była w twoim pokoju. Przynosiła wszystko z powrotem. Słyszałem, jak mówi tacie, że nie powinien był pozwalać Debbie, żeby wyniosła ci z pokoju rzeczy. Od rana szykuje wszystko, na wypadek, gdybyś zjawiła się w domu.

– Dlaczego ona zachowuje się jak… znaczy… jak matka?

– To wszystko hormony, no wiesz.

– Tak czy owak, nie ona jedna ma hormony.

– A co ty wiesz o hormonach, Baleron? – zapytała Lindy, wparowując z powrotem do pokoju. – I kup sobie własne fajki.

Wypuszczając powietrze nosem jak młody byczek, wyszarpnęła Baleronowi z dłoni papierosa i z furią zgasiła go w popielniczce.

Przyjemność sprawiała mi myśl, że bez względu na to, jak bardzo Lindy stara się zmienić w kurę domową, zawsze będzie robiła wrażenie osoby, która balansuje na granicy aresztowania.

– Mieszkałem sam z moją mamą przez dziesięć lat i wiem wszystko o hormonach.

Przez kilka kolejnych minut w zaciekłym milczeniu oglądaliśmy Arthura Scargilla. Mówił głośno, machając przy tym rękami. Podobało mi się zmuszanie ludzi, by zwrócili na mnie uwagę. Ale, z drugiej strony, Lindy też w pewien sposób miała rację. Zaczynało mi się nudzić to sprawianie innym problemów. Jeśli Baleron powiedział prawdę, to

Lindy zachowała się całkiem przyzwoicie, doprowadzając mój pokój do ładu. Może powinnam powiedzieć Tam do widzenia i zainwestować w jakiś poliester?

Lindy stała na środku pokoju, celowo zasłaniając sobą telewizor. W naszym domu uznawano to za prowokację, która groziła śmiercią lub kalectwem.

Potem, żeby dodatkowo zwiększyć efekt, wzięła ze stolika jeden z talerzy po zupie i upuściła go na dywan. O dziwo, rozprysnął się z brzękiem na małe kawałeczki. Podskoczyły przy tym pomarańczowe kropelki pomidorowej.

Hormony.

– Masz mi powiedzieć, czy nadal spotykasz się z Philipem Rushem – zażądała, wymierzając mi w twarz wskazujący palec. – Po prostu nie mogę uwierzyć, że byłaś z nim wtedy w samochodzie na parkingu. Słyszałam całą tę historię. Obleśny bydlak! Żeby wykorzystać moją małą siostrę jak jakąś szmatę z baru! A więc? Spotykasz się z nim czy nie?

Potrząsnęłam głową. Pomyślałam o biednym Danie, szamoczącym się za zakrętem.

– I powiedz tej panience, żeby zostawiła cię już w spokoju. Dość już chyba miałaś przygód. To wszystko odbija się na mnie.

– Tak mi przykro!

– Mam pracę i rodzinę. A przecież wszyscy wiedzą, co ty wyprawiasz.

Przez chwilę Baleron udawał, że siłą powstrzymuje się od śmiechu. Ale tak naprawdę był przerażony. Obgryzał plastikową szyjkę butelki.

– Pozostaje nam mieć nadzieję, że Bóg nie ześle na ciebie gromów trzaskających tylko za to, że jesteś moją siostrą.

– Nie przejmuję się Bogiem. Tylko ludźmi. Ludźmi u mnie w pracy i szefem Shreda w ratuszu – wydała z siebie dźwięk przypominający szlochanie. – W sobotę minie miesiąc od mojego ślubu. To taki ważny dzień, a ty wszystko psujesz.

Lindy miała rację. Na tym właśnie polega problem z siostrami. Wszystkie dusimy się w jednym kotle, jak kawałki chrząstek w jakiejś obrzydliwej potrawce wołowej. Jeden zepsuty kawałek po prostu musi zatruć całą resztę.

– Przykro mi, że zepsułam ci pierwszy miesiąc małżeństwa. Wiesz, to pewnie dlatego, że jestem po prostu zazdrosna. Zazdroszczę ci wielkiego szczęścia, męża, dzieci i pracy.

Zmrużyła oczy, nie wiedząc, czy żartuję. Moja ironia tak doskonale się wyostrzyła, że wyprowadzała ludzi z równowagi, a oni nie wiedzieli, co tak naprawdę ich wkurzyło.

– Tak czy owak, po prostu pamiętaj, że cokolwiek robisz, odbija się to też na mnie. I zastanów się, zanim następnym razem znów ześwirujesz.

– W porządku – mruknęłam w poduszkę. – Ilekroć przyjdzie mi do głowy, żeby cokolwiek zrobić, zawsze, do końca życia, będę brała pod uwagę, co ty byś o tym powiedziała.

– W sobotę zamówimy chińskie żarcie na wynos, będzie mała uroczystość. Odwiedzi nas kilka osób z kościoła. Może też przyjdziesz?

– Dziękuję. Cieszę się. I przyjdę.

Wtedy do pokoju weszła Debbie Courtney. Po chusteczki jednorazowe. Zauważyła mnie i wzięła gwałtowny wdech. Każda z nas skrzyżowała ręce i zagryzła wargi w wąziutki sznureczek, pieczętując usta.

– Boże wielki! Co się do cholery dzieje? Co ona tu robi?

Wszystkie trzy rozglądałyśmy się zdezorientowane, jakby lampa stolikowa odezwała się ludzkim głosem.

Pod białą, barową bluzką Debbie, tam gdzie ramiączko biustonosza wpijało jej się w ciało, widać było obszerne wałki sadła, trzęsące się w czymś na kształt tłustej furii.

– Tra la-la, la-la. Tra la. La-la-la.

Lindy zaczęła śpiewać, po czym podniosła z podłogi czasopismo Debbie i zaczęła je przeglądać.

– Przecież pytałam – pisnęła Debbie. – Co ona tutaj robi?

– Ona znaczy kto? Kocia mama? – zapytała Lindy, nie podnosząc oczu znad gazety. – Mona, kochanie! Zobacz! Mają tu kilka świetnych ciuchów dla starszych kobiet o pełniejszej figurze. Może powinnyśmy powiedzieć o tym naszej babci?

– Nie chcę, żeby znów narobiła tu jakichś kłopotów – powiedziała Debbie, wyrywając kolorowe czasopismo z rąk Lindy. Zrobiła rozdrażnioną minę, mocno ściągając usta. Lindy skoczyła z sofy na równe nogi, jakby ktoś walnął ją w tyłek elektrycznym kijem do poganiania bydła.

– Nie mów do niej w taki sposób!

– Ona jest stuknięta! Ma nie po kolei w głowie!

– Nie jest stuknięta. Jest całkowicie normalna. To moja siostra i ja będę decydowała, czy jest normalna, czy nie.

– Normalna? Czy sceny pełne łez i pieprzenie się z każdym starszym facetem, który podchodzi do baru, ma być normalne?

– Jeśli ja uznam, że jest normalne, to będzie normalne.

Podniosłam do góry rękę i oświadczyłam spokojnie:

– Przepraszam, ale w całym moim dotychczasowym życiu pieprzyłam się tylko z dwoma starszymi facetami z naszego baru.

Baleron łapczywie zaciągał się dymem papierosowym i oglądał nas trzy z takim napięciem, jakbyśmy grały w ping-ponga granatem ręcznym.

– Ale według katalogu moich zasad to nie jest normalne.

– Wyobrażam sobie, że katalog twoich zasad to raczej cieniutka i niedroga książeczka. Prawda, Debbie, kochanie? – wtrąciłam, godnie mieszcząc w tej wypowiedzi styl rodziny Fakenhamów.

– Zamknij się, Mona – przykazała mi Lindy. – Sama to załatwię.

Byłam teraz bezpieczna. Zwinięta w kłębek na fotelu. Włączony telewizor. Papieros. Moja starsza siostra stająca w mojej obronie. Znów wszystko było cudowne, a kilka ostatnich godzin spędzonych z Fleszem nigdy nie miało miejsca.

– Jesteś równie zepsuta jak ona. Dobrałyście się obydwie, jak dwa ziarenka w korcu gnijącego maku! – syczała Debbie, wodząc piorunującym wzrokiem między mną a moją wojowniczą siostrą.

– Rozumiem, że według ciebie za normalne trzeba uznać podrywanie starego i bezbronnego właściciela pubu, porzucenie własnego męża i wprowadzenie się wraz z zasmarkanymi bachorami do cudzego domu?

– Charlie i ja się kochamy!

– Wybacz, ale po prostu muszę obetrzeć łzę wzruszenia – powiedziała Lindy i sięgnęła po chusteczkę do pudełka, które trzymała Debbie.

– Uważaj sobie, moja pani. Żadna z was nie przekroczy progu tego domu, jeśli ja nie będę sobie tego życzyła!

– Wiesz doskonale, że Mona nie zachowywałaby się w ten sposób, gdybyś tu nie przyszła! Czuła się świetnie, zanim się tu zjawiłaś. Wszyscy czuliśmy się świetnie.

Ciągnęło się tak przez chwilę.

Słońce zamigotało krótką, elektryczną iskrą i pas cienia zaciemnił pokój. Przez chwilę myślałam, że Debbie i Lindy zaczną się bić. Baleron też chyba sobie tak pomyślał, bo aż przesunął się na brzeg swojego fotela i zaczął im się przyglądać z większym ożywieniem. Lindy powoli zdjęła z ręki zegarek i, nie tracąc kontaktu wzrokowego z Debbie, zaczęła podwijać rękawy bluzki.

– Powiem twojemu ojcu, żeby zrobił z tobą porządek – oświadczyła w końcu Debbie, powstrzymując płacz, i wyszła z pokoju.

– A może tak byś sama toczyła swoje bitwy, co?! – wrzasnęła za nią Lindy triumfująco.

Baleron i ja nagrodziliśmy ją burzą oklasków.

Lindy otarła dłonie o przód swojej ciążowej sukienki.

W telewizji pokazywali gromadę wściekłych kobiet, wykrzykujących na policjantów. Wszyscy przyglądaliśmy się uważnie, ale nie było ani śladu Cleo.

– Na tej głupiej krowie Debbie powinno być takie samo ostrzeżenie od ministra zdrowia, jak na papierosach – powiedziałam z uśmiechem.

– Pewnie – zgodziła się Lindy i poczęstowała mnie papierosem. – Cokolwiek się z tobą stanie, Mona, na pewno nie przyjdzie to najgorsze: nigdy nie obudzisz się pewnego ranka, by stwierdzić, że jesteś i na zawsze pozostaniesz Debbie Courtney.

– O, nie. Nic nie mogłoby być gorsze od tego!

– Masz. Zrobiłam odbitkę specjalnie dla ciebie – powiedziała Lindy cicho, sięgnęła do torebki i wyjęła z niej fotografię mojej mamy, tę, którą widziałam u niej w domu. Zdjęcie było oprawione w ładne ramki. Postawiłam je sobie na kolanach i mama uśmiechnęła się do mnie. Skóra w koniuszku oczu rozsyłała owalne promienie, jak otwarty japoński wachlarz.

– Widzicie ją? No widzicie? – dopytywał się Baleron natarczywie, przechylając jak najbliżej telewizora w poszukiwaniu swojej matki.

Lindy i ja westchnęłyśmy, po czym go zignorowałyśmy.

– Proszę cię, Mona. Powiedz jutro tej dziewczynie, że wracasz tutaj. Powiedz jej, że doprowadzimy cię do porządku.

– Daj spokój, Lindy – mruknęłam.

– Namówiłam tatusia, żeby z powrotem umieścił wszystkie twoje rzeczy u ciebie w pokoju. Co było, to było. Zostawimy to wszystko za nami. Ale nie chcę przez to powiedzieć, że stało się naprawdę coś złego. Po prostu zostawimy to za sobą. I już.

– Nie mów tak, Lindy.

– Mona! Ja mówię całkiem poważnie.

– Do cholery, Lindy, pozwól mi samej załatwiać moje własne sprawy! – wrzasnęłam.

Wypadłam z pokoju, szlochając i pobiegłam do siebie, gdzie drzwi zastałam otwarte, okna też. Ktoś zmienił pościel i zagiął róg kołdry, odsłaniając poduszkę. Wszystkie moje rzeczy były wyczyszczone i ładnie poukładane. Rzuciłam się na łóżko, wciąż ściskając w dłoni zdjęcie mojej mamy. Przytknęłam gorące policzki do cudownie chłodnej poduszki. Pozwoliłam słońcu, by mnie pogłaskało, dźwiękom telewizora, by wokół mnie tańczyły, a strużce dymu z papierosa Lindy, by mnie łaskotała. Potem zgodziłam się, by przeturkotał się przeze mnie cały ruch uliczny i zamknęły nade mną wody Czarnego Potoku. Gdybym tylko nie była częścią niczego innego. Gdyby tylko Tamsin w swoim Goldwell sama, beze mnie, rzygała i jadła wymyślne papki, i kłamała na policji, i spiskowała, i rozmnażała się. Gdybym tylko nie była w większych tarapatach niż Arthur Scargill. Gdyby tylko było prawdą to, co myślała sobie Lindy, że nic takiego się nie stało, że jestem zwykłą szesnastolatką, bezpieczną, u boku przyrodniego brata i szalonej siostry. Że są tylko rodzinne kłótnie. I kurz. I skrzące się lato mojej zwariowanej rodziny.

Kiedy następnego ranka wróciłam do domu Fakenhamów, na trawniku przed frontem wolno obracał się zraszacz, tryskając szerokimi batami wody na połyskującą trawę w kolorze khaki. Podlewanie było zakazane, ale nie obchodziło mnie to. Stanęłam i zaczęłam oglądać różowiejący dom. Niedaleko zapiszczał jakiś samochód, darło się jakieś dziecko, a w oddali nieprzerwanie wył alarm przeciwwłamaniowy, jak nieskończenie długi szkolny dzwonek. Prawdziwy świat powoli przesączał mi się do środka i zmarszczyłam brwi w wyrazie samotności. Na podjeździe skrzył się srebrny samochód pana Fakenhama. Gwiazda słoneczna połyskująca w jednym rogu. Gdzieś niedaleko zaterkotała przyczepa do przewozu koni. Była sobota, więc Goldwell aż huczało od rozlicznych działań podejmowanych przez mieszkańców. Raz na jakiś czas zielony wąż zraszacza, który wił się przed frontem domu, doprowadzony z budynków gospodarczych na tyłach, drżał jak ludzka żyła. Przechadzałam się po ulicach już od szóstej rano, zbierając odwagę, by tu przyjść. Byłam trzeźwa i samotna, jak noworodek.

Nasze okna wciąż były pomalowane, choć farba wyglądała smutno i niechlujnie. Jakby dom został porzucony. Jakby magiczne i niesamowite dziewczyny nigdy w nim nie mieszkały.

Wtedy klęknęłam na brudnej ziemi, zamknęłam oczy, wzięłam głęboki oddech i próbowałam się modlić, ale nie potrafiłam oderwać myśli od stojącego przede mną budynku. Flesz poprosił mnie, żebym się z nim spotkała w samochodzie. Dziś przed południem. Zgodziłam się, częściowo kierowana współczuciem, ale przede wszystkim z powodu poczucia winy.

Teraz chciałam pocałować Tamsin Fakenham na pożegnanie.

Wysokie drzwi frontowe stały otworem. Szłam przez chłodne korytarze. Z włączonego radia dobiegała jakaś audycja z telefonicznym udziałem słuchaczy, w której radośnie gawędzące głosy kłóciły się wesoło. Wszędzie poza tym miejscem ludzie właśnie tacy są: szczęśliwi i zwyczajni. Ostry zapach proszku do czyszczenia unosił się wszędzie z wyjątkową natarczywością. Odbiło mi się bezalkoholowym beknięciem.

Jadowita Ivy kręciła się po kuchni. Czas wydał mi się pusty i gęsty, jak polewa na cieście, a moje małe, plastikowate ciało całkowicie w nim zatopione. Ivy wyczyściła stół i wszystkie blaty, zmyła podłogę i wypolerowała krany na srebrzysty połysk, choć nie było jeszcze dziesiątej trzydzieści. Wypełniała szafki produktami, upakowanymi teraz w stojących na stole plastikowych torebkach z supermarketu. Cała gama powodujących fałdy na ciele potraw w paczkach, plus świeże warzywa i owoce. Były też czekolada, ciastka, miętowe czekoladki, ciasto i lody. Zignorowała mnie kompletnie.

Błąkałam się po pokojach, obserwując odświeżone dywany i wypastowane podłogi. Zajrzałam do łazienki na parterze, gdzie wanna lśniła czystością, a na wieszaku marszczył się świeży ręcznik. Wazon z kwiatami. Pojawiły się też dwa olbrzymie lustra.

W korytarzu zobaczyłam twarz Wysokiego Paula, przyklejoną niemal do okna. Z zaciekłością wcierał w szybę małe kółka, próbując za pomocą szmaty zedrzeć farbę. Jego wysokie ciało niemal całkowicie wypełniało szklaną taflę. Udawał, że mnie nie widzi i wykrzywiał twarz z wysiłku, który wkładał w unicestwienie farby. Służalczość tego człowieka wywoływała we mnie ochotę, by przebić szkło ciosem pięści.

Ludzie chcą, żeby traktować ich jak służących. Po prostu lubią, kiedy się ich tyranizuje.

Zaczęłam dotykać różnych rzeczy: wazonu, fortepianu, rzeźby z nagimi piersiami, popielniczki, stojaka na parasole, ulatującego sztywno w górę wzoru tapety, do widzenia, do widzenia, do widzenia, do widzenia, do widzenia, do widzenia, do widzenia.

Później skierowałam się do salonu, gdzie wszystkie meble przesunięto na środek podłogi, a dywan przykrywała gruba warstwa białej piany, która wysysała wino i inne złe plamy pozostawione przez dziewczyny-osoby. Rodzinne zdjęcie w jaskrawych kolorach wciąż wisiało na ścianie i wszyscy na nim wciąż błyszczeli uśmiechem.

Szczęśliwa rodzina przed wybuchem.

Potem zauważyłam pana Fakenhama, który stał w rogu i rozmawiał przez telefon. Miał na sobie krawat i garnitur. Patrzył za okno, na ogród. Rękę miał zgiętą w łokciu, a otwartą dłoń opartą na czole, co wyglądało jak wielka, szara płetwa, wystająca mu z boku głowy. Odwrócił się i pomachał do mnie ręką, mając na myśli „Witaj", albo „Wyjdź stąd", albo „Czekaj tam, gdzie jesteś".

Miał bladą i obolałą twarz.

A potem usłyszałam, jak Tamsin woła mnie po cichu. Coś, jakby przywoływało mnie do siebie szaleństwo.. Wyszłam z pokoju. Jej kroki były szybkie, a ona sama wydawała się bardzo malutka na tle olbrzymiej architektury schodów: wielkie brązowe obrazy olejne, wypolerowany zawijas białej poręczy i szeroki język czerwonego dywanu. Na skórze miała różowe zacieki. Przechylała się na prawo, żeby zrównoważyć ciężar olbrzymiej, niebieskiej walizki, którą trzymała w ręku. Druga, identyczna walizka stała już u dołu schodów. Miała na sobie obcisłą, nowoczesną, nie za krótką spódniczkę mini, która opinała się jej na płaściusieńkim brzuchu.

– Mam wszystko w tych dwóch walizkach. Ubrania i żywność – syknęła, kiedy znalazła się już na dole schodów i stanęła obok mnie. – Zapakowałam też twoje buty. Ubrania na co dzień i wieczorowe. Wystarczy na kilka dni. Może być zimno.

Była zadyszana i śmierdziała rozpaloną dziewczęcą furią.

– Niczego nam nie zabraknie, najdroższa. Będziemy prowadziły proste, ale bogate życie – wyszeptała. Zastanawiałam się, którą jaskinię zaplanowała na nasze lokum, ale zanim zdążyłam cokolwiek powiedzieć, pocałowała mnie w usta. Pocałunek, jakiego można by się spodziewać od papugi: twarde dziobnięcie.

Przez chwilę obydwie kręciłyśmy się wokół po przedpokoju. Radio wciąż grało. Pan Fakenham wciąż zirytowany mówił coś do telefonu. Okna postukiwały jak czarci werbel, kiedy Wysoki Paul naciskał na nie swoją irchową szmatą.

Wiedziałam, że dla mojego własnego bezpieczeństwa powinnam była uścisnąć jej rękę i odejść. Ale nie zrobiłam tego, może dlatego, że chciałam zakończyć naszą przyjaźń w sposób bardziej normalny, niż ona przebiegała. Chciałam pożegnać się na osobności, prywatnie, jak trzeba.

– Masz pieniądze? – wyszeptała, a ja skinęłam głową. Choć oczywiście było to wierutne kłamstwo, bo przegrałam wszystko, co do pensa. – Więc musimy już iść. I to zaraz. Wszyscy wrócili. Jeśli nie pójdziemy teraz, to zmuszą mnie, żebym została.

– To idźmy, kochanie – odparłam, gapiąc się na jej płaski brzuch. Zrozumiałam, że po prostu nie potrafię powiedzieć jej: żegnaj. Byłoby to jak próba zatrzymania pociągu, kiedy jest się tylko pasażerem.

– Będziemy potrzebowały trochę więcej pieniędzy, prawda? Nie wystarczy nam tego, co mamy, żeby uciec stąd i utrzymać się przez jakiś czas? – dopytywała się.

– Możemy zajść do naszego pubu i wziąć trochę od Balerona – zaproponowałam nerwowo.

Wydawałyśmy się małe i mało znaczące. Choć przecież stałam tuż obok niej, miałam wrażenie, że patrzę na nas obydwie przez lornetkę od niewłaściwej strony.

– Taak! Pewnie, że tak! To świetny pomysł, kochanie – zaśmiała się. – Chciałabym zwiedzić twój pub. Siądziemy przy barze i wypijemy po dużym, męskim kuflu. Ale obiecaj mi, proszę, że nie będę już musiała oglądać tego przerażającego, tłustego mężczyzny.

– Tamsin, Mona! Zaczekajcie, proszę.

Pan Fakenham stał przed nami. Tam trzymała się jedną ręką rączki swojej niebieskiej walizki, a drugą chwyciła za rękę mnie, splatając swoje palce z moimi. Ojciec oddychał nieregularnie, przez co jego słowa sprawiały wrażenie napiętych i przesyconych niepokojem. Twarz miał pełną okropnych, rozmoczonych emocji.

Skóra na koniuszkach palców Tamsin była wilgotna i zimna.

– Chciałbym, żebyś zaczekała tutaj chwilę, Mona. Wydaje mi się, że Tamsin powinna mi wyjaśnić kilka rzeczy.

Mając ojca za przeciwnika, połączyłyśmy się raz jeszcze.

Nie przestawałam się kręcić, bo stopy stawiały mi na podłodze malutkie, taneczne kroki. Dlaczego pan Fakenham tak spokojnie zareagował na ruinę swojego drogiego, ekskluzywnego domu? Dlaczego nawet słowem nie wspomniał o okaleczeniu swojej kochanki? Ponieważ był zbyt zdezorientowany, zbyt skołowany z powodu złej miłości. Tamtego ranka był otumaniony i rozbity, jak ktoś, kto przed chwilą rzucił się na ziemię z karuzeli w wesołym miasteczku, choć szalona maszyneria kręciła się na pełnych obrotach. Zabrudzony dom, rozwścieczeni służący, puste piwnice, poplamione dywany, skradzione cygara, bunkier atomowy w schowku pod schodami, stuknięta córka i jej równie zbzikowana przyjaciółka? Do cholery! To wszystko były najmniejsze z jego problemów.

Za plecami, na schodach, usłyszałam kolejne kroki. Ktoś schodził na dół. Tuż za mną. Okno na schodach było szeroko otwarte i przez chwilę wsłuchiwałam się w oszalały świergot ptaków. Kochana Cleo powiedziała mi kiedyś, że ilekroć budzi się zbyt wcześnie rano, leży w łóżku i słucha ptaków. Bardzo mi to polecała. Odwróciłam się, żeby spojrzeć na ptaki. I wtedy zobaczyłam ją. Wyglądała cudownie, choć raczej upiornie i odrobinę filmowo. Wytworne dziewczyny czasem tak mają, nawet nie muszą się o to zbyt ciężko starać.

Zrozumiałam natychmiast i poczułam pojedyncze ukłucie smutku wywołanego zdradą. I szok, a to przecież nie jest równoznaczne z zaskoczeniem. Bo zaskoczona nie byłam. Chyba nawet podejrzewałam to już od jakiegoś czasu. W końcu bycie zdradzonym i oszukanym nie stanowi niczego nieznanego. Jest uczuciem znajomym. Doznawałam go wiele razy wcześniej i wiedziałam, że w takiej sytuacji trzeba tylko dokonać szybkiego przegrupowania sił, uporządkować szeregi własnej samotności i wezwać pod broń wszystkie możliwe zasoby. Wystarczyło się odprężyć i słuchać ptaków.

A potem zrobić zdecydowanie coś tak sensownego i celowego, by przegnać ból.

– Witaj – powiedziała Sadie, podchodząc do mnie i wyciągając w moją stronę opalone ramię i wąską dłoń. – Oto jestem. Podobno powiedziano ci, że nie żyję. Takie stwierdzenie jest skandaliczną przesadą. Tak czy owak, miło cię widzieć.

Oczywiście również Sadie odwoływała się do ironii. Wydawała się starsza. Jak kobieta. Uprzejma. Kobieta sukcesu.

Trochę jak śliczna Nina Fisher.

Zaczęłam po omacku szukać ventolinu. Wzięłam jeden wdech, ale w pojemniku lekarstwa już nie było.

Sadie mówiła coś do mnie. Jej słowa szeleściły w chłodnej ciszy domu: *Oto jestem*. Dźwięk wielu tajemnic odkrywanych naraz. I znalazłyśmy się tam, w tej jednej, jasnej chwili. Poczułam się naga, chuda i głodna. Ona była kształtna, nieskazitelna, z popielatoblond włosami. Chciałam napić się czegoś.

– Miło cię poznać – odezwała się Sadie zachęcająco, jakby przemawiała do nieśmiałego dziecka. – Ale chwileczkę! Czy myśmy się przypadkiem już nie spotkały?

– Idziemy – zarządziła Tam. Miała na policzkach łzy. Mocno ściskała moją dłoń. Oczy poczerwieniały jej od braku snu. Oddychała przez nos, jak małe, rozzłoszczone dziecko.

– Bardzo dziękuję, że mieszkałaś tutaj razem z Tammy. Ona udaje wielce odważną, ale jestem pewna, że nie chciałaby przebywać sama w tym wielkim domu. Po tym wszystkim, co się stało. Mama na pewno wszystko ci wyjaśniła.

Pod koniec zdania jej głos zniżył się do szeptu. Pokiwałam głową. Chociaż przecież powinnam była powiedzieć, że nie należę do tych ludzi, którym cokolwiek się wyjaśnia.

– I jak, udało wam się w tym czasie sporo powtórzyć do egzaminów?

Wszystko stało się aż nadto jasne. Nie było żadnej grubej cioteczki, żadnego przekrętu z mądrą przyjaciółką gdzieś na wsi. Fakenhamowie od początku wiedzieli, że mieszkam w ich domu. I ani ich to grzało, ani ziębiło.

– Tak. Dziękuję – wymamrotałam.

– Potrzebowała towarzystwa – wyjaśniła Sadie potrząsając delikatnie głową i układając usta w lekki grymas. – Towarzystwa dziewczyny. Prawda, Tammy? Moje ty biedne maleństwo!

Sadie mówiła do swojej siostry z tym samym fałszywym smutkiem, z jakim Lindy niewątpliwie mówiła o mnie reformowanym chrześcijanom.

– Dziewczęta – odezwał się pan Fakenham. Ojcowie często używają tego zwrotu, kiedy mają zamiar wydać jakieś polecenie. Ale pan Fakenham najwyraźniej wykorzystał go jako okrzyk wyrażający zmieszanie.

– Odpierdol się – wyszeptała Tam.

– Biedna Tammy przeżywała ostatnio po prostu okropne chwile w szkole. Więc należą ci się podziękowania, że ją rozweseliłaś – ciągnęła Sadie z uśmiechem. Oczami prześlizgiwała się po mnie tam i z powrotem, napawając się wszystkimi moimi niedoskonałościami. – Naprawdę jestem przekonana, że zawieszenie jej w prawach ucznia stanowiło zbyt srogą karę. Bo przecież z pewnością nie jest prawdą, że tylko ona jedna była prowodyrem wszystkich tych zajść, a cała reszta uczennic to wyłącznie niewinne ofiary.

– Dość już, Sadie – przerwał jej pan Fakenham kategorycznie.

Sadie wyciągnęła rękę i poklepała Tamsin po ramieniu. Po raz pierwszy widziałam, jak ktokolwiek traktuje Tam protekcjonalnie. To ją zdegradowało, zmniejszyło jej wielkość, prawie do rozmiarów każdej innej dziewczyny.

– I cieszę się, że przybrała trochę na wadze – dodała z uśmiechem Sadie. – Wreszcie.

– Taak – powiedział pan Fakenham, który z rękami założonymi do tyłu stał, wpatrując się w czubki swoich butów. – Ale chciałem powiedzieć… – mruknął i wydał z siebie kolejny z serii cichutkich, zwierzęcych jęków. – To wszystko było wyjątkowo głupie. Cieszę się, że zostało już wyjaśnione. Naprawdę się cieszę, choć przecież mamy dosyć prawdziwych problemów. Trochę czasu minie, zanim uda się doprowadzić dom do porządku.

Znów potarł dłonią czoło i pod jego lewą pachą zobaczyłam ciemną plamę potu. Nie zależało mu ani na domu, ani na cudacznych córkach. Przejmował się tym, że jego ostatnia szansa na młodzieńczą miłość, którą dostał razem z cudowną Niną Fisher, w ciągu jednego, upalnego lata przepadła w niewytłumaczalny sposób.

Sadie droczyła się z Tamsin, mówiąc jej, że ma zbyt krótką spódniczkę i że nie powinna pokazywać się w środkach publicznego transportu ubrana jak dziwka. Zatęskniłam za przytulnym smrodem zwierzęcych flaków, który roztaczał się u mnie w domu. Przy wygłupach, które wyprawiali Fakenhamowie, moja rodzina naprawdę wydawała się wzorem cnót wszelkich.

– Ale zdecydowanie wolałabym, żebyś nie nosiła moich ubrań, Mona. To było raczej nieeleganckie z twojej strony. Tato, czy wiesz, że moją garderobę, co do sztuki, trzeba teraz oddać do pralni? Niezbyt mnie to cieszy.

– Przepraszam – mruknęłam.

Cała nasza czwórka stała potem przez chwilę w milczeniu. Aż dał się słyszeć ten szumiący wdech i ten delikatny dźwięk, jakby maleńka kropla spadła z kranu. Żadna z nas nie chciała podnieść wzroku pierwsza. Kiedy w końcu ja to zrobiłam, zobaczyłam, że pan Fakenham płacze. Zachował tę swoją sztywną postawę i nawet wciąż miał na ustach przyklejony uśmiech, wyglądało więc, jakby manekin w sklepie z męskimi garniturami zaczął nagle pochlipywać.

– Potrzebuję jej – szlochał. – Jestem... bez niej. Nie potrafię... się... bez niej.

– Tato! Przestań!

– Cicho bądź, Tammy! Tato. Proszę cię. Nie przy koleżance Tamsin.

– Przepraszam, dziewczynki. Bardzo przepraszam. Tak bardzo mi przykro.

Wszyscy znów spojrzeliśmy na podłogę. Staliśmy w ten sposób przez dłuższą chwilę i mieliśmy wszyscy wrażenie, jakbyśmy modlili się w kościele. W końcu pan Fakenham pociągnął nosem, a potem wydmuchał go. A kiedy podniosłam oczy, włosy Sadie i Tam na chwilę połączyły się w jedno pasmo, uniesione nagłym podmuchem wiatru. Obydwie uśmiechały się do mnie.

– Przepraszam, dziewczynki – znowu pan Fakenham pociągnął nosem. – Chyba powinienem wam powiedzieć, że przed chwilą rozmawiałem przez telefon z waszą matką. Mam nadzieję, że z Bożą pomocą wróci do domu już jutro.

– Zamknij się, tatusiu – zażądała Sadie.

– Przepraszam – powiedziała Tam, przywołując na twarz piękny uśmiech pełen słodyczy i poczucia winy. – Za ojca.

– I jeszcze za... – wtrąciła się Sadie, szturchając ją w ramię.

– I za to, że okłamałam cię, mówiąc o Sadie.

– No tak, tak mi się właśnie wydaje – podsumował pan Fakenham. Wciąż jeszcze obcierał sobie kinol chusteczką, ale teraz już znów przypominał tatusia z katalogów. – Co za okrutny żart. Jak mogłaś zachować się tak wobec Mony, po wszystkim, co zrobiła dla ciebie! I dla Willow. Nie mam pojęcia.

– I jeszcze mnie trzeba by przeprosić. Nie uważasz, Mona? W końcu to mnie zostało zabrane moje młode życie. A więc jak, droga siostro?

Rodzina Fakenhamów się roześmiała.

Ja też się roześmiałam.

Później zastanawiałam się wielokrotnie, czy Tam zmyśliłaby to wszystko, gdyby nie Sadie. Ale przecież bez Sadie nie byłoby Tam, przynajmniej takiej Tam, jaką poznałam ja.

Radość wolności przez całe lato była prawdziwie błogą perspektywą.

– Tammy bywa czasem naprawdę niezgłębiona. Pozostaje mi mieć nadzieję, że jej wybaczysz – oświadczył pan Fakenham, uśmiechając się do córki. – Naprawdę nie mam pojęcia, jak to się wszystko stało.

– Tylko nie zaczynaj znowu, tato – mruknęła Tam.

Minął dokładnie miesiąc od ślubu Lindy, odkąd pan Fakenham przydreptał do mnie i poprosił, żebym zaprzyjaźniła się z dziewczyną-osobą.

Pan Fakenham zmierzwił włosy Tamsin i posłał wokół uśmiech gnębionego poczuciem winy tatusia. Żywił oczywiście niewzruszone przekonanie, że cokolwiek stało się nie tak z jego córką, była to jego wina.

– Tak. Nie powinna była tego robić – ciągnęła Sadie, wpatrując się w swoje urocze stopy. – Bardzo bym się martwiła, gdybyś nie była tu razem z nią. Boże! Opiekować się i Willow, i Tamsin. To dopiero ciężka praca.

– A więc dziewczęta porozmawiają sobie jeszcze po raz ostatni, a później wyruszymy na stację. Dobrze? – zarządził pan Fakenham, wycofując się do salonu. Do oczu znów zaczęły mu napływać łzy.

– To doskonale, że szkoła zgodziła się znów przyjąć Tam. Przynajmniej podejdzie do egzaminów. A ty jak myślisz, tatusiu? – westchnęła Sadie. – No wiesz, po tym wszystkim, co się wydarzyło…

– Przestań! Natychmiast przestań, Sadie – zażądał pan Fakenham, usiłując brzmieć poważnie. – Ivy i Paul powinni uporać się ze sprzątaniem do naszego powrotu. Tamsin, kochanie, zostaw tę walizkę. Zaniosę ją do samochodu. Masz zaledwie pięć minut.

– Miło było cię spotkać, Mona – powiedziała Sadie, wchodząc z powrotem na schody.

– Chodźmy – wyszeptała Tam, przyciskając swoje wilgotne palce do moich.

– Najpierw może napijmy się jakiegoś grzesznego trunku, kochanie – odparłam i podniosłam butelkę z tacy pełnej nowych drinków, stojącej na kredensie w korytarzu.

Jaskółki śmigały w powietrzu jak ostre harpuny. Stałyśmy po pas w zielonym jęczmieniu, który kłuł w łydki i wrzynał się w ciało. Brakowało mi oddechu. Walizki uderzały o kostki, robiąc na nich bolesne siniaki, a łokcie aż paliły nas od bólu. Szłyśmy potykając się, co kilka metrów przekazując sobie butelkę z alkoholem. Dzieliło nas dobre półtora metra. Nie mogłam na nią patrzeć, tak byłam rozwścieczona.

– Więc wrócił! – krzyknęła w moim kierunku. – Ale tylko ciałem. Cały czas myślę, że mógłby się zastrzelić albo zrobić coś równie dramatycznego.

– Przynajmniej by coś poczuł – powiedziałam cicho.

– Co mówiłaś?! – wrzeszczała, przyspieszając kroku, żeby się ze mną zrównać. – Nie słyszałam.

– Mógłby chcieć się postrzelić, żeby przynajmniej poczuć ból. To lepsze niż odrętwienie.

Przez dłuższą chwilę szłyśmy dalej bez słowa. Za nami wydeptany jęczmień układał się w falistą ścieżkę. Mączny kurz pyłków, wzniecionych naszym pośpiechem, pokrył nam twarze bolesnym świądem.

– Wzięłam tysiąc funtów od Flesza. Chciałam dwa tysiące, ale nie miał! – krzyknęłam do niej po tych kilku minutach ciszy. – Okazuje się, że mieszka w ślicznym, malutkim domku dla lalki Barbie, przy słonecznej ślepej uliczce i nie ma pieniędzy.

– Fuj!

– Wiem. Ale tysiąc funtów to zawsze lepiej niż nic. Przekonałam się, że potrafię kłamać równie umiejętnie jak Tamsin. Jednak to lato nie poszło całkiem na marne.

– Szlag by trafił! Nic więcej? Wielki mi pornobiznes. To nie może być jego prawdziwa wartość!

– To wszystko, co mógł zdobyć za jednym podejściem. Możemy zażądać więcej, kiedy się z nim zobaczymy. W końcu dzisiaj też jest dzień. Za pół godziny mam z nim spotkanie przy pubie. Wyciągniemy z niego więcej. Zapłaci. Oszalał z miłości. Nawet nie wie, co robi.

– Ty czarownico! Ale oczywiście zażądamy od niego o wiele więcej – powiedziała takim tonem, jakbyśmy rozmawiały o słodyczach i lemoniadzie.

– Chce się ze mną spotykać. Ale być może już go dorwała policja. Mogli go aresztować. Wzywali go już na przesłuchanie.

– Doskonała robota, Mona! Doskonała! Teraz to już tylko kwestia czasu. Wyobrażam sobie, że kiedy wszystko zostanie udowodnione, spadnie na nas całkiem spora lawina pochwał. Pewnie napiszą o nas w gazetach.

– Tak. Wtedy wszyscy się o nas dowiedzą.

– Mój ojciec ciągle powtarza, że nie potrafi odróżnić, które z jego odczuć są prawdziwe, a które to zwykły ból. Sadie twierdzi, że on jest na granicy załamania nerwowego.

– No wiesz. To jedno wielkie oszustwo, że miłość niesie ze sobą uczciwość i prawdę. No nie? Zawsze mamy nadzieję, że tak właśnie jest, a tymczasem miłość przynosi wyłącznie ból i kłamstwa.

– Nie bądź dla mnie okrutna, Mona.

– Chcę przez to powiedzieć, kochanie, że sądzę, iż każda

z nas jest tak naprawdę samotna i musi sama o siebie walczyć. I co ty na to?

Z trudem brnęłyśmy dalej przed siebie. Szłyśmy przez pola, żeby pan Fakenham nas nie zauważył, kiedy wyjdzie nas szukać. Szłyśmy teraz po uroczej łące, upstrzonej jaskrami, stokrotkami i wrażliwymi na każdy podmuch mleczami. Chrupiące, brązowe kałuże krowich placków przykrywały trawę tu i tam. Osty drapały nam nogi.

– To straszna suka! Przecież sama chyba widziałaś? To znaczy wiem, że źle zrobiłam. Ale byłam pewna, że inaczej się mną nie zainteresujesz. Jak będę taka zwyczajna. Przepraszam, że cię okłamałam. Naprawdę. Bardzo, bardzo, bardzo, bardzo przepraszam.

Zatrzymałam się. Patrzyłam na niebo, na strumień i na ziemię. Piłam gin i dyszałam jak połykacz ognia. Przyglądałam się dokładnie liściom i kwiatom. Starałam się wchłonąć tyle szczegółów wyglądu planety Ziemi, ile tylko potrafiłam.

Dogoniła mnie i rzuciła walizkę tuż obok. Płakała. W jękliwy, denerwująco skowyczący sposób.

– Bo w sumie to chyba byłam zazdrosna. Pamiętam pierwszy raz, kiedy cię zobaczyłam. W zeszłym roku, kiedy przyszłaś oporządzić Willow. Wyglądałaś na taką smutną i taką niezwykłą, wyjątkową. Byłaś dla mnie atrakcyjna. Już wtedy chciałam się z tobą zaprzyjaźnić. Rozumiesz? Ty miałaś zmarłą matkę, o czym wiedziałam, zanim ty mi powiedziałaś. A ja? Sądziłam, że uznasz moje życie za bardzo zwyczajne i nieciekawe, jak to u bogaczy. Czy może być coś nudniejszego niż dziewczyna z bogatej rodziny, wywodzącej się z klasy średniej? To chyba najgorsze. W każdym razie najbardziej żenujące. Szkoła z internatem i wszystkie te inne rzeczy. Żaden prawdziwy człowiek nigdy nie ma ochoty się z takimi zaprzyjaźnić. Chciałam się z tobą identyfikować, ale nie mogłam, bo wszystko w moim życiu było w porządku. Miałam konie, lekcje muzyki i wakacyjne wyjazdy.

W przyszłości miałam pewnie chodzić na jakiś okropny uniwersytet z budynkami w kolorze miodu, a potem wyjść za mąż za mężczyznę o silnej szczęce, nienagannie prezentującego się w garniturze. A ty... No wiesz?

Nie chciałam pozwolić, by zobaczyła moją wściekłość. Chciałam zapamiętać każdy szczegół życia na ziemi. Takim, jaki był.

– Odezwij się do mnie, Mona! Czy ty mnie rozumiesz? Chciałam, żebyś mnie lubiła. Właśnie dlatego wymyśliłam historię o tym, że Sadie...

– Umarła.

– Na amen.

Chciałam od niej uciec, ale chciałam też być przy niej blisko. Żebym mogła ją zranić jeszcze bardziej, niż ona zraniła mnie. Zemścić się.

– Rozumiem – uśmiechnęłam się. – Moja siostra też jest suką. To straszna krowa. Mówię ci. Więc rozumiem cię doskonale.

– W gruncie rzeczy to zabawne.

– To złe, podłe, nikczemne i okrutne. Ale w sumie masz rację. W gruncie rzeczy to zabawne.

Znów zaczęłam iść. Klatka piersiowa bolała mnie z braku oddechu.

– Porozmawiam z Lindą o dziecięcych ubrankach. Zapytam, czy może nam jakieś oddać! – krzyknęłam.

I wszystko zaczęło się od nowa. Nie było żadnego wyjścia.

Przed nami, na wzgórzu, gnieździła się prostokątna, żółta łata rzepaku. Potem wieża kościelna. Farma. Minęłyśmy strumień, połyskujący zza łuku sękatych krzewów. Ilekroć widziałyśmy traktor, spuszczałyśmy głowy. Co chwila patrzyłyśmy na zegarek.

– Ale oczywiście on całkowicie zasłużył sobie na to, żeby czuć się wstrząśniętym, zranionym. Dobrze mu zrobi, jeśli dla odmiany przez chwilę pomyśli o mnie, zamiast ciągle myśleć o sobie. Ostatnio nawet nie był uprzejmy zauważać, że Sadie i ja w ogóle istniejemy.

– Nie pamiętasz? Trzeba zmuszać ludzi, żeby czuli naszą obecność. Sama mi to przecież mówiłaś.

– Bo to prawda.

Upał zrobił mi rynnę potu spływającą nad mostkiem. Pociągnęłam spory łyk z butelki. Poczułam, że muszę zdjąć koszulkę. Cycki nie zmieniły mi się od początku lata, choć przecież zmieniło się wszystko inne. Dalej były dwoma dużymi guzikami, przyszytymi do klatki piersiowej. Jeśli ktoś zobaczył mnie teraz z Tam, mógłby pomyśleć, że jestem jej młodszym bratem.

Miałam gołe piersi. Po podbródku spływał mi alkohol. Jak ślina. Albo łzy.

– Nie możesz się na mnie złościć, Mona, bo to źle dla naszego dziecka. Wybacz mi. Proszę.

– Wybaczam! – krzyknęłam za siebie. – Wybaczam ci.

– Dziecko to prawdziwe szczęście, prawda?

Dochodziłyśmy do parkingu przy pubie „U Adama i Ewy". Przyciągało mnie tam jak magnesem. Chciałam zobaczyć Flesza. Chciałam przekonać się, że nic mu nie jest i chciałam wziąć od niego więcej pieniędzy. A potem chciałam iść do pubu, do ojca, do własnego domu, w którym kłamstwa zawsze były mimowolne i okryte wstydem.

Kiedy zbliżałyśmy się do pubu, coraz wyraźniejszy stawał się gwar obiadowych głosów, głośny i bezładny, tak bardzo wypaczony upalnym słońcem, że można by pomyśleć, iż te angielskie matki mówią po brazylijsku. Ja szłam z przodu, ona kilka kroków za mną. Butelka już nam się skończyła. Oddech miałam suchy i postrzępiony z powodu astmy. Szłyśmy ulicami: ja topless, a ona z zadyszką. Po jej mięsistym ciele spływał pot.

– Kocham cię – łkała.

– Też cię kocham – powiedziałam zimno.

Dzieci, rysujące coś kredą na chodniku, podniosły głowy, żeby nas zobaczyć. Mały chłopiec, do zawrotów głowy kręcący się wokół własnej osi na linie, wsparł się na chwilę o drzewo, by nam się dokładnie przyjrzeć.

Już przy pubie zauważyłam, że poziom wody w Czarnym Strumieniu jest tak niski, iż widać pordzewiały kadłub wózka spacerowego dla dzieci. Rdza rozsyłała dookoła czerwonawe strużki. Odór z fabryki garbarskiej przeszywał całą okolicę, jakbyśmy wszyscy mieli nosy przystawione do olbrzymiej, niewyprawionej zwierzęcej skóry. Smród wydawał się wciąż przybierać na sile. Wszystko w Czarnym Potoku kojarzyło mi się ze śmiercią: wzdęte paczki po chipsach, plastikowe rury i postrzępione worki.

Nie miałam najmniejszej ochoty na kontakt z policją.

Daleko, na ścieżce flisackiej, dwóch mężczyzn ciągnęło linę wystającą z barki. Nad głowami piszczało kilka mew.

Wtedy właśnie odniosłam wrażenie, że widzę przód samochodu Philipa Rusha, wystający z przejścia między garbarnią a składem opon. A więc przy naszym parkingu w pubie.

– Patrz! To samochód Flesza – powiedziałam spokojnie. Zatrzymałam się.

– Ach! Myślisz, że da nam jakieś pieniądze?

– Być może – odparłam. – A przynajmniej postawi nam drinka.

– Rzeczywiście mi wybaczyłaś, prawda, kochanie? I naprawdę mnie kochasz?

Ze spokojem omijałam ją wzrokiem. Obserwowałam, jak nurkuje mewa. Tam postawiła walizkę na rozgrzanym asfalcie i gapiła się na samochód. Na moich bladych rękach zaczęły pojawiać się jaskraworóżowe plamki potówek. Drapałam je, rysując na skórze przerywane linie z czerwonych kropek, jakbym miała zamiar tę swoją cholerną skórę sobie fastrygować.

Postawiłam swoją walizkę obok jej.

Po drugiej stronie ulicy jakiś rowerzysta nacisnął hamulec i z rozdziawioną gębą przyglądał się mojej nagości.

Ludzie mówią, że pierwsza zobaczyła Flesza jakaś kobieta, spacerująca z wózkiem dziecięcym. Widziała, jak opiera pokrytą bąbelkami śliny twarz o szybę z jednej strony. Pomyślała, że śpi. Założyła, że zbyt dużo wypił w pubie i postanowił zdrzemnąć się w samochodzie. Takie rzeczy przytrafiały się wcześniej po wielekroć pijanym i zdesperowanym mężczyznom, więc było to ze wszech miar prawdopodobne. W końcu wszyscy wiemy, co ci mężczyźni wyprawiają. Jak bardzo daleko im do świata naszej codzienności. Że robią dokładnie to, na co mają ochotę, kompletnie lekceważąc oczekiwania, jakie wobec nich kieruje świat.

Nie widziałam jego pokrytej bąbelkami śliny twarzy, ponieważ doszłam tylko do momentu, gdy zobaczyłam zaparowane szkło i ciemny kontur ciała opartego o szybę. Potem wróciłam do Tam. Patrzyłam na nią. Myślałam o Lindy i o tym, że kiedy się skończy cały koszmar, pocałuję ją delikatnie w policzek. Przypomniałam sobie chwile, kiedy byłam przekonana, że Lindy nie żyje i zastanawiałam się, jak udało mi się wtedy ukryć cierpienie.

– O Boże! – krzyknęła Tam, kiedy zobaczyła to, co zobaczyłam ja.

W jakiś czas później, kiedy ujawniono nam informację, że popełnił samobójstwo, zatruwając się w samochodzie spalinami, wyobrażałam sobie jego łysawą głowę opartą o szybę, różową i cętkowaną, jak zaokrąglony koniec wyjętego właśnie z puszki bloku peklowanej wołowiny. Czasem też wyobrażałam sobie jego martwą głowę jako coś szerokiego, mięsistego i szaroniebieskiego, jak ugotowane na twardo zgniłe jajko. Gdyby do takiego jajka przyłożyć nóż i widelec, to ostrze i zęby naciskałyby tak długo, aż nie przeszłyby na drugą stronę. O tym właśnie myślałam co noc jeszcze przez długi czas. Czułam śmiercionośne opary, ilekroć zapalałam sobie papierosa. Z trudem przychodziła mi każda wizyta na stacji benzynowej. Zastanawiałam się,

czy ciepło jego głowy przesączyło się na przednią szybę samochodu, bo przecież jedzenie rozgrzewa talerz, na którym leży. Wyobrażałam sobie jego palce, śnieżne jak świecowy wosk, skrzyżowane tuż nad udami, na brązowym anoraku.
– Musimy iść. No chodź. Idziemy. Znam jedno miejsce. W sitowiu. I trzcinie. Taki opuszczony domek. Chyba nikt tam nie mieszka. Chodź.
– Tak – powiedziała Tam.
W jej głosie nie było ironii. Spieszyła się, żeby dotrzymać mi kroku. Walizki zostawiłyśmy na asfalcie, niedaleko samochodu Flesza. Kiedy dreptała obok mnie, przyciskała dłoń do brzucha.
– Niedobrze mi – szepnęła.
– Biegnijmy!
To nie miało nic wspólnego z Tam. Ona nigdy wcześniej go nie widziała. Ona go nie znała. Nie wiedziała nawet, że pozowałam mu do zdjęć. Że jechałam w jego samochodzie. To ja. To wszystko tylko ja.
Pędziłyśmy galopem. Potem przystanęłyśmy. Było mi niedobrze. Tak niedobrze, że doznałam gwałtownego jak wybuch bólu głowy. Patrzyła na mnie i zawodziła. Znów biegłyśmy. Nie miałyśmy dokąd pójść, więc biegłyśmy. Tam wciąż trzymała się za brzuch, jakby miała tam kieszeń pełną pieniędzy. Zatrzymałyśmy się. Usiadłam na betonie, który okalał wodę. Nie miałyśmy ze sobą niczego oprócz naszych okropnych ciał. Nie mogłam oddychać. Tam stała za mną, odwracając się. Z parkingu dobiegały jakieś krzyki.
– Już dobrze, kochanie. Pomogę ci – powiedziała Tam, jak czuła matka. Przez chwilę wahała się, by mnie dotknąć, ale potem się zmusiła, pociągnęła mnie za rękę i wstałam. – Nie ma się czym martwić. Chodźmy na spacer, na długi spacer. A potem pójdziemy do pubu. A potem wyjedziemy, kochanie. To nie jest twoja wina.
– Most. Siądźmy pod mostem w cieniu – zaproponowałam. – Usiądźmy tam i zastanówmy się, co mamy dalej robić.

Przez chwilę myślałam, że to może świat przechyla się na boki, a my stoimy prosto i nieruchomo.

– Myślisz, że z moim ojcem wszystko w porządku? – zapytała po jakimś czasie. – To znaczy, mam nadzieję, że on nie...

– Kogo to obchodzi? – stwierdziłam.

Widziałam go w oddali. Most. Jako dziecko siadywałam pod nim po wszystkich awanturach w domu. A czasem chodziłam tylko po to, żeby poszukać kondomów. Podobało mi się samo słowo „most". Było pełne nadziei.

Dzień, kiedy razem z Lindy wyruszyłyśmy konnym powozem, Cleo podpinała baskinkę, a Flesz robił zdjęcia, wydawał się tak odległy. A przecież wydarzyło się to zaledwie miesiąc wcześniej.

Tego wieczoru u Lindy miało się odbyć z tej okazji przyjęcie z chińskim żarciem na wynos.

Usiadłyśmy na betonie i patrzyłyśmy na graffiti, starannie wypisane sprayem nazwy motorów i zespołów heavymetalowych. Pod mostem było cieniście, chłodno i śmierdząco. Tam siedziała naprzeciwko mnie, pod wymalowanym sprayem słowem „Kawasaki". W każdych innych okolicznościach wyglądałaby rewelacyjnie. Po lewej stronie widniał napis „Suzuki", jakby malujący napisy chłopak miał cały szereg japońskich narzeczonych.

Pomyślałam o mięsistych, tłustych fałdach pod jego pachami i oponie wokół talii. Ten mężczyzna żył trzydzieści cztery lata. Miał zostać poetą. Jego ciało było teraz zimne i odrobinę lepkie w dotyku. Wcześniej już dotykałam martwych ciał. Nie było w tym żadnej poezji.

Większość napisów graffiti dotyczyła miłości, czyli kto kocha kogo, jak bardzo i od kiedy: „dla ewy", „bardzo bardzo", „bez końca", „od cholery", „bez względu na wszystko", „aż po grób".

Chwyciłam Tam za rękę. Obydwie płakałyśmy. Nasze złączone ręce lepiły się od smarków, śliny i łez.

Potem puściła moją dłoń i odeszła ode mnie kilka kroków, po wąskiej betonowej półce.

Głowę trzymała opuszczoną, ale jej oczy co i raz szybko zerkały na mnie z ukosa.

– Mona? – odezwała się bardzo uprzejmie. – Zważywszy na fakt, że przecież w ogóle go nie znałam, że nawet raz się z nim nie spotkałam, to wszystko nie ma ze mną nic wspólnego, prawda? Chyba to nie jest moja wina? Prawda?

– To ty poszłaś na policję – pochlipywałam, próbując schwycić jej rękę.

– No, nie bardzo. Zrobiłam to, bo mi powiedziałaś o nim i o Julie.

– Tak, ale to ty powiedziałaś policjantom, gdzie niby znalazłyśmy jej koszulkę.

– Bo sama mi to zasugerowałaś.

– Nie. Ty to zasugerowałaś.

– Poza tym opowiadałaś na policji wszystkie te kłamstwa o pozowaniu mu do zdjęć i tak dalej.

– A ty mi kazałaś, żebym poszła do niego i zażądała pieniędzy.

– Nie, Mona. Wcale tego nie zrobiłam!

– W każdym razie zrobiłaś rzecz najgorszą: wmówiłaś mi, że twoja siostra nie żyje. Wszystko przez ciebie! To nie ma nic wspólnego ze mną!

– Owszem, ma. Wszystko to twoja wina! Twoja pieprzona wina!

– Moja wina?!

– Całkowicie. Ty uwierzyłaś. Byłaś na tyle głupia, żeby w to cały czas wierzyć. Każdy inny na twoim miejscu wiedziałby, że żartuję. Ale ty nie! Bo przecież tak naprawdę podobała ci się myśl, że moja rodzina jest bogata, ekscentryczna i przeklęta.

– Ale...

– Tymczasem widzę teraz wyraźnie – ciągnęła, wskazując na mnie palcem i uśmiechając się podle i szyderczo – widzę, że jestem tak samo zwyczajna jak ty.

– Nie, Tam. Nie jesteśmy zwyczajne. Ani ty, ani ja.

– Jesteśmy! – krzyknęła. – Jesteśmy, jesteśmy, jesteśmy!

Słońce płonęło. Osuszało nasze łzy i zmieniało śluzowatą maź smarków w blade strupki. Tam chodziła w kółko. Była zła. Trzymała papierosa blisko kostek zwiniętej dłoni i paliła, łapczywie się zaciągając. Siedziałam wbita w beton. Moje własne miasto wydawało mi się całkiem obce. Odczuwałam to dziwne znużenie, jakiego ludzie doznają po długiej podróży samolotem, kiedy dotrą do wakacyjnego miejsca wypoczynku w innej strefie czasowej.

– Liczyłam na to, że znaczenie wcześniej zorientujesz się, że wszystko to zmyślam – powiedziała z furią, po czym przykryła górną wargę dolną i wykrzywiła usta w udawanym grymasie żalu. – Przecież nie trzeba było geniuszu detektywa, żeby się zorientować, że to wszystko niemożliwe!

Popatrzyłam na nią i ze względu na silne słońce musiałam osłonić sobie oczy dłonią.

– To była bardzo sprytna sztuczka. I doskonale przeprowadzona. Błyszczysz inteligencją, Tam. Błyszczysz jak słońce – powiedziałam, a ona zaśmiała się nerwowo. – Ja jestem tylko bladym, słabym księżycem. Ja tylko odbijam światło, które ty emitujesz.

Nie odezwała się. Wstałam i przez chwilę obydwie chodziłyśmy w tę i z powrotem. Nie bałam się jej.

– I może tak jak księżyc, daje się mnie zauważyć, tylko jeśli ciebie nie ma wokół.

Spróbowała mnie dotknąć, ale odskoczyłam.

– Ja cię zauważam – zapewniła. – I nie krzycz na mnie.

– A może w każdym związku jest ten, kto świeci światłem własnym i ten, który je tylko odbija?

Cienie padały kanciastymi pajdami, a ja skradałam się między nimi.

– On nie żyje – powiedziałam, odwracając się do niej. Czułam, że za chwilę znów zrobi mi się niedobrze.

– Jak on w ogóle śmiał? Sukinsyn jeden! Teraz już policja

nigdy go nie złapie. I biedna, mała Julie nigdy nie zostanie pomszczona. Okrutny, tchórzliwy i paskudnie łysy facet!

Stała zaledwie kilka kroków ode mnie, ale krzyczała na całe gardło.

– Spójrz tam! To Baleron. Mój przyrodni brat.

– O Boże, tylko nie on! Jest obrzydliwy.

Ucieszyłam się, że go widzę. Biegł w naszą stronę. Widział, jak ludzie wysypywali się z pubu, żeby obejrzeć samochód Flesza. Widział, jak przyjechał policyjny radiowóz. Z każdym kolejnym krokiem wyglądał tak, jakby się miał przewrócić na chodnik. Ale mimo to pojawienie się kogoś, kto mógł wyrwać nas z bezczynności zaraz odebrałam jako wielką ulgę.

Obydwie najeżyłyśmy się całe w oczekiwaniu na wieści.

– Mona! Flesz nie żyje! Chyba – darł się już z daleka. Wyglądał na zadowolonego, że mnie widzi. – Muszę powiadomić jego żonę.

Potem, kiedy podbiegł bliżej, zobaczył Tam, zauważył, że jestem półnaga i zmieszał się. Najpierw uciekł wzrokiem, a później zaczął się bacznie wpatrywać w moją klatkę piersiową.

– Odpierdol się – powiedziałam, zakładając ręce na swojej bezcycnej klatce piersiowej i odwracając głowę na bok, jakbym była poważnie obrażona. Czułam własne żebra, supły własnych łokci i kościste guzki nadgarstków. Moje ruchy były szybkie i gwałtowne. Tamsin kiwała głową, jakby słyszała w niej muzykę. Potem zrobiła krok w jego kierunku i zapytała:

– Czy ty w ogóle masz pojęcie, co ten mężczyzna zrobił pewnej dziewczynie?

Na górze zaterkotał samochód. Jechał z wielką prędkością i opadł na nas kłąb spalin.

– Muszę powiedzieć o tym jego żonie. I ściągnąć ją na miejsce.

– Więc powiedz jej też, że jej mąż jest mordercą, skoro już zajmujesz się informowaniem.

– Posłuchaj, Baleron! To on porwał Julie. I zabił ją.

Właśnie dlatego policja deptała mu po piętach – poinformowałam spokojnie, jednak moje stopy wykonywały małe, szybkie kroczki. Nie patrzyłam na niego. Teraz już trzymałam głowę w dłoniach i policzkowałam sama siebie, żeby się uspokoić.

– Co takiego? Niemożliwe. Flesz jest w porządku. On tego nie zrobił.

Tam zrobiła jeszcze jeden krok do przodu i popchnęła go.

– Nie sprzeczaj się z Moną. Ona wie o całej sprawie więcej niż ty, nie sądzisz?

– Załóż coś na siebie, Mona – powiedział Baleron cicho.

– Nie będziesz tu rozkazywał, co Mona ma zrobić. Słyszysz? Ty tłusty... tłusty SUKINSYNU!

– Przestań krzyczeć.

– Nie zostawiaj mnie, Mona! Nie zostawiaj! Przecież ja cię kocham!

– Ja też cię kocham!

– O kurwa! – mruknął Baleron.

– Zamknij tę swoją świńską gębę, gruba dupo! Mona, naprawdę mi przykro, że masz tę grubą świnię za brata.

– On nie jest moim bratem.

– Owszem, jest.

– Właśnie że nie. Nie jest.

– Właśnie że jest. Chociaż waży pięć razy tyle co ty. Tylko popatrz na tę wielką kupę słoniny!

– Zostaw go! Przestań go popychać!

– Odpierdol się, głupia lesbo. Lesbijka! Trzymaj łapy przy sobie.

– Przestań się, kurwa, wydzierać.

– Zostaw ją! Ona spodziewa się dziecka! Nie dotykaj jej! Nie dotykaj naszego dziecka!

– Ty brudna... O kurwa!

– Słyszysz! Nie waż się!

– Nie.

– Przestań. Nie rób tego!

Ale przecież dzięki temu, że znów robiłyśmy coś razem, nasza miłość ponownie stała się pełna.

– Jest taki obrzydliwy. Ten cały tłuszcz jest obrazą dla gatunku ludzkiego. Prawda, Mona?

– Taaak – mruknęłam.

– A poza tym to mnie skrzywdziłeś, ty odrażająca kupo tłuszczu. Popchnąłeś mnie i upadłam na podłogę. Niech tylko mój ojciec się o tym dowie!

I zaczęli się bić. Najpierw niegroźnie, delikatnie. Na początku tylko siedziałam, ale później wstałam i popychałam go razem z Tamsin. Bardzo bolała mnie głowa. Ciężko było popychać tak grubego mężczyznę. Ciągle sprężynował do przodu, jak wielkie, tłuste, mięsne jo-jo. Młócił ramionami na oślep. Oczy mu się zwęziły, a grubymi palcami drapał przed sobą, jakby usiłował utorować sobie drogę przez rój pszczół.

Tam szarpała go mocno i wpijała mu paznokcie w ręce. Celowo usiłował nie robić nam krzywdy. Walczył z nami, jakby był dziewczyną. Ona używała paznokci precyzyjniej niż on. Ja też wrzynałam się pięściami w jego mięso. Miałam pełną garść tłuszczu i nie poczułam nawet jednej kości. Zaczęłam go drapać i obserwowałam, jak w skórze zrobiła się bruzda, zmarszczyła się, podniosła odrobinę do góry i – niemal cudownie – zakwitła krew.

Stracił równowagę, spadł z krawędzi betonu i leżał na boku w wodzie. Stało się to bardzo szybko i było moją winą. Tam znalazła się zaraz obok niego i początkowo byłam przekonana, że mamy zamiar mu pomóc. On też tak myślał, ponieważ kiedy zanurzyłam rękę w wodzie, chwycił się jej, jakbym chciała go ratować. Zauważyłam ptaka. Chyba to był drozd. Usiadł na latarni tuż przy rzece, naprzeciwko. I obserwował nas, szybko błyskając ogonem.

Krótka spódniczka Tam zrobiła się niebawem całkiem mokra i zaczęła szczelnie przylegać do ud. Podniosła ją jak mała dziewczynka i wsunęła w nogawki majtek. Obydwoma rękami naciskała jego różową twarz, jakby grała w piłkę.

W podobny sposób trzymała w dłoniach głowę Niny Fisher. Mruczała, jakie to obrzydliwe, że mam takiego tłustego brata. Odwróciła się do mnie, zadyszana, uśmiechnęła się i w geście zwycięstwa podniosła nad głowę zaciśniętą pięść. Jakby wygrała wyścig.

Poszłam za nią głębiej w zimnawą rzekę, co przyniosło ulgę. Zanurzyłam rozgrzane, swędzące ręce w lśniącej tafli. W chłodnej wodzie środka lata chciałam zmyć z palców wosk śmierci. Stopy zanurzały się w miękkim mule, jak w mącznej poduszce. Malutkie, wijące się stworki szalały mi między palcami u nóg. Byłam pewna, że to węgorz, szczurzy ogon albo wąż wodny złapał się w pułapkę i podskoczyłam, próbując go w ten sposób uwolnić. Pochyliłam się do przodu i zadrżały mi piersi, kiedy zetknęły się z wodą. Pomyślałam o Fleszu, potem o dziecku Tamsin. I o tym, że właśnie unieważniamy poród Balerona, cofając go z powrotem w czarną otchłań. Próbował się podnosić, bronił się i krzyczał, a my znów wpychałyśmy go pod wodę. Przekręciła mi się spódnica, więc nie bardzo mogłam poruszać się swobodnie.

Samochody osobowe, ciężarówki i motocykle grzmiały nad nami. Najwyraźniej był to bardzo ruchliwy dzień.

Nasze palce splatały się pod wodą. Wszystkie nasze palce: Balerona, Tam i moje własne. Jakbyśmy obracali się w jakimś podwodnym tańcu ludowym. Potem Tam zaczęła krzyczeć, i znowu, i znowu. Jak amerykańscy Indianie, których czasem widuje się w telewizji. Taka byłam zadowolona, że skończyła się awantura między mną a Tam! Złość między kobietami była zbyt piekąca i zbyt przerażająca, zbyt okropna, by w nią uwierzyć. Przytrzymywałam się jej ramienia, żeby nie stracić równowagi, kiedy wpychałam go wciąż od nowa pod wodę moją płaską, drobniutką dłonią.

Cleo dała życie temu potężnemu mężczyźnie. *Przyj, przyj, przyj* – słyszała i wpychała w niego życie, a my je teraz z niego wypychałyśmy.

Cóż to była za zabawa!

– Mam go, kochanie.

– Świetnie. Jesteś doskonała!

– Trzymam go.

– On naprawdę z nami walczy – sapała.

Byłyśmy dwiema dziewczynkami ujeżdżającymi dzikiego konia.

Teraz stałyśmy w wodzie już po pas. Włosy miałam zlepione błotnistą wodą, jak szczur, pobrudzone piaskiem i ziemią. Chlapało tak bardzo, że ledwie co widziałam. Patrzyłam na szary spód mostu, na zagrzybione rysy, w których jedna płyta łączyła się z drugą. Na wielkie falbany wilgoci, kwitnące zacieki ropy i benzyny. Wciąż byliśmy w zasięgu potężnego cienia, który roztaczał na wodzie most.

Za granicą cienia rozciągnęło się nad nami sobotnie słońce.

Tam zaskowyczała i podniosła z dna rzeki cegłę, o którą uderzyła stopą.

Kiedy Tam po raz kolejny wpychała jego głowę pod wodę, uderzyła go tą cegłą w twarz. Było to zaskakująco trudne, niemal niemożliwe, by wygonić życie z tego tłustego, młodego człowieka, jednak stopniowo zaczął opierać się coraz słabiej. Ja też podniosłam z dna rzeki kamień, ciężką, błyszczącą bryłę, niczym solidny kawał starożytnego mięśnia. Przyszło mi do głowy, że Cleo zjawi się znów w domu, żeby pielęgnować go, aż wróci do suchego zdrowia. Wyobraziłam ją sobie siedzącą przy łóżku Balerona z ręcznikiem, klepiącą go między łopatkami, żeby wypluł z siebie całą tę zieloną wodę rzeki do niebieskiego kubła. Pojawiła się krew. Ale on nie umierał i jeszcze przez długi czas jego twarz wciąż na nowo wychylała się nad wodę, charcząca i biała, potem bielsza i mniej charcząca, a potem szara i całkiem cicha. Za każdym razem, gdy się podnosił, kurczowo chwytał mnie za rękę.

– Dalej, Mona!

– W porządku. Poradzę sobie.

– No, dawaj!

– Kurczę!

– Taak. To mi się podoba!

Gdy się kogoś zabija, trzeba sapać i dyszeć, trzeba jęczeć i napierać. Napierać, napierać i napierać, aż do samego końca. To całkiem jak seks w wykonaniu mężczyzny.

Jego zmęczone ręce oplatały mi się wokół ramion miękko. Jeszcze raz, i jeszcze raz, i jeszcze. Za każdym razem coraz słabiej, bardziej się osuwając. A mimo to miałam wrażenie, że oczekiwał ode mnie pomocy. Nawet po tym wszystkim, co się wydarzyło, najwyraźniej oczekiwał, że ja, jego cudaczna, głodująca, przyrodnia siostra, przyniosę mu ocalenie.

Kiedy wpychałam go pod wodę, budziły się we mnie wspomnienia. To było jak zasypianie. Słońce w kałuży na chodniku, miękka, baletowa szarfa zwinięta w spiralę, zielistka w doniczce na parapecie okiennym.

A potem w wodzie, głęboko, głęboko, w chwilach ciszy, kiedy on był pod powierzchnią i nie wynurzał się, widziałam moją matkę.

Podnosi mnie z wody. Jest wysoka i silna. Z łatwością potrafi unieść mokre dziecko. Wynosi mnie z ciemności panujących pod mostem, mijamy płaty cienia i kładzie mnie na płatku gorącego słońca. Otwieram oczy i skwierczę. Patrzy mi w twarz i śmieje się, śmieje, a później zaczyna delikatnie, malutkimi ruchami, mierzwić moje kamieniste brwi opuszkami palców. Wygładza moje pomarszczone kości, jak mięknące masło chwilę po wyjęciu z lodówki. Ma długie, poblakłe włosy, opadające jej na plecy i zwieszające się nad ramionami. Jedwabiście dotyka mojej cienkiej skóry. Rzadko nakłada makijaż. Nie musi. Kiedy dociera do moich żeber, delikatnie brzdąka na nich palcem wskazującym, jakby przejeżdżała po strunach gitary. I zaczyna śpiewać, nawet nie otwierając ust. Śpiewa i nachyla się nade mną, tak, że mogę poczuć jej zaokrąglony brzuch na swojej martwej ręce. Potem, kiedy piosenka się kończy, a ja jestem już sucha, pochyla się nade mną, żebym mogła poczuć całą tę jej miękką pulchność.

* * *

Później, ale nie wiem, ile później, poszłyśmy po walizki i przyglądałyśmy się, jak policja rozwija czerwoną taśmę wokół parkingu. Smród wnętrzności był tak silny, że miałam wrażenie, iż się w nim kąpiemy.

Nie byłyśmy pomazane krwią. Na pewno zmyłyśmy z ciała ślady krwi jeszcze w wodzie. Z tego powodu nie miałam odwagi spojrzeć za siebie, ponieważ obawiałam się, że Czarny Potok zrobił się czerwony. Wszystkie rzeki w moim mieście toczą rubin. Wszystkie krany tryskają szkarłatem.

Zebrał się tłum, jak to zwykle w sobotnie popołudnie. Głównie kobiety, ale też kilkoro dzieci, kilku robotników i kilku podpitych facetów z naszego pubu. Przyjechała karetka, ale nie wyjęli Flesza z samochodu. Niektóre kobiety płakały, a inne napawały się bezładnym gwarem szeptów. Dzieci przepychały się, żeby dostać miejsce z lepszym widokiem. Nikt nie wydawał się przejmować naszymi mokrymi, poobijanymi ciałami. Zabrałyśmy walizki i przeszłyśmy kawałek dalej aleją. Tam się rozebrałyśmy.

– Dobrze się już czujesz? Zemdlałaś. Uratowałam cię – zagadywała Tam, ale ja nie odpowiedziałam. Pamiętam, że patrzyłam na jej nagie ciało w tej alei, między szpalerami ostów i malw, jakbym widziała ją rozebraną po raz pierwszy. Na powietrzu, pod gołym niebem, dwie bańki z gumy do żucia pękły z trzaskiem. Jej nagość wydawała się szara i przeżuta.

Nałożyłyśmy świeże ubrania wyjęte z walizek. Żałowałam, że nie nadeszła jeszcze noc. Chociaż nie wiedziałam, która godzina, byłam bardzo świadoma rytmu cykania, jakby wokół nas pulsował olbrzymi zegar. Koniec alei gęsto porastały dzikie róże. Wytarłyśmy włosy ręcznikiem. Żadna z nas nie odezwała się ani słowem. Za to bardziej przejmowałyśmy się własnym wyglądem teraz niż w trakcie tych ostatnich, spędzonych razem tygodni. Wiedziałam, że po wojnie też tak będzie. Będzie musiało tak być: rzeczowo i beznamiętnie. Przyjdzie nam wyjmować martwe ciała ze schronów atomowych i układać je w stosy na miejskich placach. Przyjdzie zachowywać się chłodno i działać praktycznie, być może nawet poświęcając zakażonych członków rodziny dla dobra całej grupy. Ze spokojem i skutecznie trzeba będzie radzić sobie z pęcherzami, ranami, biegunką, torsjami, wrzodami, utratą włosów i rakiem.

Tam przykucnęła w alejce i nakładała szminkę, ekstrawagancko wykrzywiając przy tym usta. Obserwowałam, jak na ramieniu ciemnieje mi siniak. Nakładałyśmy makijaż jak kominiarkę. Tam wierciła w brwiach czarnym ołówkiem, jakby chciała zetrzeć stamtąd jakąś pomyłkę. Nad każdym okiem położyłyśmy gruby łuk zielonego cienia do powiek. Ona ostrożnie wyciskała z tuby krem antyseptyczny i starannie smarowała sobie zadrapania i rozcięcia na nogach. Ja z wielką koncentracją malowałam rzęsy, każdą z nich pieczołowicie oddzielając od pozostałych.

Tam uporczywie pluła na ziemię, raz koło razu, jakby przed chwilą połknęła truciznę. Zignorowałam ją i całą uwagę skierowałam na to, by jak najlepiej rozsmarować podkład. Potem ciemnoczerwoną konturówką zaznaczyłam linię ust. Szerokimi paskami wzdłuż policzków nałożyłyśmy róż w kremie. Roztarłyśmy go. Tam zaczęła wycierać wacikiem usta od wewnątrz. Szorowała tak przez dłuższy czas, jakby walczyła z jakimiś potwornymi zanieczyszczeniami.

– Czy wyglądam ładnie? – spytała.

Nie odezwałam się, więc zapytała ponownie.

– Oczywiście. Wszyscy będą chcieli cię zgwałcić! – powiedziałam, nie patrząc w jej kierunku.

Wyszłyśmy z alejki. Wyglądałyśmy kiepsko i krzykliwie. Jej makijaż był lustrzanym odbiciem mojego makijażu. W ustach miałam sucho, jakbym i ja zapchała sobie gębę watą. Chybotałyśmy się trochę na wysokich obcasach. Na odbiciu w czarnej, fabrycznej szybie wyglądałyśmy jak psy, które po raz pierwszy idą na tylnych łapach.

Zobaczyłyśmy sanitarkę, która zabrała ciało Flesza.

– Chodźmy więc do środka i wygrajmy trochę pieniędzy – powiedziałam tylko, kiedy sanitarka ze zwłokami odjechała.

– Uwaga, nadchodzą kłopoty – rzucił Ken, kiedy weszłyśmy do baru. Wszyscy skinęli mi na powitanie i uśmiechnęli się do mnie. Na sali było gorąco i cicho, choć chyba słyszałam gdzieś jakieś syczące szepty. Tam stała za mną spokojnie. Miała za uchem świeże zadrapanie, z którego strużką spływała perełka krwi.

– A oto i piękna druhna! – powiedział Bob, śmiejąc się i puszczając oko. – Wyglądasz wspaniale.

Wtedy właśnie na cyfrowym wyświetlaczu termometru zobaczyłam temperaturę: trzydzieści cholernie gorących stopni. I pół. Później miała przyjść burza.

Włączyłam moją maszynę i zaczęłam grać. Tamsin stała obok i po prostu przyglądała się światłom i błyskom. A gdy z czasem gwar się nasilał, całą salę stopniowo wypełniały brylanty pomarańczowego światła wieczoru. W końcu, kiedy wszedł ładny, młody policjant o jasnych włosach, wszyscy spojrzeli na nas, z przerażeniem. I wydało im się, że w ciemności sypiemy iskrami.

podziękowania

Chciałabym podziękować następującym osobom: Ericowi Dupin, Annie Garry, Clayowi Listerowi, Verity Watts i Mirandzie Yates; moim nauczycielom: Marge Clouts i Andrew Motionowi; moim redaktorom: Alexandrze Pringle i Marian McCarthy; mojej agentce Deborah Rogers oraz, rzecz jasna, Andy'emu Williamsowi, który zawsze służył mi pomocą.

Helen Cross urodziła się w 1967 roku i dorastała w East Yorkshire. Kształciła się w Goldsmiths College, University of London oraz University of East Anglia. Obecnie mieszka w Birmingham.

WYDAWNICTWO
SONIA DRAGA

poleca:

Augusten Burroughs – „Biegając z nożyczkami"

Poznaj dwunastoletniego chłopca przebierającego się w damskie ciuszki, jego matkę – neurotyczną biseksualną poetkę i psychiatrę, któremu Augusten zostaje oddany na wychowanie. Kiedy zaznajomisz się również z pedofilem mieszkającym nieopodal i rzeszą nadzwyczaj interesujących pacjentów odwiedzających pana doktora, książki tej nie wypuścisz z rąk, no chyba, żeby obetrzeć płynące ze śmiechu łzy. Czarny to humor, ale jakże wykwintny.

„Biegając z nożyczkami" jest na przemian odrażające i przygnębiające, porywające i obłędnie dowcipne.

Autobiograficzna książka Augustena Burroughsa od ponad osiemdziesięciu tygodni znajduje się na liście bestsellerów *New York Timesa*. Potwierdzeniem jej niewątpliwego sukcesu jest również rozpoczęty proces ekranizacji, w której udział wezmą: Annette Bening, Gwyneth Paltrow, Brian Cox i Joseph Fiennes. Produkcją zajmie się *PlanB* – studio należące do Brada Pitta, Jennifer Aniston i Brada Greya, a film pojawi się w kinach już w 2006 roku.

„Ta biograficzna powieść o życiu amerykańskiego nastolatka wywołuje prawdziwy szok. Nawet u czytelnika nawykłego do ostrej literatury... Proste, czasem lakoniczne opisy zdarzeń, wstrząsające dialogi, przepojone cynicznym spojrzeniem na własne dojrzewanie, czynią z tej książki arcydzieło".

Na żywo, ocena: *****/*****

„**Biegając z nożyczkami** to sprośna, skandalizująca, ale często zabawna opowieść o nieszczęśliwym życiu".

Janet Maslin, *The New York Times*

„Rewelacyjnie napisane, z poczuciem stylu i humoru... te przerażające wspomnienia z wczesnej młodości są zarówno doskonałą rozrywką, jak i niesamowitą prowokacją".

Publishers Weekly

Augusten Burroughs – „Spragniony"

Możecie o tym nie wiedzieć, ale spotkaliście już Augustena Burroughsa. Widzieliście go na ulicy, w barach, w metrze, w restauracjach: dwudziestokilkuletni facet, w eleganckim garniturze, pracownik reklamy. Typowy. Niczym się nie wyróżniający. Ale kiedy typowa osoba wypija dwa drinki, on nie potrafi poprzestać na dwunastu; kiedy typowa osoba wraca do domu przed północą, Augusten nie wraca w ogóle. Krzykliwe krawaty, automatyczne budzenie telefoniczne i woda kolońska na języku długo nie potrafią ukryć przykrej prawdy.

Na prośbę (chociaż tak naprawdę nie jest to tylko prośba) swoich pracodawców Augusten trafia do kliniki odwykowej, gdzie rzeczywistość fluorescencyjnych lamp i papierowych kapci szpitalnych kłóci się z jego wyobrażeniami o leczeniu w towarzystwie Roberta Downeya Juniora. Wbrew własnym chęciom poddaje się w końcu detoksowi, odkrywając prawdę o sobie, po czym powraca na Manhattan i rozpoczyna nowe życie. Jednak wkrótce poddany zostaje kolejnej trudnej próbie – jego przyjaciel choruje na AIDS...

„To nie są zabawne sprawy, ale Augusten Burroughs pozostaje mistrzem w łączeniu komedii z nieszczęściem".

Janet Maslin, *The New York Times*

„**Spragniony** to więcej niż opowieść rozdzierająca serce. To rzecz wręcz heroiczna. Po przeczytaniu tej książki, podobnie jak i poprzedniej, byliśmy zaskoczeni nie tylko tym, że Burroughs potrafi pisać tak znakomicie, ale tym, że on w ogóle jeszcze żyje".

People

„**Spragniony** to oryginalne wspomnienia z popapranego życia. Burroughs zręcznie łączy alkoholizm z pracą w reklamie, z których każde wymaga umiejętności idealizowania pustki".

Entertainment Weekly